ein Ullstein Buch

Ullstein Buch Nr. 3856
im Verlag Ullstein GmbH,
Frankfurt/M – Berlin – Wien

Originalausgabe

Umschlagentwurf: Jürgen Riebling
Printed in Germany 1978
Gesamtherstellung:
Ebner, Ulm
ISBN 3 548 03856 5

Deutsche
Geschichte

Ereignisse und Probleme

herausgegeben von
Walther Hubatsch

Winfried
Baumgart

Bücherverzeichnis
zur deutschen
Geschichte

Hilfsmittel · Handbücher
Quellen
4. überarbeitete und
ergänzte Auflage

ein Ullstein Buch

Stand: Dezember 1977

Vorwort

Die vorliegende Bücherkunde fußt auf meiner »Bibliographie zum Studium der Neueren Geschichte«, die ich vor knapp einem Jahr im Rotaprint-Verfahren veröffentlichte; sie wurde für die Taschenbuchausgabe völlig umgearbeitet: Die Hilfsmittel und großen Quellen-Reihen zum Studium der mittelalterlichen Geschichte wurden einbezogen, so daß der Student der Geschichte an einer deutschen Universität die für ein Seminar zur mittelalterlichen *und* neueren Geschichte unentbehrlichen Arbeitsmittel in einem handlichen Kompendium vereinigt findet.

Der zur Verfügung stehende begrenzte Raum sowie die Anlage dieser Taschenbuch-Reihe machten Kürzungen in der »Bibliographie zum Studium der Neueren Geschichte« unvermeidlich, von denen in erster Linie der Abschnitt über die Quellen betroffen ist: Die Quellen zur außerdeutschen Geschichte wurden ganz fortgelassen; in den Quellen zur deutschen Geschichte wurde auf den genauen Nachweis einzelner Bände einer mehrbändigen Edition teilweise verzichtet. Beide Bibliographien ergänzen sich also in dieser Beziehung.

Die Abschnitte über die Hilfsmittel und Handbücher wurden dagegen um zahlreiche Titel, die zum größeren Teil die mittelalterliche Geschichte betreffen, erweitert. Für ihre Einarbeitung benutzte ich hektographierte Zusammenstellungen, die mir die Herren Kollegen Dr. Heinz Thomas und Ulrich Nonn freundlicherweise zur Verfügung stellten.

Die Titelaufnahme, für die möglichste Genauigkeit und Vollständigkeit angestrebt wurde, erfolgte in Anlehnung an die »preußischen Instruktionen« von 1909.

Wie rasch die Buchproduktion voranschreitet – in den letzten anderthalb Jahrzehnten besonders auch die Nachdrucke vergriffener Werke –, wird der kundige Benutzer an den Titeln der obengenannten und der vorliegenden Bibliographie leicht feststellen. Obwohl zwischen ihrer Zusammenstellung nur elf Monate liegen, war die Nachprüfung fast jedes einzelnen Titels notwendig, um die Bibliographie auf den neuesten Stand zu bringen. Wie die erste Bearbeitung, die in ihrer jetzigen Form zunächst beibehalten wird, soll auch die vorliegende eine rasche Auflagen-Folge (zwei bis drei Jahre) haben. Auch in dieser Hinsicht werden sich beide Bearbeitungen ergänzen.

Für Hinweise, die in einer Neuauflage berücksichtigt werden sollten, bin ich jedem Benutzer dankbar.

Bonn, im Juli 1970   *Winfried Baumgart*

Vorwort zur vierten Auflage

Um bei der Neubearbeitung des Bücherverzeichnisses die wichtigsten einschlägigen Neuerscheinungen einbeziehen zu können und den Umfang dennoch nicht wesentlich zu erweitern, mußten einige Titel der vorangegangenen Auflagen ausgeschieden werden.

Wegen wiederholter Anfragen sei hier vermerkt, daß meine »Bibliographie zum Studium der Neueren Geschichte, Bonn 1969« seit Jahren vergriffen ist. Sie wird ersetzt einmal durch dieses Bücherverzeichnis, zum andern durch die teils erschienene, teils noch in Vorbereitung befindliche »Quellenkunde zur deutschen Geschichte der Neuzeit« (vgl. S. 115). Diese Quellenkunde, die wieder die Quellen zur außerdeutschen Geschichte berücksichtigen wird, entlastet im übrigen das vorliegende Bücherverzeichnis in seinem Quellenteil ganz erheblich. Auf die Einbeziehung neuer Quellenreihen wurde daher, von Ausnahmen abgesehen, verzichtet.

Die zahlreichen kritischen Bemerkungen zu diesem Bücherverzeichnis habe ich dankbar entgegengenommen. Ich bin ihnen auf das sorgfältigste nachgegangen. Eine etwaige Nichtberücksichtigung ist allein auf den enggesteckten Rahmen des Verzeichnisses zurückzuführen.

Mainz, im Januar 1978   *Winfried Baumgart*

Inhalt

Vorwort 5
Vorwort zur vierten Auflage 6
  I. Einführungen in das Studium der Geschichte 11
    1. Allgemeine Einführungen 11
    2. Einführungen in das Studium der mittelalterlichen
      Geschichte 12
    3. Einführungen in das Studium der neueren Geschichte . 12

  II. Hilfsmittel zum wissenschaftlichen Arbeiten 13

  III. Allgemeine Bibliographien 13
    1. Handbücher 13
    2. Nationalbibliographien 14

  IV. Bibliographien der Hochschulschriften 16

  V. Bibliographien der Zeitschriftenliteratur 17
    1. Allgemein 17
    2. Zur Geschichte 18

  VI. Bibliographien zur Geschichte 18
    1. Allgemein 18
    2. Bibliographien zur deutschen Geschichte 23
    3. Bibliographien zur außerdeutschen Geschichte . . . 24
      a) England 24
      b) Vereinigte Staaten 26
      c) Frankreich 26
      d) Italien 27
      e) Spanien 27
      f) Rußland 28
      g) Nordeuropa 29
      h) übriges Westeuropa 29
      i) übriges Südost- und Osteuropa 30

  VII. Lexika 32
    1. Enzyklopädien, Konversationslexika 32
    2. Sachlexika 34
      a) Altertums-, Volkskunde 34
      b) Theologie, Kirchengeschichte 34
      c) Konkordanzen 35
      d) Wörterbücher (Mittelalter) 36

e) Verfassungs-, Sozial-, Wirtschafts- und
Rechtsgeschichte 37
3. Sachwörterbücher zur Geschichte 38

VIII. Biographische Hilfsmittel 40
1. Internationale Biographien 40
a) Ältere Sammlungen 40
b) Moderne Kompendien 40
2. Nationalbiographien 40
3. Spezielle biographische Nachschlagewerke 41

IX. Handbücher zur allgemeinen Geschichte 43
1. Welt- und Universalgeschichte 43
a) französischsprachig 43
b) deutschsprachig 48
2. Europäische Geschichte 52
a) deutschsprachig 52
b) englischsprachig 53
3. Deutsche Geschichte 56
4. Englische Geschichte 62
5. Amerikanische Geschichte (USA) 63
6. Französische Geschichte 63
7. Italienische Geschichte 65
8. Spanische Geschichte 65
9. Russische Geschichte 66

X. Handbücher und Hilfsmittel der historischen
Hilfswissenschaften 66
1. Historische Geographie 66
2. Chronologie 68
3. Genealogie 69
4. Paläographie 73
5. Diplomatik 75
6. Sphragistik 75
7. Heraldik 76
8. Numismatik 77
9. Akten- und Archivkunde 78
Inventare 79
Repertorien 80

XI. Handbücher von Teildisziplinen und Nachbargebieten der
Geschichte 82
1. Kirchen- und Kirchenrechtsgeschichte 82
2. Rechts- und Verfassungsgeschichte 83

3. Völkerrecht 85
4. Kriegs- und Militärgeschichte 85
5. Wirtschafts- und Sozialgeschichte 86
6. Geschichtliche Landeskunde und Landesgeschichte . . 89
7. Politische Ideengeschichte 90
8. Politische Wissenschaft 91
9. Publizistik 92
10. Kulturgeschichte 92
11. Literaturgeschichte (Mittelalter) 93
12. Kunstgeschichte 95
13. Technikgeschichte 95

XII. Geschichte der Geschichtswissenschaft 96

XIII. Vertragssammlungen 97

XIV. Bischofs-, Nuntien-, Regenten- und Diplomatenlisten . . 101

XV. Jahrbücher 102

XVI. Zeitschriften 104
1. deutschsprachig 104
2. fremdsprachig 111

XVII. Quellenkunden 115

XVIII. Quellen zur Geschichte des Mittelalters 117
1. Quellensammlungen zur Reichsgeschichte 117
2. Quellensammlungen zur Kirchengeschichte . . . 124
3. Regestenwerke 126
a) Regesten zur Reichsgeschichte 126
b) Regesten und Register zur Papstgeschichte . . . 128
4. Quellen zur Geschichte des 14.–16. Jahrhunderts . . 130

XIX. Quellen zur Geschichte der Neuzeit 133
1. Quellensammlungen zur Geschichte des 16.–20.
Jahrhunderts 133
2. Quellen zur Geschichte des Zeitalters der Glaubensspaltung 139
3. Quellen zur Reichsgeschichte des 16.–18. Jahrhunderts . 146
4. Quellen zur Geschichte des 17. Jahrhunderts 153
5. Staatsrechtsliteratur des 18. Jahrhunderts 155
6. Quellen zur Geschichte des 18. Jahrhunderts 155
7. Quellen zur Geschichte des 19. Jahrhunderts 159

8. Quellen zur Vorgeschichte des Ersten Weltkrieges . . 166
9. Quellensammlungen zur Geschichte des 20. Jahrhunderts 169
10. Quellen und amtliche Darstellungen zur Geschichte
    des Ersten Weltkriegs 172
11. Quellen zur Geschichte der Zwischenkriegszeit . . . 178
12. Quellen und Darstellungen zur Geschichte der
    Kirche 1933–45 181
13. Quellen zur Geschichte des Zweiten Weltkriegs . . . 183
14. Quellen zur Geschichte der Nachkriegszeit 185
15. Quellensammlungen zur Verfassungsgeschichte . . . 189
16. Quellen zur Geschichte der Parteien 190
17. Quellen zur Geschichte des Marxismus 195
18. Quellen zur Verwaltungsgeschichte 201

Verfasser- und Sachtitel-Register 203

I. Einführungen in das Studium der Geschichte

1. Allgemeine Einführungen

Johann Gustav DROYSEN, Historik. Vorlesungen über Enzyklopädie und Methodologie der Geschichte. Hrsg. v. Rudolf Hübner. München [8]1977. – 1. Aufl. u.d.T.: Grundriß der Historik. Jena 1858

Jacob BURCKHARDT, Weltgeschichtliche Betrachtungen. Hrsg. v. Jacob Oeri. Berlin/Stuttgart 1905. – Hist.-krit. Gesamtausgabe. Hrsg. v. Rudolf Stadelmann [o.O., o.J.] – [Jüngste Ausgabe:] Hrsg. v. Rudolf Marx (= Kröners Taschenausgabe 55). Stuttgart ([11]1969)

Aloys MEISTER, Grundzüge der historischen Methode (= Grundriß der Geschichtswissenschaft ... Hrsg. v. Aloys Meister 1,6). Leipzig 1913. – 3. Aufl. Leipzig/Berlin 1923

Wilhelm BAUER, Einführung in das Studium der Geschichte. Wien 1921. – 2. Aufl. Tübingen 1928 [Nachdruck Frankfurt 1961]

Paul KIRN, Einführung in die Geschichtswissenschaft (= Sammlung Göschen 270). Berlin 1947
6. Aufl. v. Joachim Leuschner. Berlin 1972

Ahasver von BRANDT, Werkzeug des Historikers. Eine Einführung in die historischen Hilfswissenschaften (= Urban-Bücher ... 33). (Stuttgart 1958). – 8. Aufl. Stuttgart [u.a.] [1976]

L'HISTOIRE ET SES MÉTHODES. Hrsg. v. Charles Samaran (= Encyclopédie de la Pléiade 11). [Paris] (1961)

HANDBOOK FOR HISTORY TEACHERS. Hrsg. v. Wyndham Hedley Burston u. C. W. Green. London 1962, [2]1972

Theodor SCHIEDER. Geschichte als Wissenschaft. Eine Einführung. München/Wien 1965, [2]1968

EINFÜHRUNG IN DAS STUDIUM DER GESCHICHTE. Hrsg. v. Walther Eckermann u. Hubert Mohr. Berlin (Ost) 1966, [2]1969

Robert DELORT, Introduction aux sciences auxiliaires de l'histoire (= Collection U. Série »Histoire médiévale«). Paris (1969)

Hans-Walter HEDINGER, Subjektivität und Geschichtswissenschaft. Grundzüge einer Historik (= Historische Forschungen 2). Berlin (1969)

✱ Karl-Georg FABER, Theorie der Geschichtswissenschaft (= Beck'sche Schwarze Reihe 78). München (1971, [3]1974)

THEORIE DER GESCHICHTSWISSENSCHAFT und Praxis des Geschichtsunterrichts. Acht Beiträge von Reinhart Koselleck [u.a.]. Hrsg. v. Werner Conze. Stuttgart (1972)

Egon BOSHOF/Kurt DÜWELL/Hans KLOFT, Grundlagen des Studiums der Geschichte. Eine Einführung (= Böhlau-Studien-Bücher). Köln/Wien 1973

Peter BOROWSKY/Barbara VOGEL/Heide WUNDER, Einführung in die Geschichtswissenschaft. I. Grundprobleme, Arbeitsorganisation, Hilfsmittel. II. Materialien zu Theorie und Methode (= Studienbücher Moderne Geschichte 1–2). (Opladen 1975) [Bd. 1 ²1976]

Jörg SCHMIDT, Studium der Geschichte. Eine Einführung aus sozialwissenschaftlicher und didaktischer Sicht ... (= Uni-Taschenbücher 295). München (1975)

2. Einführungen in das Studium der mittelalterlichen Geschichte

Louis HALPHEN, Initiation aux études d'histoire du moyen âge. Paris 1940. – 3. erg. Aufl. v. Yves Renouard. Paris 1952

Heinz QUIRIN, Einführung in das Studium der mittelalterlichen Geschichte mit einem Geleitwort v. Hermann Heimpel. Braunschweig (1950), ³1964

Raoul Charles van CAENEGEM, Kurze Quellenkunde des Westeuropäischen Mittelalters. Eine typologische, historische und bibliographische Einführung. Unter Mitarbeit v. François Louis Ganshof. Göttingen (1964) [Übers. aus d. Niederländ.]

Marcel PACAUT, Guide de l'Étudiant en histoire médiévale. Paris 1968

3. Einführungen in das Studium der neueren Geschichte

Ernst OPGENOORTH, Einführung in das Studium der neueren Geschichte mit einem Geleitwort v. Walther Hubatsch. (Braunschweig) 1969 (²1974) [auch als Taschenbuch]

Boris SCHNEIDER, Einführung in die Neuere Geschichte (= Urban-Taschenbücher 178). Frankfurt/M (1974)

Pierre RENOUVIN/Jean-Baptiste DUROSELLE, Introduction à l'histoire des relations internationales. Paris 1964, ³1970

Geoffrey BARRACLOUGH, An Introduction to Contemporary History (= The New Thinker's Library 7). London 1964 [Deutsche Übersetzung u.d.T.: Tendenzen der Geschichte im 20. Jahrhundert. (= Beck'sche Schwarze Reihe 42). München (1967, ²1971)]

Bodo SCHEURIG, Einführung in die Zeitgeschichte (= Sammlung Göschen 1204) Berlin 1962, ²1970

Pierre GUIRAL/René PILLORGET/Maurice AGULHON, Guide de l'Étudiant en histoire moderne et contemporaine. Paris 1971

II. Hilfsmittel zum wissenschaftlichen Arbeiten

Horst KLIEMANN, Anleitungen zum wissenschaftlichen Arbeiten. Eine Einf. in d. Praxis. Unter Mitw. v. Manhard Schütze ... überarb. u. hrsg. v. Heinz Steinberg. ([8]1973)

Johannes Erich HEYDE, Technik des wissenschaftlichen Arbeitens. Berlin ([10]1970)

Klaus POENICKE/Ilse WODKE-REPPLINGER, Wie verfaßt man wissenschaftliche Arbeiten? Systematische Materialsammlung – Bücherbenutzung – Manuskriptgestaltung (= Duden-Taschenbücher 27). Mannheim [u.a.] 1977

Georg BANGEN, Die schriftliche Form germanistischer Arbeiten ... (= Sammlung Metzler, Abt. B). Stuttgart [7]1975

Horst KUNZE, Über das Registermachen. München-Pullach (1964), [[2]1967]

III. Allgemeine Bibliographien

1. Handbücher

GRUNDRISS DER BIBLIOGRAPHIE. Bearb. v. Curt Fleischhack, Ernst Reichert u. Günther Reichardt (= Lehrbücher für den Nachwuchs an wissenschaftlichen Bibliotheken 2). Leipzig 1957

Theodore BESTERMANN, A World Bibliography of Bibliographies and Bibliographical Catalogues, Calendars, Abstracts, Digests, Indexes and the like. Bd. 1–5. Lausanne ([4]1965–66) [Nachdruck München 1971]

[Supplement:]

1964–1974. A World Bibliography of Bibliographies. A List of Works Represented by Library of Congress Printed Catalog Cards. A Decennial Supplement to Theodore Bestermann: A World Bibliography of Bibliographies. Hrsg. v. Alice F. Toomey ... Bd. 1–2. Totowa, N.J. 1977

Wilhelm TOTOK/Rolf WEITZEL/Karl-Heinz WEIMANN, Handbuch der bibliographischen Nachschlagewerke. Frankfurt/M ([4]1972) [5. unveränd. Aufl. als Paperback 1977]

Gert A. ZISCHKA, Index Lexicorum. Bibliographie der lexikalischen Nachschlagewerke. Wien (1959)

Wolfram ZAUNMÜLLER, Bibliographisches Handbuch der Sprachwörterbücher. Ein internationales Verzeichnis von 5600 Wörterbüchern der Jahre 1460–1958 für mehr als 500 Sprachen und Dialekte. Stuttg. 1958

Nachdruckverzeichnisse:
INTERNATIONALE BIBLIOGRAPHIE DER REPRINTS. International Bibliography
of Reprints. Bd. 1–(2). München
  1: Teil 1–3. Bücher und Reihen. Books and Serials. Bearb. v. Christa
  Gnirss. 1976
  2: Zeitschriften und Jahrbücher. Periodicals and Annuals. [In Vorb.]
BIBLIOGRAPHIA ANASTATICA [4 ff. A BIMONTHLY BIBLIOGRAPHY of Photomechanical Reprints. – Haupttitel 11 ff.: Bulletin of Reprints]. 1 (1964) –
14 (1977). Amsterdam [11 ff. München] 1964–(77)

2. Nationalbibliographien

Wilhelm HEINSIUS, Allgemeines Bücherlexikon oder vollständiges Alpha-
betisches Verzeichnis der ... Bücher, welche in Deutschland und in den
durch Sprache und Literatur damit verwandten Ländern gedruckt worden
sind ⟨1700–1892⟩ Bd. 1–19. Leipzig 1812–94 [Nachdruck Graz 1962–63]
Christian Gottlob KAYSER, Vollständiges Bücherlexikon enthaltend alle ...
in Deutschland und in den angrenzenden Ländern gedruckten Bücher
[wechselnde Titel] ⟨1750–1910⟩ Bd. 1–36. Leipzig 1834–1911 [Ndr.
Graz 1961–63]
DEUTSCHES BÜCHERVERZEICHNIS [DBV]. Eine Zusammenstellung der im
deutschen Buchhandel erschienenen Bücher, Zeitschriften und Landkarten
⟨1911–1940⟩ Bd. 1–22. Leipzig 1916–42 [Ndr. Graz 1960–62; Forts.:]
DEUTSCHES BÜCHERVERZEICHNIS [DBV]. Verzeichnis der in Deutschland,
Österreich, der Schweiz und im übrigen Ausland herausgegebenen
deutschsprachigen Verlagsschriften ... ⟨1941–(1965)⟩ Bd. 23–(44). Leipzig 1963–(77)
GESAMTVERZEICHNIS [GV] DES DEUTSCHSPRACHIGEN SCHRIFTTUMS 1911–
1965. Hrsg. v. Reinhard Oberschelp ... Bd. 1– . München 1976– .
[Geplant sind 150 Bände in drei Jahren]
JAHRESVERZEICHNIS DER VERLAGSSCHRIFTEN ... [bis 1967: ... des deut-
schen Schrifttums]. Bearb. v. der Deutschen Bücherei. Leipzig ⟨1945–
(1970)⟩ [ohne Bandzählung]. Leipzig 1948–(76)
DEUTSCHE NATIONALBIBLIOGRAPHIE und Bibliographie des im Ausland erschienenen Schrifttums. Reihe A–C [ohne Bandzählung]. Bearb. und
hrsg. von der Deutschen Bücherei Leipzig. Leipzig 1946–(75)
  Reihe A: Neuerscheinungen des Buchhandels
  Reihe B: Neuerscheinungen außerhalb des Buchhandels
  Reihe C: Dissertationen und Habilitationsschriften
DEUTSCHE BIBLIOGRAPHIE. Fünfjahres-Verzeichnis ... Bearb. v. der Deutschen Bibliothek Frankfurt [ohne Bandzählung] ⟨1945–(1970)⟩. Frank-
furt/M 1953–(77)

DEUTSCHE BIBLIOGRAPHIE. HALBJAHRESVERZEICHNIS. Bearb. von der Deutschen Bibliothek Frankfurt ⟨seit 1951⟩ [ohne Bandzählung]. Frankfurt/M 1951–(77)

DEUTSCHE BIBLIOGRAPHIE. WÖCHENTLICHES VERZEICHNIS. Bearb. von der Deutschen Bibliothek Frankfurt. Reihe A–C [ohne Bandzählung]. Frankfurt/M
Reihe A: Erscheinungen des Buchhandels. 1947–
Reihe B: Erscheinungen außerhalb des Buchhandels ⟨erscheint 14täglich seit 1965⟩
Reihe C: Karten ⟨erscheint vierteljährlich seit 1965⟩

VERZEICHNIS LIEFERBARER BÜCHER [VLB] 1 (1971/72)–7 (1977/78). Frankfurt/M (1971–[77]) [jede Ausgabe in 2 Bänden, seit 1975/76 in 3 Bänden; letzter Stand: 1977]

＊

BRITISH MUSEUM [BM]. General Catalogue of Printed Books. Bd. 1–51. London 1931–54

BRITISH MUSEUM [BM]. General Catalogue of Printed Books. Photolithographic Edition to 1955. Bd. 1–263. London 1965–66

BRITISH MUSEUM [BM]. General Catalogue of Printed Books. Ten-Year Supplement 1956–1965. Bd. 1–50. London 1968

BRITISH MUSEUM [BM]. General Catalogue of Printed Books. Five-Year Supplement 1966–1970. Bd. 1–26. London 1971–72

[Verkleinerte Kompakt-Ausgabe der letzten 3 Titel des BM:]

BRITISH MUSEUM . . . Compact Edition. Bd. 1–35. London 1977

LIBRARY OF CONGRESS [LOC]. Catalog of Books Represented by Library of Congress Printed Cards. Issued to July 31, 1942. Bd. 1–167. Suppl.-Bd. 1–42 ⟨1942 VIII 1 – 1947 XII 31⟩. Ann Arbor 1942–50

LIBRARY OF CONGRESS [LOC]. The Library of Congress Author Catalog. A Cumulative List of Works Represented by Library of Congress Printed Cards 1948–1952. Bd. 1–24. Ann Arbor 1953

LIBRARY OF CONGRESS [LOC]. The National Union Catalog. A Cumulative Author List Representing Library of Congress Printed Cards and Titles by Other American Libraries . . . 1953–57. Bd. 1–28. New York 1961

THE NATIONAL UNION CATALOG [NUC]. Pre-1956 Imprints. A Cumulative Author List Representing Library of Congress Printed Cards and Titles Reported by Other American Libraries . . . Bd. 1–(504). (London) 1968–(77) [geplant über 600 Bände, welche sämtliche LOC-Reihen für die Zeit vor 1956 ersetzen sollen]

THE NATIONAL UNION CATALOG [NUC] 1956 through 1967. A. Cumulative Author List Representing Library of Congress Printed Cards and Titles by Other American Libraries . . . Bd. 1–125. Totowa, N.J. (1970–72)

The National Union Catalog [NUC] ... 1968–1972. Bd. 1–104. Ann
   Arbor 1973
The National Union Catalog [NUC] ... 1973. Bd. 1–16. Washington
   1974
The National Union Catalog [NUC] 1974. ... Bd. 1–18. Washington
   1975
The National Union Catalog [NUC] 1975 ... Bd. 1–17. Washington
   1976

Bibliothèque Nationale [BN]. Catalogue général des livres imprimés
   de la Bibliothèque Nationale. Bd. 1–(224) [-Winmann]. Paris 1924–(77)
Bibliothèque Nationale [BN]. Catalogue général des livres imprimés
   ... Bd. 1–12. Paris 1965–67
Bibliothèque Nationale [BN]. Catalogue général des livres imprimés
   ... 1960–1969. Série 1. Caractères latins. Bd. 1–23. Série 2. Caractères
   non latins. Bd. 1–3. Paris 1972–(76)

Bibliographie:
DW 58/44–105

IV. Bibliographien der Hochschulschriften

Jahresverzeichnis der deutschen Hochschulschriften [wechselnde
   Titel]. Bearb. von der Deutschen Bücherei. 1 (1885/86) – 88 (1972).
   Leipzig 1887–(1975) [1887–1927 Berlin, 1928–35 Berlin/Leipzig. –
   Nachdruck der Bde. 1–79 ⟨1885–1963⟩ Nendeln/Lie.]
   [Vgl. auch Deutsche Nationalbibliographie Reihe C oben unter Natio-
   nalbibliographien.]
Deutsche Bibliographie. Hochschulschriften-Verzeichnis ... hrsg. v.
   der Deutschen Bibliothek Frankfurt. ⟨1971–(1977)⟩. Frankfurt/M
   1972–(77)
American Doctoral Dissertations [wechselnde Titel]. Compiled for
   the Association of Research Libraries. 1933/34 – (1974/75). Ann Arbor
   [früher New York] 1934–(76) [Nachdruck Jg. 1933/34–1955 N. Y.]
Dissertation Abstracts. Abstracts of Dissertations and Monographs in
   Microform. 1 (1938) – 37 (1976). Ann Arbor 1938–(76)
   [Seit 1966 in 2 Reihen geteilt: A, B.

A: Dissertation Abstracts. The Humanities and Social Sciences.
B: The Sciences and Engineering.]

INDEX TO THESES ACCEPTED FOR HIGHER DEGREES IN THE UNIVERSITIES OF GREAT BRITAIN AND IRELAND. 1 (1950/51) – 25 (1974/76). London 1953–[77]) [Nachdruck der Bde. 1–13 Nendeln (Lie.)]

CATALOGUE DES THÈSES DE DOCTORAT SOUTENUES DEVANT LES UNIVERSITÉS FRANÇAISES [bis 1958 u.d.T.: Catalogue des thèses et écrits académiques] Jg. 1884/85–1973. Paris 1885–1976 [Nachdruck Jg. 1884/85–1943 Vaduz 1964]
[Seit 1930 Dissertationen auch im Rahmen der Bibliographie de la France.]

Bibliographie:
DW 58/124–134

V. Bibliographien der Zeitschriftenliteratur

1. *Allgemein*

INTERNATIONALE BIBLIOGRAPHIE DER ZEITSCHRIFTENLITERATUR ⟨1896–1964⟩ ... Hrsg. v. Reinhard Dietrich. Leipzig 1897–1947. Osnabrück 1948–64
Abt. A: Bibliographie der deutschen Zeitschriftenliteratur 1 (1896) – 128 1964), Erg.-Bd. 1–20 ⟨1861–1915⟩
[Lücke 95 (1945) – 96 (1946)]
Abt. B: Bibliographie der fremdsprachigen Zeitschriftenliteratur 1 (1911) – 22 (1921/25), N.F. 1 (1925) – 51 (1964) [Lücke 26 (1943/44) – 29 (1948/49)]
Abt. C: Bibliographie der Rezensionen und Referate [wechselnde Titel] 1 (1900) – 77 (1943) [Abt. C fortgesetzt u.d.T.:]

INTERNATIONALE BIBLIOGRAPHIE DER REZENSIONEN [IBR]. Hrsg. v. Otto Zeller. 1 ⟨1969/70⟩ – 7 ⟨1976⟩. Osnabrück 1971–⟨77⟩. [Teilnachdruck aller drei Abt. Nendeln (Liechtenstein)]
[Seit 1965 Abt. A und B vereinigt u.d.T.:]

INTERNATIONALE BIBLIOGRAPHIE DER ZEITSCHRIFTENLITERATUR [IBZ] aus allen Gebieten des Wissens. International Bibliography of Periodical Literature Covering All Fields of Knowledge ... Hrsg. von Otto Zeller. 1 (1963/64) – 13 (1976). Osnabrück 1965–(77)

2. Zur Geschichte

HISTORICAL ABSTRACTS. Bibliography of the World's Periodical Literature. [Wechselnde Titel; seit 1971/73 Erweiterung des Berichtszeitraums und Teilung in 2 Hälften:] Part A: Modern History Abstracts 1450–1914. Part B: Twentieth Century Abstracts 1914 – present day. 1 (1955) – 23 (1977). Santa Barbara [u.a.] 1955–(77)

Bibliographie:
DW 58/106–123b

VI. Bibliographien zur Geschichte

1. *Allgemein*

Paul HERRE, Quellenkunde zur Weltgeschichte. Leipzig 1910

Günther FRANZ, Bücherkunde zur Weltgeschichte vom Untergang des Römischen Weltreiches bis zur Gegenwart. München 1956

THE AMERICAN HISTORICAL ASSOCIATION'S GUIDE to Historical Literature. Hrsg. von George Frederick Howe u. Gray Cowan Boyce [u.a.]. New York (1961) [Neudruck 1967]

Helmut BERDING, Bibliographie zur Geschichtstheorie (= Arbeitsbücher zur modernen Geschichte 4). Göttingen (1977)

KOEHLER UND VOLCKMAR-FACHBIBLIOGRAPHIEN. Geschichte I, III. (Köln/Stuttgart)

I: ⟨1945–1963⟩ Allgemeines/Geschichte der Geschichtsschreibung und Geschichtswissenschaft/Geschichtsphilosophie/Geschichtsunterricht/Historische Hilfswissenschaften/Gesamtdarstellungen der Weltgeschichte und europäischen Geschichte/Sonderprobleme und Grenzgebiete. [1964]

IA: ⟨1964–73⟩ Allgemeines/Geschichte der Geschichtsschreibung ... [1975]

III: ⟨1945–1964⟩ Deutsche Geschichte. Weltgeschichte des Mittelalters und der Neuzeit. [1965]

GESCHICHTE [I–V] Veröffentlichungen schweizerischer, deutscher und österreichischer Verlage zur Geschichte. Bern

I: ⟨1945–1960⟩ [1960]   III: ⟨1963–1967⟩ [1968]
II: ⟨1960–1963⟩ [1964]   IV: ⟨1967–1971⟩ [1972]

V: ⟨1971–1975⟩ [1976]
JAHRESBERICHTE DER GESCHICHTSWISSENSCHAFT 1 (1880)–36 (1913). Berlin
1880–1916
INTERNATIONAL BIBLIOGRAPHY OF HISTORICAL SCIENCES. Hrsg. vom International Committee of Historical Sciences 1 (1926) – 14 (1939), 16
(1947) – 42 (1973). Paris [früher Washington, Zürich] 1930–(76) [Lücke
für 1940–46 = Bd. 15. – Teilnachdruck New York]
REVUE D'HISTORIE ECCLÉSIASTIQUE. Bibliographie. 1 (1900) – 72 (1977).
Löwen 1900–(77)

*

Mittelalter
August POTTHAST, Bibliotheca historica medii aevi. Wegweiser durch die
Geschichtsquellen des europäischen Mittelalters bis 1500. Bd. 1–2. Berlin
²1896 [Nachdruck Graz 1954]. – 1. Aufl. ... von 375–1500 ... 3 Teile.
Berlin 1862
[Neubearbeitung:]
REPERTORIUM FONTIUM historiae medii aevi ... Bd. 1–. Rom 1962–
1: Series collectionum. 1962
2–3: Fontes. A–C. 1967–70
BIBLIOTHECA HAGIOGRAPHICA latina antiquae et mediae aetatis. Hrsg. von
den Bollandisten. Bd. 1–2. Brüssel 1898–1901 [Nachdruck Brüssel 1949].
– Erg.-Bd. 1 (= Subsidia hagiographica 12). Brüssel 1911
Ulysse CHEVALIER, Répertoire des sources historiques du moyen âge. Bio-
bibliographie. Bd. 1–2. Paris 1877–88, ²1905–07. – Topo-bibliographie.
Bd. 1–2. Montbéliard 1894–1903 [Nachdruck New York 1959]
Louis John PAETOW, A Guide to the Study of Medieval History. Berkeley
1917. – Bericht. Neuauflage New York 1931 [Ndr. New York 1964]
CLAVIS PATRUM LATINORUM. Hrsg. v. Eligius Dekkers u. Aemilius Gaar
(= Sacris erudiri 3). Steenbrugge (1951, ²1961)
Leo SANTIFALLER, Neuere Editionen mittelalterlicher Königs- und Papst-
urkunden. Eine Übersicht (= Österreichische Akademie der Wissenschaf-
ten. Mitteilungen der Wiener Diplomata-Abt. d. MGH 6). Wien 1958
RÉPERTOIRE DES MÉDIÉVISTES d'Europe. Bearb. v. P. Glorieux, M. Th.
d'Alverny, Ph. Delhaye u. J. Muller. Paris/Tournai [1953]
RÉPERTOIRE DES MÉDIÉVISTES européens. Bearb. v. Marie-Thérèse d'Al-
verny, Edmond-René Labande u. Yvonne Labande-Mailfert (= Publi-
cations du C.E.S.C.M.). Poitiers 1960
RÉPERTOIRE INTERNATIONAL DES MÉDIÉVISTES ⟨1959–1965⟩. Bearb. v.
Pierre Gallais, Bernadette Plumail, Yves-Jean Riou (= Publications du
C.E.S.C.M. 3). Poitiers 1965
Edmond-René LABANDE/Bernadette LEPLANT, Répertoire international
des médiévistes ⟨1965–1970⟩. Bd. 1–2 [Bd. 2 Reg.] (= Publications du
C.E.S.C.M. 5). Poitiers 1971
INTERNATIONAL MEDIEVAL BIBLIOGRAPHY [IMB]. Directed by Peter

H. Sawyer. Ed. by Richard J. Walsh. ⟨1968–(1976)⟩. Leeds 1968–(76) [ohne Bandzählung; umfaßt nur Artikel in Zeitschriften und Serien]

BIBLIOGRAPHIE ZUR ALTEUROPÄISCHEN RELIGIONSGESCHICHTE ... [verschiedene Untertitel] [Bd. 1–(2)]

    [1:] 1954–1964. Bearb. v. Peter Buchholz (= Arbeiten zur Frühmittelalterforschung 2). Berlin 1967

    2: 1965–1969. Bearb. v. Jürgen Ahrendts (= Arbeiten ... 5). Berlin/ New York 1974

Hans Eberhard MAYER, Bibliographie zur Geschichte der Kreuzzüge. Hannover 1960, ²1965

[Ergänzung:]

Hans Eberhard MAYER, Literaturbericht über die Geschichte der Kreuzzüge. Veröffentlichungen 1958–1967. In: Historische Zeitschrift. Sonderheft 3. München (1969), S. 641–731

Karl H. LAMPE, Bibliographie des Deutschen Ordens bis 1959. Bearb. v. Klemens Wieser (= Quellen u. Studien zur Geschichte des Deutschen Ordens 3). Bonn-Bad Godesberg (1975)

Heinrich NEU, Bibliographie des Templer-Ordens 1927–1965 mit Ergänzungen zur Bibliographie von M. Dessubré. Bonn (1965)

Emile van der VEKENE, Bibliographie der Inquisition. Ein Versuch. Hildesheim 1963

*

Neuzeit

A BIBLIOGRAPHIE OF MODERN HISTORY. Hrsg. v. John Roach. Cambridge 1968

Winfried BAUMGART, Bibliographie zum Studium der Neueren Geschichte. Mit einem Geleitwort v. Konrad Repgen. Bonn 1969 [in Kommission L. Röhrscheid Bonn; vergriffen]

BIBLIOGRAPHIE DE LA RÉFORME 1450–1648. Ouvrages parus de 1940 à 1955 [6 ff. à 1960]. Hrsg. v. d. Commission internationale d'histoire ecclésiastique comparée ... Bd. 1–(7). Leiden

    1: Allemagne. Pays Bas. ³1964

    2: Belgique. Suède. Norvège. Danemark. Irlande. Etats Unis d'Amérique. 1960

    3: Italie. Espagne. Portugal. 1961

    4: France. Angleterre. Suisse. 1963

    5: Pologne. Hongrie. Tchécoslovaquie. Finlande. 1965

    6: Autriche/Austria/Österreich. 1967

    7: Ecosse. 1970

BIBLIOGRAPHISCHE VIERTELJAHRSHEFTE DER WELTKRIEGSBÜCHEREI. Heft 1–19. – Fortgesetzt u.d.T.: Bibliographien der Weltkriegsbücherei. Heft 20–40. Stuttgart

[Gliederung:

1, 26–36:	Polen ⟨19. Jh.–1939⟩. 1934–42	
2–5:	Österreich ⟨1848–1935⟩. 1934–35	
6–10:	England ⟨1870–1937⟩. 1935–37	
11–16:	Frankreich ⟨1871–1937⟩. 1937–38	
17–19:	Italien ⟨1861–1939⟩. 1939	
20–25:	Amerika ⟨1914–1938⟩. 1940	
37–40:	Deutsches Reich ⟨1871–1914⟩. 1943]	

BÜCHERSCHAU DER WELTKRIEGSBÜCHEREI. Stuttgart [Anfang: Eingänge (der) Weltkriegsbücherei 1 (1921) – 3 (1923). – Forts.: Berichte d. WKB. 4 (1924) – 13 (1933). – Forts.: Neuerwerbungen d. WKB. 14 (1934) – 16 (1936). – Forts.: Neuerwerbungen und Bücherschau d. WKB. 17 (1937) – 18 (1938). – Forts.: Bücherschau d. WKB. 19 (1939) – 24 (1944), 25 (1953) – 31 (1959). – Forts.:]

JAHRESBIBLIOGRAPHIE DER BIBLIOTHEK FÜR ZEITGESCHICHTE. Weltkriegsbücherei – Stuttgart. Neue Folge der Bücherschau der Weltkriegsbücherei 32 (1960) – 48 (1976). München 1960–(77) [Dazu:]

SCHRIFTEN DER BIBLIOTHEK FÜR ZEITGESCHICHTE. Weltkriegsbücherei. Stuttgart. Neue Folge der Bibliographien der Weltkriegsbücherei. Heft 1–(16). Frankfurt/M 1962–(73) [Hefte 2 u. 4 keine Bibliographien]

1: Andreas Hillgruber, Südost-Europa im Zweiten Weltkrieg. Literaturbericht und Bibliographie. 1962

3: Max Gunzenhäuser, Die Bibliographien zur Geschichte des Ersten Weltkrieges. Literaturbericht und Bibliographie. 1964

5: Karl Köhler [Bearb.], Bibliographie zur Luftkriegsgeschichte. Teil I (Literatur bis 1960). 1966

6: Hans-Gerd Schumann, Die politischen Parteien in Deutschland nach 1945. Ein bibliographisch-systematischer Versuch. 1967

7: Max Gunzenhäuser, Geschichte des geheimen Nachrichtendienstes. (Spionage, Sabotage und Abwehr.) Literaturbericht und Bibl. 1968

8: Anton Legler/Kurt Hubinek. Der Krieg in Vietnam. Bericht u. Bibliographie bis 30. 9. 1968. 1969

9: Max Gunzenhäuser, Die Pariser Friedenskonferenz 1919 und die Friedensverträge 1919–1920. Literaturbericht u. Bibliographie. 1970

10: Zdenek Červenka, The Nigerian War 1967–1970. History of the War. Selected Bibliography and Documents. 1971

11: Anton Legler/Frieda Bauer, Der Krieg in Vietnam. Bericht und Bibliographie. [2.] (Oktober 1968 – September 1969.) 1971

12: Kurt P. Tudyka/Juliane Tudyka, Verbände. Geschichte, Theorie, Funktion . . . Ein bibliographisch-systematischer Versuch. 1973

13: Anton Legler/Frieda Bauer, Der Krieg in Vietnam. Bericht und Bibliographie. 3. (Oktober 1969 – September 1971.) 1973

14: Josef Schröder, Italien im 2. Weltkrieg. Bericht und Bibliographie (deutscher und italienischer Text). 1977

15: Regine Büchel, Der Deutsche Widerstand im Spiegel von Fach-literatur und Publizistik seit 1945. 1975
16: Anton Legler/Frieda Bauer, Der Krieg in Vietnam. Bericht und Bibliographie. [4.] (Oktober 1971–Januar 1973). 1976

BIBLIOTHEK DES INSTITUTS FÜR ZEITGESCHICHTE München. Sachkatalog. Bd. 1–6. Boston 1967
Alphabetischer Katalog. Bd. 1–5. Boston 1967
Biographischer Katalog A–Z. Boston 1967
Länderkatalog. Bd. 1–2. Boston 1967
Nachtragsband. Biographischer Katalog, Länderkatalog, A–Z. Boston 1973

BIBLIOGRAPHIE ZUR ZEITGESCHICHTE UND ZUM ZWEITEN WELTKRIEG für die Jahre 1945–1950 ⟨1917–1945⟩. Zusammengestellt von Franz Herre u. Hellmuth Auerbach. München 1955 [Ndr. New York/Frankfurt/M (1966)]
BIBLIOGRAPHIE ZUR ZEITGESCHICHTE. Beilage der Vierteljahrshefte für Zeitgeschichte ⟨1917–1970⟩. Zusammengestellt von Thilo Vogelsang 1 (1953) – 23/24 (1975/76). Stuttgart [1953–76]
WORLD WAR II: Books in English, 1945–1965. Bearb. v. Janet Ziegler (= Hoover Bibliographical Series 45). Stanford 1971
Marty BLOOMBERG/Hans H. WEBER, World War II and Its Origins. A Select Annotated Bibliography of Books in English. Littleton/Colo. 1975
FOREIGN AFFAIRS BIBLIOGRAPHY. A Selected and Annotated List of Books on International Relations. Bd. 1–5
1: 1919–1932. Hrsg. von William L. Langer. New York/London 1935
2: 1932–1942. Hrsg. von Robert Gale Wolbert. New York (1945)
3: 1942–1952. Hrsg. von Robert Gale Wolbert. New York 1955
4: 1952–1962. Hrsg. von L. Roberts. New York 1964
5: 1962–1972. Hrsg. v. Janis A. Kreslins. New York 1976
THE FOREIGN AFFAIRS 50-YEAR BIBLIOGRAPHY. New Evaluations of Signi-ficant Books on International Relations 1920–1970. Ed.: Byron Dexter. New York/London 1972

WORLD LIST OF HISTORICAL PERIODICALS AND BIBLIOGRAPHIES. Hrsg. von Paul Caron u. Marc Jaryc. Oxford 1939
HISTORICAL PERIODICALS. An Annotated World List of Historical and Related Serial Publications. Hrsg. von Eric H. Boehm u. Lalit Adol-phus. Santa Barbara (Calif.) 1961
[Vgl. auch oben S. 18 u. unten S. 114–115]

2. Bibliographien zur deutschen Geschichte

DAHLMANN-WAITZ. Quellenkunde der deutschen Geschichte. Nebst Registerband. Hrsg. von Hermann Haering. 9. Aufl. Leipzig 1931–32 [Behandelter Zeitraum: von den Anfängen bis 1918; Berichtszeitraum: bis 1929]

DAHLMANN-WAITZ. Quellenkunde der deutschen Geschichte. Bibliographie der Quellen und der Literatur zur deutschen Geschichte. Hrsg. ... von Hermann Heimpel u. Herbert Geuss. 10. Aufl. Bd. 1–. Stuttgart 1969– [Auf 5 Bände berechnet. Behandelter Zeitraum: von den Anfängen bis 1945; Berichtszeitraum: bis 1960, in Auswahl auch bis nach 1960. Erscheint seit 1965 in Lieferungen. Bisher Erschienenes:

Bd. 1: Abschnitt 1–38 (Geschichtswissenschaft; Geschichtsphilosophie; Geschichte der Geschichtswissenschaft und der Geschichtsschreibung; Archive, Bibliotheken, Museen; Hilfswiss.; Land u. Siedlung; Bevölkerung; Sprache; Volkstum, Gesellsch.; öff. Meinung; Wirtschaft; Verkehr) (vollständig)

Bd. 2: Abschnitt 39–57 (Recht u. Staat; Kriegswesen; Gesundheitswesen; Religion u. Kirche; Formen der Weltauffassung; Erziehung; Wissenschaften; Kunst; Film; Rundfunk; Technik; Tägliches Leben) (vollständig)

Bd. 3: Abschnitt 58–200 (Allg. Bibliographien; Zeitschriften; Weltgeschichte; Außereuropa; europäische Länder; allgemeine deutsche Geschichte; Vorgeschichte; Germanen; Völkerwanderung; Franken, Karolinger; sächsische u. fränkische Könige u. Kaiser) (unvollständig)

Bd. 4: (noch nichts erschienen)

Bd. 5: Abschnitt 393–402 (Weltkriege) (unvollständig)]

JAHRESBERICHTE FÜR DEUTSCHE GESCHICHTE. Hrsg. von Albert Brackmann und Fritz Hartung. 1(1925)–15/16(1939/40) Leipzig 1927–42 [für 1941–48 nicht erschienen]

JAHRESBERICHTE FÜR DEUTSCHE GESCHICHTE. Neue Folge. Hrsg. v. d. Akad. d. Wiss. d. DDR, Zentralinstitut f. Geschichte, Abt. Information u. Dokumentation [bis Bd. 3/4 v. Fritz Hartung]. 1 (1949 – 26/27 (1974/75). Berlin (Ost) 1952–(77) [Nachdruck 1 (1949) – 16 (1972) Nendeln/Liecht. 1976]

DIE DEUTSCHE GESCHICHTSWISSENSCHAFT IM ZWEITEN WELTKRIEG. Bibliographie des historischen Schrifttums deutscher Autoren 1939–1945. Hrsg. von Walther Holtzmann u. Gerhard Ritter. Marburg 1951

*

Karl SCHOTTENLOHER, Bibliographie zur deutschen Geschichte im Zeitalter der Glaubensspaltung 1517–1585. Bd. 1–6. Leipzig 1932–1940. – 2. Aufl. Bd. 1–7. Stuttgart 1956–1966

  1: Personen A–L

  2: Personen M–Z, Orte und Landschaften

  3: Reich und Kaiser, Territorien und Landesherren

  4: Gesamtdarstellungen, Stoffe

  5: Nachträge und Ergänzungen, Zeittafel ⟨1466–1585⟩

  6: Verfasser- und Titelverzeichnis

  7: Das Schrifttum der Jahre 1938–1960 nebst Nachträgen zu Bd. 1–6. Hrsg. von Ulrich Thürauf

BIBLIOGRAPHIE DES TÄUFERTUMS 1520–1630. Hrsg. v. Hans Joachim Hillerbrand (= Quellen und Forschungen zur Reformationsgeschichte. Hrsg. v. Verein für Reformationsgeschichte. Bd. 30 = Quellen zur Geschichte der Täufer 10). (Gütersloh) 1962

THE WIENER LIBRARY. Catalogue Series No. 1–4. London

  1: Persecution and Resistance under the Nazis. [2]1960

  2: From Weimar to Hitler. [2]1964

  3: German Jewry. Its History, Life and Culture. 1958

  4: After Hitler. Germany 1945–1963. [2]1965

BIBLIOGRAPHIE ZUR DEUTSCHLANDPOLITIK 1941–1974. Bearb. v. Marie-Luise Goldbach [u.a.]. Hrsg. v. Bundesministerium für innerdeutsche Beziehungen (= Dokumente zur Deutschlandpolitik. Beihefte 1). Frankfurt/M 1975

3. *Bibliographien zur außerdeutschen Geschichte*

a) *England*

WRITINGS ON BRITISH HISTORY 1901–1933 ⟨400–1914⟩. Hrsg. v. d. Royal Historical Society. Bd. 1–5. London 1968–70

[Fortsetzung:]

WRITINGS ON BRITISH HISTORY ⟨450–1939⟩. Hrsg. v. d. Royal Historical Society. Bearb. v. Alexander Taylor Milne. London

  [Bisher erschienen:]

  [1:]   1934. 1937

  [2:]   1935. 1939

  [3:]   1936. 1940

  [4:]   1937. 1949

  [5:]   1938. 1951

  [6:]   1939. 1953

  [7–8:] 1940/45. Bd. 1–2. 1960

  [9:]   1946–1948. Bearb. v. Donald James Munro. 1973

[10:] 1949–1951. Bearb. v. Donald James Munro. 1975
[11:] 1952–1954. Bearb. v. John Merriman Sims. 1975
[12:] 1955–1957. Bearb. v. John Merriman Sims u. Phyllis M. Jacobs. 1977

BIBLIOGRAPHY OF HISTORICAL WRITINGS Published in Great Britain and the Empire. By Louis B. Frewer. Oxford 1947 [Nachdruck Westport, Ct. 1974]

[Fortsetzung u. d. T.:]

BIBLIOGRAPHY OF HISTORICAL WORKS. Issued in the United Kingdom 1946–1956. Compiled ... by Joan C. Lancaster (= University of London. Institute of Historical Research). London 1957 [Nachdruck 1964]

[Forts. u. d. gleichen Titel:]

... 1957–1960. Compiled ... by William Kellaway ... London 1962
... 1961–1965. Compiled ... by William Kellaway ... London 1967
... 1966–1970. Compiled ... by William Kellaway ... London 1972

ANNUAL BULLETIN OF HISTORICAL LITERATURE. Hrsg. v. d. Historical Association. 1 (1911) – 60 (1974). London 1911–(76)

ANNUAL BIBLIOGRAPHY OF BRITISH AND IRISH HISTORY. Publications of ... [Hrsg. v. d.] Royal Historical Society. Gen. Ed.: G. R. Elton. 1 (1975) – 2 (1976). (Hassocks 1976–[77])

*

Wilfrid BONSER, An Anglo-Saxon and Celtic Bibliography (450–1087). Oxford 1967. – Indices. Oxford 1967

A BIBLIOGRAPHY OF ENGLISH HISTORY TO 1485. Based on The Sources and Literature of English History from the earliest times to about 1485 by Charles Gross. Hrsg. v. Edgar B. Graves ... Oxford 1975

BIBLIOGRAPHY OF BRITISH HISTORY.
[1:] Tudor Period, 1485–1603. Hrsg. v. Conyers Read. Oxford ²1959
[2:] Stuart Period, 1603–1714. Hrsg. v. Godfrey Davies. Oxford 1928. – 2. Aufl. durchgesehen v. Mary Freer Keeler. Oxford 1970
[3:] The Eighteenth Century, 1714–1789. Hrsg. v. Stanley Pargellis u. D. J. Medley. Oxford 1951 [Nachdruck 1977]
[4:] 1789–1851. Bearb. v. Lucy B. Brown u. Ian R. Christie. Oxford 1976
[5:] 1851–1914. Bearb. u. hrsg. v. H. J. Hanham. Oxford 1976

Michael ALTSCHUL, Anglo-Norman England 1066–1154 (= Bibliographical Handbooks ed. by J. Jean Hecht). Cambridge 1969

Mortimer LEVINE, Tudor England 1485–1603 (= Bibliographical Handbooks ed. by J. Jean Hecht). Cambridge 1968

William L. SACHSE, Restoration England 1660–1689 (= Bibliographical Handbooks ed. by J. Jean Hecht). Cambridge 1971

A. Havighurst, "Modern England" 1900–1970
London, 1976

Josef A. ALTHOLZ, Victorian England, 1837–1901 (=Bibl. Handb. ....). Cambridge 1970

Edward Lindsay Carson MULLINS, Texts and Calendars. An Analytical Guide to Serial Publications (= Royal Historical Society Guides and Handbooks 7). London 1958

Alexander Taylor MILNE, A Centenary Guide to the Publications of the Royal Historical Society 1868–1968 and of the Former Camden Society 1838–1897 (= Royal Historical Society Guides and Handbooks 9). London 1968

Geoffrey Rudolph ELTON, Modern Historians on British History, 1485 to 1945. A critical bibliography, 1945–1969. London (1970)

b) *Vereinigte Staaten*

WRITINGS ON AMERICAN HISTORY. A Subject Bibliography of Articles. ⟨1902–(1973/74)⟩. Washington (1904–[75]) [*Untertitel bis Jg. 1940:* A Bibliography of Books and Articles on United States History. Ed. by G. G. Griffin a. others. – Nachdruck ⟨1902–1940, 1948⟩ Nendeln/Liecht. 1975. – *Lücken für Jg. 1904/05, 1941–47, 1961. – Jg. 1961 in Vorbereitung.*]

BIBLIOGRAPHIE ZUM STUDIUM DER GESCHICHTE DER VEREINIGTEN STAATEN VON AMERIKA. Bibliography for the Study of the History of the United States of America. Zsgest. v. Werner Heß, Werner Pollmann, Harald Thomas (= Sammlung Schöningh zur Geschichte u. Gegenwart). Paderborn (1975)

c) *Frankreich*

Gabriel MONOD, Bibliographie de l'historie de France ⟨bis 1789⟩. Paris 1888 [Nachdruck Brüssel 1968]

Pierre CARON, Bibliographie des travaux publiés de 1866 à 1897 sur l'histoire de la France (= Publications de la Société d'histoire moderne). Paris 1912

BIBLIOGRAPHIE GÉNÉRALE DES TRAVAUX HISTORIQUES ET ARCHÉOLOGIQUES publiés par les sociétés savantes de la France ⟨1886–1900⟩. Hrsg. v. Robert de Lasteyrie. Bd. 1–6. Paris 1888–1918

BIBLIOGRAPHIE ANNUELLE DES TRAVAUX HISTORIQUES ET ARCHÉOLOGIQUES ⟨1901–1910⟩. Hrsg. v. Robert de Lasteyrie u. Alexandre Vidier. Bd. 1–3. Paris 1906–14

BIBLIOGRAPHIE GÉNÉRALE DES TRAVAUX HISTORIQUES ET ARCHÉOLOGIQUES publiés par les sociétés savantes de la France ⟨1910–1940⟩. Hrsg. v. René Gandilhon u. Charles Samaran. Bd. 1–5. Paris 1944–61

RÉPERTOIRE BIBLIOGRAPHIQUE de l'histoire de France. Hrsg. v. Pierre Caron u. Henri Stein. ⟨1920–1931⟩. Bd. 1–6. Paris 1923–38 [Vorgänger der Bibliographie annuelle de l'histoire de France; Nachdruck Aalen 1972]

BIBLIOGRAPHIE ANNUELLE DE L'HISTOIRE DE FRANCE du cinquième siècle à 1958 [früher: à 1939 und à 1945] ⟨1953/54–1976⟩. Paris 1954–(77)

Henri STEIN, Bibliographie générale des cartulaires français ou relatifs à l'histoire de France (= Manuels de bibliographie historique 4). Paris 1907

André MARTIN/Gérard WALTER, Catalogue de l'histoire de la révolution française. Bd. 1–5. Paris 1936–54

    1–4: Écrits de la période révolutionnaire. Auteurs. 1936–54

    5:    Écrits de la période révolutionnaire. Journaux et almanachs. 1943

Gérard WALTER, Répertoire de l'histoire de la révolution française. Travaux publiés de 1800 à 1940. Bd. 1–2. Paris

    1: Personnes. 1941

    2: Lieux. 1951

LA RECHERCHE HISTORIQUE EN FRANCE de 1940 à 1965. Hrsg. v. Comité Français des Sciences Historiques. Paris 1965, ²1965

d) *Italien*

BIBLIOGRAFIA STORICA NAZIONALE. 1 (1939) – 35/36 (1973/74). Rom [später Bari] (1942–(76) [Teilnachdruck Nendeln/Liechtenstein]

Pier Fausto PALUMBO, Gli studi italiani di storia del medio evo dalla guerra mondiale ad oggi. Mailand 1941

e) *Spanien*

Benito SANCHEZ ALONSO, Fuentes de la Historia Española e Hispano-americana ... (= Publicaciones de la Revista de Filologia Española). Bd. 1–3. Madrid ³1952 [1. Aufl. in 1 Bd. 1919]

D. GOMEZ MOLLEDA, Bibliografía Histórica Española. 1950–1954. Madrid 1955

INDICE HISTORICO ESPANOL. Bibliografía Histórica de España e Hispano-america. Hrsg. v. Centro de Estudios Históricos Internacionales, Universidad de Barcelona. 1 (1953/54) – 21 (1975). Barcelona 1953–(75) [Nebentitel: Indice Histórico Español. Publicación cuatrimestral del Centro de Estudios ...]

Jaime de BURGO, Bibliografía de las Guerras Carlistas y de las Luchas Politicas del Siglo XIX, antecedente desde 1814 y apendice hasta 1936 (= Fuentes de la historia de España). Bd. 1–3. Pamplona (1955)

CUADERNOS BIBLIOGRAFICOS DE LA GUERRA DE ESPANA 1936–1939. Ed. por la cátedra de »Historia Contemporánea de España« de la Universidad de Madrid. Folletos e empresos menores del tiempo de la guerra. Serie 1. Fascículo 1. (Madrid) 1966

f) *Rußland*

Karol MAICHEL, Guide to Russian Reference Books. Bd. 1–2. Hrsg. v. J. S. G. Simmons. – 1. General Bibliographies and Reference Books. 2. History, Auxiliary Historical Sciences, Ethnography, and Geography. (= Hoover Institution. Bibl. Series 10, 18). Stanford 1962, 1964

BIBLIOGRAFIJA RUSSKOJ BIBLIOGRAFII PO ISTORII SSSR. Annotirovannyj perečen' bibliografičeskich ukazatelej, izdannych do 1917 goda [Bibliographie russischer Bibliographien zur Geschichte der UdSSR. Kommentiertes Verzeichnis bis 1917 erschienener bibliographischer Hilfsmittel]. Moskau 1967

RUSSIA AND THE SOVIET UNION. A Bibliographic Guide to Western-Language Publications. Hrsg. v. Paul L. Horecky. Chicago/London (1965)

A BIBLIOGRAPHY OF WORKS IN ENGLISH on Early Russian History to 1800. Hrsg. v. Peter A. Crowther. Oxford 1969

ISTORIJA ISTORIČESKOJ NAUKI V SSSR. Dooktjabr'skoj period. Bibliografija [Geschichte der historischen Wissenschaft in der UdSSR. Der Zeitraum bis zur Oktoberrevolution. Bibliographie]. Moskau 1965

ISTORIJA SSSR. Annotirovannyj perečen' russkich bibliografij, izdannych do 1965 g. [Geschichte der UdSSR. Kommentiertes Verzeichnis bis 1965 erschienener russischer Bibliographien]. Moskau ²1966

ISTORIJA SSSR. Ukazatel' sovetskoj literatury za 1917–1952 gg. [Geschichte der UdSSR. Wegweiser durch die sowjetische Literatur der Jahre 1917–1952] Bd. 1–2. Moskau

1: Istorija SSSR s drevnejšich vremen do vystuplenija Rossii v period kapitalizma ⟨–1861⟩. 1956

2: Istorija SSSR v period kapitalizma (1861–1917). 1958

[Dazu unter demselben Titel]:

... Priloženie [Anlagen]. Bd. 1–2. Moskau 1956, 1958

RUSSIAN HISTORY SINCE 1917 (= Widener Library Shelflist No. 4). Cambridge/Mass. 1966

SOVIET FOREIGN RELATIONS AND WORLD COMMUNISM. A Selected, Annotated Bibliography of 7000 Books in 30 Languages. Hrsg. v. Thomas T. Hammond. Princeton 1965

KLAUS MEYER, Bibliographie der Arbeiten zur osteuropäischen Geschichte aus den deutschsprachigen Fachzeitschriften 1858–1964. Hrsg. v. Werner Philipp (= Bibliographische Mitteilungen des Osteuropa-Instituts an der Freien Universität Berlin 9). Berlin 1966

Klaus MEYER, Bibliographie zur osteuropäischen Geschichte. Verzeichnis der zwischen 1939 und 1964 veröffentlichten Literatur in westeuropäischen Sprachen zur osteuropäischen Geschichte bis 1945 ... hrsg. v. Werner Philipp (= Bibliographische Mitteilungen ... 10). Berlin 1972

g) *Nordeuropa*

Samuel E. Bring, Bibliografisk handbook till Sveriges historia. Stockholm (1934)

Svensk historisk bibliografi ... (= Skrifter utgivna af Svenska historiska föreningen ...). [Bd. 1–6. – Bd. 1–3 Nachdruck Nendeln/Liechtenstein 1975]

[1:] 1771–1874. Von Kristian Setterwall. Uppsala 1957 (= Skrifter ... 4)

[2:] 1875–1900. Von Kristian Setterwall. Stockholm 1907 (= Skrifter ... 2)

[3:] 1901–1920. Von Kristian Setterwall. Uppsala 1923 (= Skrifter ... 3)

[4:] 1921–1935. Bearb. v. Paul Sjörgen. Uppsala 1956 (= Skrifter ... 5)

[5:] 1936–1950. Bearb. v. Harald Bohrn u. Percy Elfstrand. Stockholm 1964 (= Skrifter ... 6)

[6:] 1951–1960. Bearb. v. Jan Rydbeck. Stockholm 1968 (= Skrifter ... 7)

Dansk historisk bibliografi 1913–1942. Bearb. v. Henry Bruun. Bd. 1–. Kopenhagen.

1: Indledning, politisk Historie samt Stats- og Kulturforhold til og med Erhvervsliv Nr. 1–11 830. 1966

2: Stats- og Kulturforhold fra Aandsliv og ud Nr. 11 831–20 819. 1967

3: Danmarks Topografi. Sonderjyllands (Hertugdommernes) Historie, indre Forhold og Topografi Nr. 20 820–29 961. 1968

4: Personalhistorie, almindelig Del og speciel Del, A–J. Nr. 29 962–40 780. 1970

5: Personalhistorie, speciel Del, K–AA. Nr. 40 781–51 891. Bearb. v. Henry Bruun u. Georg Simon. 1973

Dansk historisk bibliografi 1943–1947. Bearb. v. Henry Bruun. Kopenhagen 1956

h) *übriges Westeuropa*

Bibliografie der geschiedenis van Nederland ... Bearb. v. H. de Buck unter Mitwirkung v. E. M. Smit ⟨–1963⟩. Leiden 1968

Repertorium van Boeken en tijdschriftartikelen betreffende de geschiedenis van Nederland verschenen in ... Groningen [1945 ff. Leiden]

[1:] ⟨1940⟩. Bearb. v. Aleida Gast u. Nicolaas Bernardus Tenhaeff. 1943

[2:] ⟨1941⟩. Bearb. v. Aleida Gast. 1945

[3:] ⟨1945–1947⟩. Bearb. v. Aleida Gast u. J. Brok-Ten Broek. 1953

[4:] ⟨1948–1950⟩. Bearb. v. J. Brok-Ten Broek. 1954

[5:] ⟨1951–1953⟩. Bearb. v. J. Brok-Ten Broek. 1959

[6:] ⟨1954–1956⟩. Bearb. v. J. Brok-Ten Broek. 1963
[7:] ⟨1957–1959⟩. Bearb. v. J. Brok-Ten Broek unter Mitarbeit v. J. A. Veltman. 1968
[8:] ⟨1960–1962⟩. Bearb. v. J. Brok-Ten Broek unter Mitarbeit v. J. A. Veltman. 1968
[9:] ⟨1963–1965⟩. Bearb. v. J. Brok-Ten Broek unter Mitarbeit v. J. A. Veltman. 1971
[10:] ⟨1966–1968⟩. Bearb. v. J. Brok-Ten Broek unter Mitarbeit v. J. A. Veltman. 1974
[11:] ⟨1969–1971⟩. Bearb. v. J. Brok-Ten Broek. 1976
[12:] ⟨1972–1974⟩. Bearb. v. J. Brok-Ten Broek. 1977

Henri PIRENNE, Bibliographie de l'histoire de Belgique. Catalogue méthodique et chronologique des sources des ouvrages principaux relatifs à l'histoire de tous les Pays-Bas jusqu'en 1598 et à l'histoire de Belgique jusqu'en 1914. Brüssel ³1931
BIBLIOGRAFIE VAN DE GESCHIEDENIS VAN BELGIE. Bibliographie de l'histoire de Belgique (= Centre interuniversitaire d'histoire contemporaine ... Cahiers 15, 37, 38). Löwen – [1:] 1789–1831. Von Paul Gérin. 1960
[2:] 1831–1865: Von Solange Vervaeck. 1965
[3:] 1865–1914. Von Jan de Belder u. J. Hannes. 1965

BIBLIOGRAPHIE ZUR GESCHICHTE LUXEMBURGS für das Jahr ... ⟨1947–(1975)⟩. Luxemburg 1948–(76)

*

Jean-Louis SANTSCHY, Manuel analytique et critique de bibliographie générale de l'histoire suisse. Bern 1961
BIBLIOGRAPHIE DER SCHWEIZERGESCHICHTE. Hrsg. v. d. Schweizer Landesbibliothek. – Bibliographie de l'histoire suisse. Publiée par la Bibliothèque nationale suisse [verschiedene Titel u. Bearbeiter] ⟨1912–(1973)⟩. Bern 1914–(76)

i) *übriges Südost- und Osteuropa*
ÖSTERREICHISCHE HISTORISCHE BIBLIOGRAPHIE. Austrian Historical Bibliography. Hrsg. v. Eric H. Boehm u. Fritz Fellner. [1977 ff. v. Günther Hödl]. Santa Barbara
[1:] 1965. Unter Mitwirkung v. Rudolf G. Ardelt u. Günther Hödl bearb. v. Herbert Paulhart. (1967)
[2:] 1966. Unter Mitwirkung v. Rudolf G. Ardelt u. Günther Hödl bearb. v. Herbert Paulhart. (1969)
[3:] 1967. Bearb. v. Günther Hödl u. Herbert Paulhart. (1970)

[4:] 1968. Bearb. v. Günther Hödl u. Herbert Paulhart unter Mitwirkung v. Wolfdieter Bihl. (1970)
[5:] 1969. Bearb. v. Günther Hödl u. Herbert Paulhart unter Mitwirkung von Wolfdieter Bihl. (1971)
[6–11:] 1970–73. Bearb. v. Günther Hödl, Herbert Paulhart u. Wolfdieter Bihl. (1972–77)
... Fünf-Jahres-Register. 1965–1969 ... Bearb. v. Günther Hödl, Heidrun Maschl, Herbert Paulhart. (1974)

*

SÜDOSTEUROPA-BIBLIOGRAPHIE. Bd. 1–. München 1956–
  1: 1945–1950. Hrsg. v. Fritz Valjavec. Teil 1. Slowakei, Rumänien, Bulgarien. 1956. – 2. Aufl. m. Nachtrag 1968. – Teil 2. Jugoslawien, Ungarn, Albanien, Südosteuropa und größere Räume. 1959
  2: 1951–1955. Hrsg. v. Südost-Institut München. Red. Gertrud Krallert-Sattler. Teil 1. Südosteuropa und größere Teilräume, Jugoslawien, Ungarn. 1960. – Teil 2. Albanien, Bulgarien, Rumänien, Slowakei. 1962
  3: 1956–1960. Hrsg. v. Südost-Institut München. Red. Gertrud Krallert-Sattler. Teil 1. Slowakei, Ungarn, Rumänien. 1964. – Teil 2. Albanien, Bulgarien, Jugoslawien, Südosteuropa und größere Teilräume. 1968
  4: 1961–1965. Hrsg. v. Südost-Institut München. Red. Gertrud Krallert-Sattler. Teil 1. Südosteuropa und größere Teilräume, Ungarn, Rumänien, Slowakei. 1971. – Teil 2: Albanien, Bulgarien, Jugoslawien. 1973.
  5: 1966–1970. Hrsg. v. Südost-Institut München. Red. Gertrud Krallert-Sattler. Teil 1. Südosteuropa und größere Teilräume, Ungarn, Rumänien, Slowakei. [In Vorb.] – Teil 2. Albanien, Bulgarien, Jugoslawien. 1976
BIBLIOGRAFIA ISTORICĂ a României. Bd. 1–. Bukarest 1970–
  1: 1944–1969. Hrsg. v. Ioachim Crăciun, Gheorghe Hristodol [u.a.]. 1970
  2: Secolul XIX. Bd. 1. Cadrul general. Tara şi locuitorii. Bearb. v. Cornelia Bodea. 1972
  3: Secolul XIX. Bd. 5. Biografii. Bearb. v. Vladimir Diculescu. 1974
  4: 1969–1974. Bibliografie selectivă. Hrsg. v. Gheorghe Hristodol [u.a.]. 1975
BIBLIOGRAFIE ČESKÉ HISTORIE za rok ... Bearb. v. Stanislava Jonášová-Hájková ⟨1925–1937/41⟩ (= Česky Časopis Historický). Prag 1929–51
BIBLIOGRAFIE ČESKOSLOVENSKÉ HISTORIE za rok ... ⟨1955–(1965)⟩. Prag 1957–(72)
Ferdinand SEIBT, Bohemica. Probleme und Literatur seit 1945 (= Historische Zeitschrift Sonderheft 4). München 1970

Bɪʙʟɪᴏɢʀᴀꜰɪᴀ ʜɪꜱᴛᴏʀɪɪ Pᴏʟꜱᴋɪᴇᴊ za rok ... ⟨1944–(1974)⟩. Bearb. v. Jan
Baumgart [u. a.] Breslau [u. a.] 1962–(76)

Bibliographie
DW 74/1–9 [USA], 81/1–5 [Spanien], 82/1–9, 71–74a [Südosteuropa],
93/1–21 [Rußland], 94/1–2, 96/1–7, 97/1–7, 98/1–6 [Nordeuropa], 100/
1–12a [England], 101/1–14 [Frankreich], 102/1–7 [Italien], 103/17–23
[Belgien], 104/1–4 [Holland], 105/1–13 [Schweiz], 106/1–3 [Österreich]

VII. Lexika

1. Enzyklopädien, Konversationslexika

Gʀᴏꜱꜱᴇꜱ ᴠᴏʟʟꜱᴛäɴᴅɪɢᴇꜱ Uɴɪᴠᴇʀꜱᴀʟ-Lᴇxɪᴋᴏɴ aller Wissenschaften und
Künste [»Zedler«] Bd. 1–64, Erg.-Bd. 1–4 [– Caq]. Halle/Leipzig
1732–54 [Nachdruck Graz 1962–64]
Aʟʟɢᴇᴍᴇɪɴᴇ Eɴᴄʏᴄʟᴏᴘäᴅɪᴇ ᴅᴇʀ Wɪꜱꜱᴇɴꜱᴄʜᴀꜰᴛᴇɴ ᴜɴᴅ Küɴꜱᴛᴇ. Hrsg. von
Johann Samuel Ersch u. Johann Gottfried Gruber. Bd. 1–167 [unvoll-
ständig im Alphabet]. Leipzig 1818–89
[Nachdruck Graz 1969–]

Bʀᴏᴄᴋʜᴀᴜꜱ Eɴᴢʏᴋʟᴏᴘäᴅɪᴇ [wechselnde Titel]
1. Aufl. [u.d.T.: Conversationslexikon mit vorzüglicher Rücksicht auf
die gegenwärtigen Zeiten] Bd. 1–6, Erg.-Bd. 1–2. Leipzig
1796–1811
2. Aufl. Bd. 1–10. Altenburg/Leipzig 1812–19
5. Aufl. [bis zur 11. Aufl. u.d.T.: Allgemeine deutsche Real-Encyclo-
pädie] Bd. 1–10. Leipzig 1819–20
12. Aufl. Bd. 1–15. Leipzig 1875–79
13. Aufl. Bd. 1–17. Leipzig 1882–87
14. Aufl. Bd. 1–16, 1 Erg.-Bd. Leipzig 1894–97
15. Aufl. [bis zur 16. Aufl. u.d.T.: Der Große Brockhaus] Bd. 1–20,
1 Erg.-Bd. Leipzig 1928–35
16. Aufl. Bd. 1–12, Erg.-Bd. 1–2. Wiesbaden 1952–63
17. Aufl. Bd. 1–23. Wiesbaden 1966–76
18. Aufl. Bd. 1–(12). Wiesbaden 1977– [bis 1977 Bd. 1]
Dᴇʀ Gʀᴏꜱꜱᴇ Hᴇʀᴅᴇʀ [früher Herders Conversationslexikon]
1. Aufl. Bd. 1–5. Freiburg 1853–57

4. Aufl. Bd. 1–12. Freiburg 1931–(35)
5. Aufl. Bd. 1–10, Erg.-Bd. 1–2. Freiburg 1952–62

MEYERS LEXIKON [wechselnde Titel]
1. Aufl. Bd. 1–46, Erg.-Bd. 1–6. Leipzig 1840–55
2. Aufl. Bd. 1–15. Leipzig 1857–60
6. Aufl. Bd. 1–20, Erg.-Bd. 1–4. Leipzig 1902–16
7. Aufl. Bd. 1–12, Erg.-Bd. 1–3. Leipzig 1924–35
8. Aufl. Bd. 1–9, 12 [unvollständig]. Leipzig 1936–42
9. Aufl. Bd. 1–(25). Mannheim/Wien/Zürich (1971–)
   [bis 1977 Bd. 1–21]

MEYERS NEUES LEXIKON. Bd. 1–8. Leipzig 1961–64. – 2. Aufl. Bd. 1–[18].
Leipzig 1972– [bis 1977 Bd. 1–15]

*

ENCYCLOPÉDIE OU DICTIONNAIRE RAISONNÉ des sciences, des arts et des
métiers. Hrsg. von Denis Diderot u. Jean Baptiste d'Alembert. Bd. 1–17,
Erg.-Bd. 1–4, Reg.-Bd. 1–2, Bildtafeln Bd. 1–11 und 1 Erg.-Bd. Paris
1751–80 [Nachdruck Stuttgart-Bad Cannstatt 1966]
LA GRANDE ENCYCLOPÉDIE ... Bd. 1–31. Paris [1886–1902]
LAROUSSE DU XXe SIÈCLE. Bd. 1–6. Paris (1928–33)
GRAND LAROUSSE ENCYCLOPÉDIQUE. Bd. 1–10. Paris (1960–64)
   Erg.-Bd. 1–2. 1968–75
ENCYCLOPAEDIA UNIVERSALIS. Bd. 1–17. Paris (1969–73)
ENCYCLOPAEDIA BRITANNICA
1. Aufl. Bd. 1–3. Edinburgh 1768–71
11. Aufl. Bd. 1–29. London 1910–11
14. Aufl. Bd. 1–24. London/New York 1929
[seit der 15. Aufl. ohne Auflagen-Zählung; häufige Neudrucke mit
Teilkorrekturen; neueste Bearb. in 30 Bdn. u. 3 Abteilungen: Propaedia
1 Bd., Macropaedia Bd. 1–19, Micropaedia Bd. 1–10. Chicago (u. a.)
(1974)]
THE ENCYCLOPAEDIA AMERICANA
1. Aufl. Bd. 1–16. New York/Chicago 1903–04 [seit der Ausg. v. 1918–
20 häufig verb. Ndr. o. Aufl.-Zählung; zul. Bd. 1–30. New York 1972]
ENCICLOPEDIA ITALIANA [ohne Auflagen-Zählung] Bd. 1–36. Rom 1929–
1939. – Erg.-Bd. 1–3. Rom 1938–61
GRANDE DIZIONARIO ENCICLOPEDICO UTET. Begr. v. Pietro Fedele. 3. Aufl.
Bd. 1–20. (Turin 1966–75)
ENCICLOPEDIA UNIVERSAL ILUSTRADA EUROPEO-AMERICANA [Enciclopedia
Espasa] Bd. 1–70; Erg.-Bd. 1–(26). Madrid 1905–(73)
ÉNCIKLOPEDIČESKIJ SLOVAR' [Brockhaus-Efron] Bd. 1–45, Erg.-Bd. 1–2,
St. Petersburg [Neudruck in 55 Bänden. Moskau 1937–38]

Bol'šaja Sovetskaja enciklopedija [= Große Sovet-Enzyklopädie]
1. Aufl. Bd. 1–65. Moskau (1924–1947)
2. Aufl. Bd. 1–49. Moskau (1949–1957)
3. Aufl. Bd. 1–(30). Moskau (1970–) [bis 1977 Bd. 1–26]
[Englische Übersetzung der 3. Aufl.:]
Great Soviet Encyclopaedia. A Translation of the Third Edition.
Bd. 1–. Moskau/New York/London (1973–) *[bis 1977 Bd. 1–14]*
L'Enciclopedia Europea [Garzanti]. Bd. 1–(12). Mailand 1977– [bis
1977 Bd. 1–2]

Bibliographie:
DW 58/146–186a

2. Sachlexika

a) *Altertums-, Volkskunde*
Paulys Realencyclopädie der classischen Altertumswissenschaften
[RE]. Hrsg. v. Georg Wissowa [u. a.]. Reihe 1, Bd. 1–24, 1. Stuttgart
1893–1963. – Reihe 2, Bd. 1–10. Stuttgart 1914–1972. – Suppl.-Bd. 1–14.
Stuttgart 1903–1974
Der Kleine Pauly. Lexikon der Antike . . . Bd. 1–5. München 1964–75
Reallexikon der germanischen Altertumskunde. Hrsg. v. Johannes
Hoops. Bd. 1–4. Straßburg 1911–19
[Neubearbeitung:]
Reallexikon der germanischen Altertumskunde. Begr. v. Johannes
Hoops. . . . Hrsg. v. Herbert Jankuhn, Hans Kuhn [u. a.] Bd. 1–2
[–Boot]. (Berlin) [1968–(76)]
Handwörterbuch des deutschen Aberglaubens. Hrsg. v. Hanns
Bächtold-Stäubli. Bd. 1–9, Reg.-Bd. 1 (= Handwörterbücher zur deut-
schen Volkskunde. Abt. 1). Berlin/Leipzig 1927–42

b) *Theologie, Kirchengeschichte*
Reallexikon für Antike und Christentum. Sachwörterbuch zur Auseinandersetzung des Christentums mit der antiken Welt. Hrsg. v. Theodor Klauser. Bd. 1–(10) [–Geschlechter]. Stuttgart 1950–(77)
Dictionnaire d'archéologie chrétienne et de liturgie. Bd. [Doppelbde.]
1–15. Paris 1924–53
Wetzer und Welte's Kirchenlexikon oder Encyklopädie der katholischen Theologie und ihrer Hülfswissenschaften.
1. Aufl. Bd. 1–13. Freiburg 1847–60

2. Aufl. Bd. 1–13. Freiburg 1882–1903
KIRCHLICHES HANDLEXIKON. Hrsg. v. Michael Buchberger. Bd. 1–2. München 1907–12. [Neubearbeitung:]
LEXIKON FÜR THEOLOGIE UND KIRCHE [LTHK]. 2., neubearbeitete Aufl. des Kirchlichen Handlexikons. Hrsg. v. Michael Buchberger. Bd. 1–10. Freiburg 1930–38
2. völlig neubearbeitete Aufl., hrsg. v. Josef Höfer u. Karl Rahner. Bd. 1–10. Freiburg 1957–65. – Reg.-Bd. 1967. – Erg.-Bd. 1–3: Das Zweite Vatikanische Konzil. Freiburg 1966–68
DICTIONNAIRE DE THÉOLOGIE CATHOLIQUE. Bd. [Doppelbände] 1–15. Paris 1903–1950. Reg.-Bd. 1–3. Paris 1951–72
DICTIONNAIRE D'HISTOIRE ET DE GÉOGRAPHIE ECCLÉSIASTIQUES. Bd. 1–(18) [–Frauenthal]. Paris 1909–(76)

REALENCYCLOPÄDIE für protestantische Theologie und Kirche. Begr. v. Johann Jakob Herzog. 3. Aufl. hrsg. v. Albert Hauck. Bd. 1–21, Reg.-Bd. 1, Erg.-Bd. 1–2. Leipzig 1896–1913 [Nachdruck Graz 1967–71] [Neubearbeitung:]
THEOLOGISCHE REALENZYKLOPÄDIE [TRE] ... hrsg. v. Gerhard Krause u. Gerhard Müller. Bd. 1–. Berlin/New York 1976– [bis 1977 erschienen: TRE Abkürzungsverzeichnis. Zus.gest. v. Siegfried Schwertner. 1976. – Bd. 1 (Aaron – Agende). 1977]
DIE RELIGION IN GESCHICHTE UND GEGENWART [RGG]. Handwörterbuch für Theologie und Religionswissenschaft
2. Aufl. hrsg. v. Hermann Gunkel u. Leopold Zscharnak. Bd. 1–5, Reg.-Bd. 1. Tübingen 1926–32
3. Aufl. hrsg. v. Kurt Galling. Bd. 1–6, Reg.-Bd. 1. Tübingen 1957–65
EVANGELISCHES KIRCHENLEXIKON. Kirchlich-theologisches Handwörterbuch. Hrsg. v. Heinz Brunotte u. Otto Weber. Bd. 1–4. Göttingen (1956–61)
Ludwig KOCH, Jesuiten-Lexikon. Paderborn 1934 [Nachdruck Löwen-Heverlee 1962]
MENNONITISCHES LEXIKON. Hrsg. von Christian Hege u. Christian Neff, fortgeführt von Harold S. Bender u. Ernst Crous. Bd. 1–4. Frankfurt/M [ab Bd. 3 Karlsruhe] 1913–67
Eugen LENNHOFF/Oskar POSNER, Internationales Freimaurerlexikon. Wien 1932 [Nachdruck München/Zürich/Wien (1965)]

c) *Konkordanzen*
Bonifatius FISCHER, Novae Concordantiae Bibliorum Sacrorum juxta Vulgatam versionem critice editam. Bd. 1–5. (Stuttgart-Bad Cannstatt 1977)
Domenico Bo, Lexicon Horatianum. Bd. 1–2 (= Alpha-Omega 1,1–2). Hildesheim 1965–66

Wörterbücher (Mittelalter)

Roy Joseph DEFERRARI, A Concordance of Ovid. Washington 1939 [Nachdruck Hildesheim 1968]

Rudolphus HANSLIK, Benedicti Regula, Index verborum (= Corpus script. eccl. lat. 75). Wien 1960

DAVID LENFANT, Concordantiae Augustinianae ... T. 1–2. Paris 1655–56 [Nachdruck Brüssel 1963]

Ludwig SCHÜTZ, Thomas-Lexikon ... Paderborn 1881, ²1895 [Nachdruck Stuttgart 1958]

d) *Wörterbücher (Mittelalter)*

THESAURUS LINGUAE LATINAE ... Bd. 1–6,3 [Bd. 7–9 noch in unvollständigen Lieferungen: Buchstaben I–M und O mit Lücken]. Leipzig 1900–(76). – Onomasticon Bd. 2 [Bd. 3 in unvollständigen Lieferungen]. Leipzig 1907–1923. – Index librorum ... Leipzig 1904. – Dazu Suppl. Leipzig 1958

Egidio FORCELLINI, Totius latinitatis lexicon ... Bd. 1–4. Padua 1771. – Neubearb. v. Vincenzo De-Vit. Bd. 1–6 ... lexicon. Prato ⁴1858–75. – Bd. 7–10: Totius latinitatis onomasticon. Bd. 1–4. Prato 1859–92

Heinrich u. Karl Ernst GEORGES, Ausführliches lateinisch-deutsches Handwörterbuch ... Bd. 1–2. Hannover/Leipzig ⁸1913 [verschiedene Nachdrucke in fortlauf. Auflagenzählung, Graz]

OXFORD LATIN DICTIONARY. Bd. 1– [–Pactum]. Oxford 1968–(76)

Charles Du Fresne Sieur Du CANGE, Glossarium mediae et infimae latinitatis. Bd. 1–3. Paris 1678. – Bd. 1–10 bearb. v. Léopold Favre. Niort ⁵1883–87 [Nachdruck Graz 1954]

Eduard BRINCKMEIER, Glossarium diplomaticum zur Erläuterung ... lateinischer, hoch- und besonders niederdeutscher Wörter und Formeln ... des gesamten deutschen Mittelalters ... Bd. 1–2. Gotha 1856, 1863 [Nachdruck Aalen 1961, 2. Nachdruck 1967]

Lorenz DIEFENBACH, Glossarium latino-germanicum mediae et infimae aetatis ... Frankfurt/M. 1857 [Nachdruck Darmstadt 1968]

Jan Frederik NIERMEYER, Mediae latinitatis lexicon minus. Lexique latin médiéval-français/anglais. A Medieval Latin-French/English Dictionary. Leiden 1976

NOVUM GLOSSARIUM MEDIAE LATINITATIS ab anno DCCC ad annum MCC. Kopenhagen 1957–(75) [bisher Buchstabe L – nysus, O – ocyter bearb. v. Franz Blatt, und Index]

MITTELLATEINISCHES WÖRTERBUCH bis zum ausgehenden 13. Jahrhundert. Hrsg. v. d. Bayerischen Akademie der Wissenschaften u. d. Deutschen Akademie der Wissenschaften zu Berlin. Bd. 1–(2) [–comprovincialis]. München 1967–(76)

James Houston BAXTER / Charles JOHNSON, Medieval Latin Word-List from British and Irish Sources. London (1934) [mehrere Nachdrucke]

[Neubearbeitung:]
Ronald Edward LATHAM, Revised Medieval Latin Word-List from British
and Irish Sources. London 1965
Alexander SOUTER, A Glossary of Later Latin to 600 A. D. Oxford (1949)
[bericht. Nachdruck 1964]
Albert BLAISE, Dictionnaire latin-français des auteurs chrétiens. Neubearb.
v. Henri Chirat. Straßburg (1954)
Albert BLAISE, Dictionaire latin- français des auteurs du moyen-âge (=
Corpus Christianorum. Cont. Med.). Turnhout 1975

e) *Verfassungs-, Sozial-, Wirtschafts- und Rechtsgeschichte*
DAS STAATS-LEXIKON. Hrsg. v. Carl von Rotteck u. Carl Welcker.
   1. Aufl. Bd. 1–15. Altona 1834–44
   2. Aufl. Bd. 1–12. Altona 1845–48
   3. Aufl. Bd. 1–14. Leipzig 1856–66
DEUTSCHES STAATS-WÖRTERBUCH. Hrsg. v. Johann Caspar Bluntschli u.
Karl Brater. Bd. 1–11. Stuttgart/Leipzig 1857–69
NEUES CONVERSATIONS-LEXIKON. Staats- und Gesellschafts-Lexikon. Hrsg.
v. Hermann Wagener. Bd. 1–23. Berlin 1859–67
STAATSLEXIKON. Recht – Wirtschaft – Gesellschaft. Hrsg. v. der Görres-
gesellschaft. Bd. 1–8, Erg.-Bd. 1–3 (= Bd. 9–11). Freiburg [6]1957–70
[Aufl. 1–5 ohne Untertitel.]
   1. Aufl. hrsg. v. A. Bruder. Bd. 1–5. 1887–97
   2. Aufl. hrsg. v. Julius Bachem. Bd. 1–5. 1901–04
   3. Aufl. hrsg. v. Julius Bachem. Bd. 1–5. 1908–12
   4. Aufl. hrsg. v. Julius Bachem. Bd. 1–5. 1911–12
      [Bd. 4–5 = 3. u. 4. Aufl.]
   5. Aufl. hrsg. v. Hermann Sacher. Bd. 1–5. 1926–32
HANDWÖRTERBUCH DER STAATSWISSENSCHAFTEN. Jena
   1. Aufl. hrsg. v. J. Conrad [u.a.] Bd. 1–6. 1890–94
   4. Aufl. hrsg. v. Ludwig Elster [u.a.] Bd. 1–8, Erg.-Bd. 1. 1923–29
[Neubearbeitung:]
HANDWÖRTERBUCH DER SOZIALWISSENSCHAFTEN [HDSW]. Zugleich Neuaufl.
des Handwörterbuches der Staatswissenschaften. Hrsg. v. Erwin von
Beckerath [u.a.] Bd. 1–12, Reg.-Bd. 1. Stuttgart/Tübingen/Göttingen
1956–68
ENCYCLOPEDIA OF THE SOCIAL SCIENCES. Hrsg. v. Edwin R. A. Seligman.
Bd. 1–15. New York 1930–35 [Neudruck New York 1953]
INTERNATIONAL ENCYCLOPEDIA OF THE SOCIAL SCIENCES. Bd. 1–16, Reg.-
Bd. 1. [o.O., USA] (1968)

DEUTSCHES RECHTSWÖRTERBUCH. Wörterbuch der älteren deutschen
Rechtssprache. Hrsg. von der Preußischen Akademie der Wissenschaf-

ten [bis Bd. 3; Bd. 4 von der Deutschen Akamedie der Wiss. zu Berlin; ab Bd. 5 von der Heidelberger Akademie der Wiss. in Verbindung mit der Deutschen Akademie der Wiss. zu Berlin] Bd. 1–7 [–Kaufmann]. Weimar 1914–(76)

HANDWÖRTERBUCH ZUR DEUTSCHEN RECHTSGESCHICHTE. Hrsg. von Adalbert Erler und Ekkehard Kaufmann. Lieferung 1–(15) [–Leibniz]. Berlin 1964–(77)

WÖRTERBUCH DES VÖLKERRECHTS. Begr. v. Karl Strupp . . . hrsg. v. Hans-Jürgen Schlochauer. Bd. 1–3, Reg.-Bd. Berlin ²1960–62

POLITISCHES HANDWÖRTERBUCH. Hrsg. v. Paul Herre. Bd. 1–2. Leipzig 1923

HANDLEXIKON ZUR POLITIKWISSENSCHAFT. Hrsg. v. Axel Görlitz. (München 1970, ²1972)

LEXIKON ZUR GESCHICHTE UND POLITIK im 20. Jahrhundert. Hrsg. v. Carola Stern, Thilo Vogelsang [u.a.]. Bd. 1–2. (Köln 1971)

[Neuauflage:]

DTV-LEXIKON ZUR GESCHICHTE UND POLITIK im 20. Jahrhundert. Hrsg. v. Carola Stern [u.a.] Bd. 1–3. (München 1974)

SOWJETSYSTEM UND DEMOKRATISCHE GESELLSCHAFT [SDG]. Eine vergleichende Enzyklopädie. Hrsg. v. Claus D. Kernig. Bd. 1–6. Freiburg/Basel/Wien 1966–72. – Sonderbd.: Die kommunistischen Parteien der Welt. 1969

[Auch separat als Taschenbuchausgabe in mehreren Abteilungen erschienen u. d. T.: Marxismus im Systemvergleich. Recht. Hrsg. v. Claus D. Kernig . . . Freiburg 1973. – . . . Geschichte. Bd. 1–5 . . . 1974. – Grundbegriffe. Bd. 1–3 . . . 1973. – Ideologie und Philosophie. Bd. 1–3 . . . 1973. – Ökonomie. Bd. 1–4 . . . 1973. – Politik. Bd. 1–4 . . . 1973. – Soziologie. Bd. 1–2 . . . 1973]

3. Sachwörterbücher zur Geschichte

Hellmuth RÖSSLER/Günther FRANZ, Sachwörterbuch zur deutschen Geschichte. München 1958 [Nachdr. in 2 Bdn. Nendeln/Lie. 1970]

SACHWÖRTERBUCH DER GESCHICHTE DEUTSCHLANDS und der deutschen Arbeiterbewegung. Bd. 1–2. Berlin (Ost) 1969–70

LEXIKON DER DEUTSCHEN GESCHICHTE. Personen, Ereignisse, Institutionen. Von der Zeitwende bis zum Ausgang des 2. Weltkrieges. Unter Mitarbeit v. Historikern u. Archivaren hrsg. v. Gerhard Taddey. Stuttgart (1977)

Eugen HABERKERN/Joseph Friedrich WALLACH, Hilfswörterbuch für Historiker. Mittelalter und Neuzeit. Bern/München ²1964, ⁵1977

Erich BAYER, Wörterbuch zur Geschichte. Begriffe und Fachausdrücke (= Kröners Taschenausgabe 289). Stuttgart (³1974)

Konrad Fuchs/Heribert Raab, dtv-Wörterbuch zur Geschichte. Bd. 1–2. (München 1972, ²1975–76)

Das Fischer Lexikon. Geschichte. Hrsg. von Waldemar Besson. (Frankfurt 1961) [mehrfache Neudrucke]

Grundbegriffe der Geschichte. 50 Beiträge zum europäischen Geschichtsbild. Hrsg. in Zusammenarbeit mit dem Europarat und dem Internationalen Schulbuchinstitut. (Gütersloh 1964)

Geschichtliche Grundbegriffe. Historisches Lexikon zur politisch-sozialen Sprache in Deutschland. Hrsg. v. Otto Brunner, Werner Conze, Reinhart Koselleck. Bd. 1– . Stuttgart
  1: A–D. (1972)
  2: E–G. (1975)

Otto Ladendorf, Historisches Schlagwörterbuch. Straßburg/Berlin 1906 [Nachdruck Hildesheim 1968]

Clavis medievalis. Kleines Wörterbuch der Mittelalterforschung. In Gemeinschaft mit Renate Klauser hrsg. v. Otto Meyer. Wiesbaden 1962 [Nachdruck 1966 u.ö.]

Lexikon des Mittelalters. Red. Liselotte Lutz [u. a.] Bd. 1– . Zürich 1977– [bis 1977 Lieferung 1 Aachen–Ägypten]

Reinhart Beck, Wörterbuch der Zeitgeschichte seit 1945 (= Kröners Taschenausgabe 372) Stuttgart (1967)

A. W. Palmer, A Dictionary of Modern History 1789–1945. London 1962

A New Dictionary of British History. Hrsg. von S. H. Steinberg. London (1963). – 2. Aufl. u.d.T.: Steinberg's Dictionary of British History. Hrsg. v. S. H. Steinberg u. I. H. Evans. (London 1970)

Dictionary of American History. Hrsg. von James Truslow Adams [u.a.] Bd. 1–5, Reg.-Bd. 1. London 1940, 1963
[Neubearbeitung:]
Dictionary of American History. Bd. 1–7. New York 1976

Concise Dictionary of American History. Hrsg. von James Truslow Adams [u.a.]. New York/London 1963

Sovetskaja istoričeskaja enciklopedija. Hrsg. von E. M. Žukov [u.a.] Bd. 1–16. Moskau 1961–76

Dictionary of Russian Historical Terms from the Eleventh Century to 1917. Zus.gestellt v. Sergei G. Pushkarev. Hrsg. v. George Vernadsky u. Ralph T. Fisher. New Haven/London 1970

Diccionario de historia de Espana. Desde sus origines hasta el fin del reinado de Alfonso XIII. Bd. 1–2. Madrid (1952) [2. Aufl. u.d.T.:]

Diccionario de historia de Espana. Hrsg. v. Germán Bleiberg. Bd. 1–3. Madrid (²1968–69)

VIII. Biographische Hilfsmittel

1. *Internationale Biographien*

a) *Ältere Sammlungen*

ALLGEMEINES GELEHRTEN-LEXICON. Darinne die Gelehrten aller Stände ..., welche vom Anfange der Welt bis auf ietzige Zeit gelebt ... Hrsg. von Christian Gottlieb Jöcher. Bd. 1–4. Leipzig 1750–51 [Ndr. Hildesh. 1960]

Fortsetzung und Ergänzungen zu Christian Gottlieb JÖCHERS allgemeinem Gelehrten-Lexiko ... Angefangen von Johann Christoph Adelung und vom Buchstaben K fortges. v. Heinrich Wilhelm Rotermund [Bd. 7 hrsg. v. Otto Günther]. Bd. 1–7 [–Romuleus]. Leipzig 1784–1897 [Nachdruck Hildesheim 1961]

BIOGRAPHIE UNIVERSELLE ancienne et moderne [Michaud]. Bd. 1–45. Paris ²1854–(65) [Nachdruck Graz 1966–]
[1. Aufl. 1843–(65) u.d.T.: Nouvelle Biographie ...]

NOUVELLE BIOGRAPHIE GÉNÉRALE depuis les temps les plus reculés jusqu'à nos jours ⟨bis 1850/60⟩ ... Hrsg. v. Ferdinand Hoefer. Bd. 1–46. Paris 1855–66 [Nachdruck Kopenhagen 1963–66]

b) *Moderne Kompendien*

MAX ARNIM, Internationale Personalbibliographie ⟨1800–1959⟩. Bd. 1–3.
[1. Auflage in 1 Bd. ⟨1850–1935⟩. Leipzig 1936]
  1: A–K ⟨1800–1943⟩. Leipzig ²1952
  2: L–Z ⟨1800–1943⟩. Stuttgart ²1952
  3: Fortgeführt von Gerhard Bock und Franz Hodes [A–Z und Nachträge zur 2. Aufl. ⟨1944–1959⟩]. Stuttgart 1963
WHO'S WHO ... 1 (1849) – 128 (1976/77). London [1849]–(1976)
MEYERS GROSSES PERSONENLEXIKON. Hrsg. und bearb. von den Fachredaktionen des Bibliographischen Instituts. Mannheim/Zürich (1968)

2. *Nationalbiographien*

ALLGEMEINE DEUTSCHE BIOGRAPHIE [ADB]. Hrsg. durch die historische Commission bei der Königl. Akademie der Wissenschaften. Bd. 1–56 [davon Bd. 45–55 Nachträge, Bd. 56 Generalregister]. Leipzig 1875–1912

NEUE DEUTSCHE BIOGRAPHIE [NDB]. Hrsg. von der Historischen Kommission bei der Bayerischen Akademie der Wissenschaften. Bd. 1–11

[–Kleinfercher]. Berlin (1953–77)

Constant von WURZBACH, Biographisches Lexicon des Kaisertums Österreich ... ⟨1750–1850⟩. Bd. 1–60, Reg.-Bd. zu den Nachträgen. Wien 1856–1923 [Teilnachdruck New York 1966]

ÖSTERREICHISCHES BIOGRAPHISCHES LEXIKON 1815–1950. Hrsg. von der Österreichischen Akademie der Wissenschaften unter Leitung von Leo Santifaller, bearb. von Eva Obermayer-Marnach. Bd. 1–(7) [–Paget]. Graz/Köln 1957–(77)

HISTORISCH-BIOGRAPHISCHES LEXIKON DER SCHWEIZ. Hrsg. ... v. Heinrich Türler [u.a.]. Deutsche Ausgabe. Bd. 1–7. Neuenburg 1921–34. – Supplement ... hrsg. ... v. Marcel Godet [u. a.]. Neuenburg 1934

DICTIONNAIRE DE BIOGRAPHIE FRANÇAISE. Bd. 1–(14) [–Forot]. Paris 1933–(77)

DICTIONARY OF NATIONAL BIOGRAPHY [DNB]. Bd. 1–63. New York/London 1885–1900 [Nachdruck in 22 Bänden London 1959–60; Supplementsbände in Zehnjahresabständen für die Zeit von 1901–1960. London 1912–71. – Corrections and Additions (für 1923–63) London 1966]

DICTIONARY OF AMERICAN BIOGRAPHY [DAB]. Bd. 1–20. New York/London (1928–36) [Suppl.-Bd. 1–2 (bis 1945 reichend) London 1944–58]

DIZIONARIO BIOGRAFICO DEGLI ITALIANI. Bd. 1–(20) [Carusi]. Rom (1960–[77])

[Dazu:]
Indice dei volumi 1–x. Rom 1973

3. *Spezielle biographische Nachschlagewerke*

WER IST'S [wechselnde Untertitel; ab Bd. 11 u.d.T.: Wer ist wer? Das deutsche Who's who]. Hrsg. v. Hermann A. L. Degener [ab Bd. 11 v. Walter Habel] 1 (1905) – 18 (1974/75). Leipzig [ab Bd. 10 Berlin] 1905–75

1: ⟨1905⟩ [1905]	9: ⟨1928⟩ 1928	16,1: ⟨1969/70⟩ ⟨1970⟩
2: ⟨1906⟩ [1906]	10: ⟨1935⟩ 1935	17: ⟨1971/73⟩. (1973)
3: ⟨1907⟩ [1907]	11: ⟨1951⟩ [1951]	18: ⟨1974/75⟩. (1975)
4: ⟨1908⟩ [1908]	12: ⟨1955⟩ (1955)	19: ⟨1976/77⟩. (1977)
5: ⟨1911⟩ [1911]	13: ⟨1958⟩ (1958)	
6: ⟨1912⟩ [1912]	14: ⟨1962⟩ (1962)	
7: ⟨1914⟩ 1914	14,1: ⟨1965⟩ (1965)	
8: ⟨1922⟩ 1922	15: [Westdeutschland] ⟨1967⟩ 1967	

KÜRSCHNERS DEUTSCHER GELEHRTEN-KALENDER [mit wechselnden Zusätzen] 1 (1925) – 11 (1970). Berlin/Leipzig 1925–(71)

1: ⟨1925⟩ 1925	6: Bd. 1–2 ⟨1940–41⟩ 1941	
2: ⟨1926⟩ 1926	7: ⟨1950⟩ Berlin 1950	11: ⟨1970⟩ Berlin

3: ⟨1928–29⟩ [1928] 8: ⟨1954⟩ Berlin 1954 1970-71
4: ⟨1931⟩ [1931] 9: ⟨1961⟩ Berlin 1961 12: ⟨1976⟩ Berlin/
5: ⟨1935⟩ [1935] 10: ⟨1966⟩ Berlin 1966 New York 1976

REICHSHANDBUCH DER DEUTSCHEN GESELLSCHAFT. Das Handbuch der Persönlichkeiten in Wort und Bild. Bd. 1–2. Berlin (1930–31)

MEYERS HANDBUCH DER GESCHICHTE. Bd. 1. Lexikon der historischen Persönlichkeiten ... Bearb. von Hans-Werner Wittenberg (= Meyers Handbücher der großen Wissensgebiete. Geschichte 1). Mannheim (1968)

DAS FISCHER LEXIKON. Sonderband. Geschichte in Gestalten. Hrsg. von Hans Herzfeld. Bd. 1–4. (Frankfurt/M 1963) [häufige Neudrucke]
[Neubearbeitung:]
BIOGRAPHISCHES LEXIKON ZUR WELTGESCHICHTE. Hrsg. v. Hans Herzfeld. (Frankfurt/M 1970)

Hellmuth RÖSSLER/Günther FRANZ, Biographisches Wörterbuch zur deutschen Geschichte. München 1952
[Neubearbeitung:]
BIOGRAPHISCHES WÖRTERBUCH ZUR DEUTSCHEN GESCHICHTE. Begr. v. Hellmuth Rößler u. Günther Franz. 2. ... Aufl. Bearb. v. Karl Bosl, Günther Franz, Hanns Hubert Hofmann. Bd. 1–3. München [1973]–(75)

BIOGRAPHISCHES LEXIKON ZUR DEUTSCHEN GESCHICHTE. Von den Anfängen bis 1917 [spät. Aufl.: bis 1945]. (Ost) Berlin 1967, ³1970

WHO'S WHO IN HISTORY. Hrsg. v. C. R. N. Routh. Bd. 1–. Oxford 1960–
1: W. O. Hassall, British Isles 55 B.C. to 1485. 1960
2: C. R. N. Routh, England 1485 to 1603. 1964
3: C. P. Hill, England 1603 to 1714. 1965
4: Geoffrey Treasure, England 1714–1789. (1969)
5: Geoffrey Treasure, England 1789–1837. (1974)

*

Wilhelm KOSCH, Biographisches Staatshandbuch. Lexikon der Politik, Presse und Publizistik. Bd. 1–2. Bern/München (1963)

Wilhelm KOSCH, Das katholische Deutschland. Bd. 1–3 [–Schlüter; mehr nicht erschienen]. Augsburg 1933–39

MAX SCHWARZ, MdR. Biographisches Handbuch der Reichstage. (Hannover 1965)

DICTIONNAIRE DES PARLEMENTAIRES FRANÇAIS ⟨1889–1940⟩. Hrsg. unter Leitung v. Jean Jolly. Bd. 1–8. Paris 1960–77

WHO'S WHO OF BRITISH MEMBERS OF PARLIAMENT. Hrsg. v. Michael Stenton. Bd. 1 ⟨1832–1885⟩. – Bd. 2 ⟨1886–1918⟩. Atlantic Highlands, N.J. 1976–77

Franz OSTERROTH, Biographisches Lexikon des Sozialismus. Bd. 1–. Hannover (1960–)

1: Verstorbene Persönlichkeiten

DICTIONNAIRE BIOGRAPHIQUE DU MOUVEMENT OUVRIER FRANÇAIS. Teil 1 ⟨1789–1864⟩. Bd. 1–3. Paris (1964–66). – Teil 2 ⟨1864–1871⟩. La Première Internationale et la Commune. Bd. 4–9. Paris 1967–(71). – Teil 3 ⟨1871–1914⟩. De la Commune à la Grande Guerre. Bd. 10–12. Paris 1972–(74)

DAS DEUTSCHE FÜHRERLEXIKON. 1934/35. Berlin (1934)

Erich STOCKHORST, Fünftausend Köpfe. Wer war was im Dritten Reich. (Kettwig 1967)

Wilhelm STERNFELD/Eva TIEDEMANN, Deutsche Exil-Literatur 1933–1945. Eine Bio-Bibliographie (= Veröffentlichungen der Deutschen Akademie für Sprache und Dichtung. Darmstadt. 29). Heidelberg 1962, ²1970

Bibliographie:
DW 58/187–210

IX. Handbücher zur allgemeinen Geschichte

1. Welt- und Universalgeschichte

Übersichten

Karl PLOETZ, Auszug aus der Geschichte. Hrsg. v. A. G. Ploetz-Verlag. Würzburg ²⁸1976
[1. Aufl. u.d.T.: Auszug aus der alten, mittleren und neueren Geschichte. Als Leitfaden und zu Repetitionen. Berlin 1863]

WELTGESCHICHTE IN DATEN. (Ost) Berlin 1965, ²1973

UNIVERSALGESCHICHTE. Hrsg. v. Ernst Schulin (= Neue Wissenschaftliche Bibliothek 72). Köln (1974)

STUDIENBUCH GESCHICHTE. Hrsg.: Reinhard Elze u. Konrad Repgen. Stuttgart (1974)

Sammelwerke (des 20. Jahrhunderts)

a) *französischsprachig*

HISTOIRE DU MONDE. Hrsg. v. Eugène Cavaignac. Bd. 1–13. Paris 1922–30

Jacques PIRENNE, Les grands courants de l'histoire universelle. Bd. 1–7. Neuchâtel/Paris 1945–56

»Clio«. Introduction aux études historiques. Paris [Keine Bandzählung; für Mittelalter u. Neuzeit:]

[4:]   Joseph Calmette, Le monde féodal. 1934, [4]1946. – Neubearb. v. Charles Higounet. 1951 [u.ö.]

[5:]   Joseph Calmette, L'élaboration du monde moderne. 1934, [3]1949

[6:]   Henri Sée/Armand Rébillon/Edmond Préclin, Le XVIe siècle. 1935, [3]1950

[7,1:] Edmond Préclin/Victor-L. Tapié, Le XVIIe siècle. Monarchies centralisées (1610–1715). 1943, [2]1949

[7,2:] Edmond Préclin/Victor-L. Tapié, Le XVIIIe siècle. Première partie. La France et le monde de 1715 à 1789. 1952

[7,3:] Edmond Préclin, Le XVIIIe siècle. Deuxième partie. Les forces internationales. 1952

[8,1:] Louis Villat, La Révolution et l'Empire (1789–1815). I. Les assemblées révolutionnaires (1789–1799). 1936, [3]1947

[8,2:] Louis Villat, La Révolution et l'Empire (1789–1815). II. Napoléon (1799–1815). 1936, [3]1947

[9,1:] Jacques Droz/Lucien Genet/Jean Vidalenc, L'époque contemporaine. I. Restaurations et révolutions (1815–1871). 1953, [2]1963

[9,2:] Pierre Renouvin/Edmond Préclin/Georges Hardy, L'époque contemporaine. II. La paix armée et la grande-guerre (1871–1919). 1939, [3]1960

[13:] Jean Delorme, Chronologie des civilisations. 1949, ([3]1969)

»Nouvelle Clio«. L'histoire et ses problèmes. Hrsg. v. Robert Boutruche u. Paul Lemerle. Bd. 1–. Paris [Bd. 1–11 für Vor- u. Frühgeschichte u. Altertum]

12:    Lucien Musset, Les invasions: les vagues germaniques. 1965, [2]1969

12,1: Lucien Musset, Les invasions: Le second assaut contre l'Europe chrétienne (VIIe–XIe siècles). 1965, [2]1971

14:    Renée Doehaerd, Le Haut Moyen Age occidental: économies et sociétés. 1971

18:    Léopold Genicot: Le XIIIe siècle européen. 1968

20:    Robert Mantran: L'expansion musulman (VIIe–XIe siècles). 1969

22:    Bernard Guenée, L'Occident aux XIVe et XVe siècles. Les Etats. 1971

23:    Jacques Heers, L'Occident aux XIVe et XVe siècles. Aspects économiques et sociaux. 1963, [3]1970

25:    Francis Rapp, L'église et la vie religieuse en Occident à la fin du moyen âge. 1971

26:    Pierre Chaunu, L'expansion européenne du XIIIe au XVe siècle. 1969

26,1 : Pierre Chaunu, Conquête et exploitation des nouveaux mondes (XVIe siècle). 1969

27 : Frédéric Mauro, L'expansion européenne (1600–1870). 1964, ²1967

28 : Jean-Louis Miège, Expansion européene et décolonisation de 1870 à nos jours. 1973

30 : Jean Delumeau, Naissance et affirmation de la Réforme. 1965, ²1968

30,1 : Jean Delumeau, Le catholicisme entre Luther et Voltaire. 1971

31 : Henri Lapeyre, Les monarchies européennes du XVIe siècle. Les relations internationales. 1967

32 : Frédéric Mauro, Le XVIe siècle européen. Aspects économiques. 1966, ²1970

33 : Robert Mandrou, La France aux XVIIe et XVIIIe siècles. ²1970

34 : Pierre Jeannin, L'Europe du Nord-Ouest et du Nord aux XVIIe et XVIIIe siècles. 1969

36 : Jacques Godechot, Les révolutions (1770–1799). 1963, ³1970

37 : Jacques Godechot, L'Europe et l'Amérique à l'époque napoléonienne (1800–1815). 1967

38 : Jean-Baptiste Duroselle, L'Europe de 1815 à nos jours. Vie politique et relations internationales. 1964, ³1970

43 : Claude Fohlen, L'Amérique anglo-saxonne de 1815 à nos jours. 1965, ²1969

45 : Jean Chesneaux, L'Asie orientale aux XIXe et XXe siècle. Chine – Japon – Inde – Sud-Est asiatique. 1966, ²1973

46 : Catherine Coquery-Vidrovitch/Henri Moniot, L'Afrique noire de 1800 à nos jours. 1974

PEUPLES ET CIVILISATIONS. Histoire générale. Hrsg. v. Louis Halphen u. Philippe Sagnac. Bd. 1–21. Paris
[Bd. 1–4 Altertum]

5 : Louis Halphen, Les Barbares des grandes invasions aux conquêtes turques du XIe siècle. 1926, ⁵1948
   [Neubearbeitung:]
   Robert Folz [u.a.], De l'antiquité au monde médiéval. 1972

6 : Louis Halphen, L'essor de l'Europe (XIe–XIIIe siècles). 1932, ³1948

7,1 : Henri Pirenne/Augustin Renaudet [u.a.], La fin du moyen âge. La désagrégation du monde médiévale (1285–1453). 1931, ³1946

7,2 : Henri Pirenne/Edouard Perroy [u.a.], L'annonce des temps nouveaux (1453–1492). 1931, ³1946

8 : Henri Hauser/Augustin Renaudet, Les débuts de l'âge moderne. 1929, ³1946

9:      Henri Hauser, La prépondérance espagnole (1559–1660). 1934,
        ³1948

10:     Philippe Sagnac/Alexandre de Saint-Léger, Louis XIV (1661–
        1715). 1935, ³1949. – *[Neubearbeitung:]*
        Robert Mandrou. Louis XIV en son temps 1661–1715. 1973

11:     Pierre Muret, La prépondérance anglaise (1715–1763). 1937,
        ³1949

12:     Philippe Sagnac, La fin de l'ancien régime et la révolution
        américaine (1763–1789). 1941, ³1952

13:     Georges Lefebvre, La Révolution Française. 1930, ⁶1968

14:     Georges Lefebvre, Napoléon. 1936, ⁶1969

15:     Félix Ponteil, L'éveil des nationalités et le mouvement libéral
        (1815–1848). 1960. – Neuaufl. 1968 [Erste Ausgabe v. Georges
        Weill. 1930]

16:     Charles-H. Pouthas, Démocratie et capitalisme (1848–1860).
        1941, ³1961

17:     Henri Hauser/Pierre Benaerts/Jean Maurain/Fernand L'Huil-
        lier, Du libéralisme à l'impérialisme (1860–1878). 1939, ²1952
        [Neubearbeitung:]
        Fernand L'Huillier/Pierre Benaerts, Nationalité et nationalisme
        (1860–1878). 1968

18:     Maurice Baumont, L'essor industriel et l'impérialisme colonial
        (1878–1904). 1937, ³1965

19:     Pierre Renouvin, La crise européenne et la première guerre
        mondiale (1904–1918). 1934, ⁵1969

20,1:   Maurice Baumont, La faillite de la paix (1918–1939).
        1. De Rethondes à Stresa (1918–1935). 1945, ⁵1967

20,2:   Maurice Baumont, La faillite de la paix (1918–1939).
        2. De l'affaire éthiopienne à la guerre (1936–1939). 1945, ⁵1968

21,1–2: Henri Michel, La Seconde Guerre mondiale. 1–2.
        1. Les succès de l'axe ⟨1939 IX – 1943 I⟩. 1968, ²1977
        2. La victoire des Alliés ⟨1943 I – 1945 IX⟩. 1969

22,1–2: Maurice Crouzet [u.a.], Le monde depuis 1945. 1–2. 1973
        1. Les pays riches et la troisième révolution industrielle.
        2. Les pays pauvres et la naissance de nouveaux mondes.

HISTOIRE DU MOYEN ÂGE. Bd. 1–10 (= Histoire générale). Paris 1928–45

1:      Ferdinand Lot/Christian Pfister/François L. Ganshof, Les desti-
        nées de l'Empire en Occident de 395 à 888. 1928

2:      Augustin Fliche, L'Europe occidentale de 888 à 1125. 1941

3:      Charles Diehl/Georges Marçais, Le monde oriental de 395 à
        1081. 1944

4,1:   Edouard Jordan, L'Allemagne et l'Italie au XIIᵉ et XIIIᵉ
        siècles. 1939

4,2:   Charles Petit-Dutaillis/P. Guinard, L'essor des états d'Occident. 1937, [2]1944

6,1:   Robert Fawtier, L'Europe occidentale de 1270 à 1380 [1. Teil]. 1940

6,2:   Alfred Coville, L'Europe occidentale de 1270 à 1380 [2. Teil]. 1941

7,1:   Joseph Calmette/Eugène Déprez, La France et l'Angleterre en conflit. 1937

8:      Henri Pirenne/Gustav Cohen/Henri Focillon, La civilisation occidentale au moyen âge du XIe au milieu du XVe siècle. 1941

9,1:   Charles Diehl/Lysimaque Oeconomos [u.a.], L'Europe orientale de 1081 à 1453. 1945

10,1:   R. Grousset [u.a.], L'Asie orientale dès origines au XVe siècle. 1941

HISTOIRE DES RELATIONS INTERNATIONALES. Hrsg. v. Pierre Renouvin. Bd. 1–8. Paris (1953–58)

1:      François-L. Ganshof, Le moyen âge. (1953, [3]1964)

2–3:   Gaston Zeller, Les temps modernes. 1. De Christophe Colomb à Cromwell. (1953). – 2. De Louis XIV à 1789. (1955)

4:      André Fugier, La révolution française et l'empire napoléonien. (1954)

5–6:   Pierre Renouvin, Le XIXe siècle. 1. De 1815 à 1871. L'Europe des nationalités et l'éveil de nouveaux mondes. (1954). – 2. De 1871 à 1914. L'apogée de l'Europe. (1955), [[5]1970]

7–8:   Pierre Renouvin, Les crises du XXe siècle. 1–2. – 1. De 1914 à 1929. (1957), [[6]1972]. – 2. De 1929 à 1945. (1958), [[6]1972]

HISTOIRE GÉNÉRALE DES CIVILISATIONS. Hrsg. v. Maurice Crouzet. Bd. 1–7. Paris

3:      Édouard Perroy, Le moyen âge. L'expansion de l'Orient et la naissance de la civilisation occidentale. 1955 [5]1967

4:      Roland Mousnier, Les XVIe et XVIIe siècles. Les progrès de la civilisation européenne et le déclin de l'Orient (1492–1715). 1954 [5]1967

5:      Roland Mousnier/Ernest Labrousse [unter Mitarbeit v.] Marc Bouloiseau, Le XVIIIe siècle. Révolution intellectuelle, technique et politique (1715–1815). 1953 [5]1967

6:      Robert Schnerb, Le XIXe siècle. L'apogée de l'expansion européenne. 1955, [5]1968

7:      Maurice Crouzet, L'Epoque contemporaine. A la recherche d'une civilisation nouvelle. 1957, [2]1959, [5]1969

b) *deutschsprachig*

WELTGESCHICHTE IN EINZELDARSTELLUNGEN. Bd. 1–9. München

3: Justus Hashagen, Europa im Mittelalter. Alte Tatsachen und neue Gesichtspunkte. Eine Einführung mit besonderer Berücksichtigung der nichtdeutschen Staaten. (1951)

4: Helmuth Rössler, Europa im Zeitalter von Renaissance, Reformation und Gegenreformation. 1450–1650. (1956)

5: Fritz Wagner, Europa im Zeitalter des Absolutismus 1648–1789. (1948)

6: Wilhelm Mommsen, Geschichte des Abendlandes von der Französischen Revolution bis zur Gegenwart. 1789–1945. (1951)

7: Ernst Waldschmidt [u.a.], Geschichte Asiens. (1950)

8: Ernst Samhaber, Geschichte der Vereinigten Staaten von Nordamerika. Werden und Weltmacht. (1954)

9: Wilhelm Freiherr v. Schoen, Geschichte Mittel- und Südamerikas. (1953)

HANDBUCH DER WELTGESCHICHTE. Hrsg. v. Alexander Randa. Bd. 1–2. Freiburg i. Br. (1954). – 2. u. 3. Aufl. Bd. 1–4. 1958, 1962

PROPYLÄEN-WELTGESCHICHTE. Hrsg. v. Walter Goetz. Bd. 1–10 [nebst] Reg.-Bd. Berlin (1929–[33]). [Für Mittelalter und Neuzeit Bd. 3–10]

DIE NEUE PROPYLÄEN-WELTGESCHICHTE. Hrsg. v. Willy Andreas. Bd. 1–6. Berlin (1940–43) [Unvollständig; erschienen nur Bd. 1–3, 5.]

PROPYLÄEN-WELTGESCHICHTE. Eine Universalgeschichte hrsg. v. Golo Mann, Alfred Heuß und August Nitschke. Bd. 1–10. Berlin/Frankfurt (M)/Wien [auch als Taschenbuchausg. Bd. 1–20. Berlin (u.a.) 1976] [Bd. 1–4 Vorgeschichte u. Altertum]

5: Gustav Edmund von Grunebaum/Berthold Rubin [u.a.], Islam. Die Entstehung Europas. (1963)

6: Hermann Trimborn/A. K. Majumdar [u.a.], Weltkulturen – Renaissance in Europa. (1964)

7: Heinrich Lutz/Golo Mann [u.a.], Von der Reformation zur Revolution. (1964)

8: Robert R. Palmer/Richard Nürnberger [u.a.] Das neunzehnte Jahrhundert. (1960)

9: Golo Mann/Henry Cord Meyer [u.a.], Das zwanzigste Jahrhundert. (1960)

10: Golo Mann/Wolfgang Franke [u.a.], Die Welt von heute. (1961)

HISTORIA MUNDI. Ein Handbuch der Weltgeschichte in zehn Bänden. Begr. v. Fritz Kern ... hrsg. v. Fritz Valjavec unter Mitwirkung des Instituts f. Europäische Geschichte in Mainz. Bd. 1–10. Bern [8 ff. Bern/München] [Bd. 1–4 Vorgeschichte u. Altertum]

5: Franz Altheim/Rudolf Buchner [u.a.], Frühes Mittelalter. (1956)
6: Otto Brunner/Gustav Edmund von Grunebaum [u.a.], Hohes und spätes Mittelalter. (1958)
7: Alessio Bombaci/Karl Eder [u.a.], Übergang zur Moderne. (1957)
8: Otto Berkelbach von der Sprenkel/W. Ph. Coolhaas [u.a.], Die überseeische Welt und ihre Erschließung. (1959)
9: Hans Beyer/Jean Bourbon [u.a.], Aufklärung u. Revolution. (1960)
10: Erich Angermann/Hans Beyer [u.a.], Das 19. u. 20. Jahrhundert. (1961)

SAECULUM WELTGESCHICHTE. Hrsg. v. Herbert Franke [u.a.] Bd. 1–7. Freiburg/Basel/Wien. 1965–75
4: Kunz Dittmer/Herbert Franke [u.a.], Die Hochkulturen im Zeichen der Weltreligionen (2). Das dreifache Mittelalter: Byzanz, Islam, Abendland. China, Korea, Japan, Zentralasien, Afrika südlich der Sahara. 1967
5: Herbert Franke/Hubert Jedin [u.a.], Die Epoche des Mongolensturms. Die Formation Europas. Die neuen islamischen Reiche. 1970
6: Herbert Franke/Wolfgang Franke [u.a.], Die Entdeckung der Welt durch Europa. Die Selbstbehauptung der asiatischen Kulturen. Europa im Zeichen der Rationalität. 1971
7: Heinrich Dumoulin/Oskar Köhler [u.a.], Werdende Einheit und wachsende Widersprüchlichkeit der politischen Welt. Die Weltreligionen. Selbst- und Weltverständnis nach der Revolution. Geschichte in Gegenwart. 1975

WELTGESCHICHTE [Übersetzung aus dem Russischen] Hrsg. v. Evgenij Michajlovič Žukov [u.a.] Bd. 1–10. Berlin (Ost) 1961–69

*

Taschenbuchausgaben
FISCHER WELTGESCHICHTE. Bd. 1–(35) (= Fischer Bücherei). (Frankfurt) [mehrfache Neudrucke]
[Bd. 1–8 Altertum]
9: Die Verwandlung der Mittelmeerwelt. Hrsg. und verfaßt v. Franz Georg Meier. (1968)
10: Das frühe Mittelalter. Hrsg. u. verfaßt v. Jan Dhondt. (1968)
11: Das Hochmittelalter. Hrsg. u. verfaßt v. Jacques Le Goff. (1965)
12: Die Grundlegung der modernen Welt. Spätmittelalter, Renaissance, Reformation. Hrsg. u. verfaßt v. Ruggiero Romano u. Alberto Tenenti. (1967)
13: Byzanz. Hrsg. v. Franz Georg Maier. (1973)
14: Der Islam I. Vom Ursprung bis zu den Anfängen des Osmanenreiches. Hrsg. u. verfaßt v. Claude Cahen. (1968)

15: Der Islam II. Die islamischen Reiche nach dem Fall von Konstantinopel. Hrsg. v. G. E. von Grunebaum. (1971)

16: Zentralasien. Hrsg. v. Gavin Hambly. (1966)

17: Indien. Geschichte des Subkontinents von der Induskultur bis zum Beginn der englischen Herrschaft. Hrsg. u. verfaßt v. Ainslie T. Embree u. Friedrich Wilhelm. (1967)

18: Südostasien v. d. Kolonialzeit. Hrsg. u. verf. v. John Villiers. (1965)

19: Das Chinesische Kaiserreich. Hrsg. u. verfaßt v. Herbert Franke und Rudolf Trauzettel. (1968)

20: Das Japanische Kaiserreich. Hrsg. u. verfaßt v. John Whitney Hall. (1968)

21: Altamerikanische Kulturen. Hrsg. u. verfaßt v. Laurette Séjourne. (1971)

22: Süd- und Mittelamerika. I. Die Indianerkulturen Altamerikas und die spanisch-portugiesische Kolonialherrschaft. Hrsg. und verfaßt v. Richard Konetzke. (1965)

23: Süd- und Mittelamerika. II. Von der Unabhängigkeit bis zur Krise der Gegenwart. Hrsg. u. verfaßt v. Gustavo Beyhaut. (1965)

24: Das Zeitalter der Glaubenskämpfe 1550–1648 [noch nicht erschienen]

25: Das Zeitalter der Aufklärung und des Absolutismus 1648–1770 [noch nicht erschienen]

26: Das Zeitalter der europäischen Revolutionen 1780–1848. Hrsg. u. verfaßt v. Louis Bergeron, François Furet u. Reinhart Koselleck. (1969)

27: Das bürgerliche Zeitalter. Hrsg. v. Guy Palmade. (1974)

28: Das Zeitalter des Imperialismus. Hrsg. u. verfaßt v. Wolfgang J. Mommsen. (1969)

29: Die Kolonialreiche seit dem 18. Jahrhundert. Hrsg. u. verfaßt v. David K. Fieldhouse. (1965)

30: Die Vereinigten Staaten. Hrsg. v. Willi Paul Adams ... (1977)

31: Rußland. Hrsg. u. verfaßt v. Carsten Goehrke [u.a.]. (1973)

32: Afrika. Von der Vorgeschichte bis zu den Staaten der Gegenwart. Hrsg. u. verfaßt v. Pierre Bertaux. (1966)

33: Das moderne Asien. Hrsg. v. Lucien Bianco. (1969)

34: Das zwanzigste Jahrhundert. I. 1918–1945. Hrsg. u. verfaßt v. R. A. C. Parker. (1967)

35: Das zwanzigste Jahrhundert. II. 1945–1965 [noch nicht erschienen]

*

Weltgeschichte des 20. Jahrhunderts
Jean Rudolphe von SALIS, Weltgeschichte der neuesten Zeit ⟨1871–1945⟩. Bd. 1–3. Zürich (1951–60). – Bd. 2 u. 3 in 2. Aufl. (1962)

WELTGESCHICHTE DER GEGENWART ⟨1918–1961/62⟩. Begr. v. Fritz Valjavec ... hrsg. v. Felix von Schroeder. Bd. 1–2. Bern/München (1962–63)
L'HISTOIRE DU XXᵉ SIECLE. Hrsg. v. Maurice Baumont. Paris
[Bisher erschienen:]
Maurice Baumont/Raymond Isay/Henry Germain-Martin, L'Europe de
1900 à 1914. (1967)
L. Koeltz, La Guerre de 1914–1918. Les opérations militaires. (1966)
Frank Freidel, Les Etats-Unis d'Amérique au XXᵉ siècle. (1966) [Übersetzung aus dem Englischen]

dtv-WELTGESCHICHTE DES 20. JAHRHUNDERTS. Hrsg. v. Martin Broszat u.
Helmut Heiber. Bd. 1–14. (München)
1: Hans Herzfeld, Der Erste Weltkrieg (= dtv 4001). (1968, ⁴1976)
2: Gerhard Schulz, Revolutionen und Friedensschlüsse 1917–1920 (=
dtv 4002). (1967, ⁴1976)
3: Helmut Heiber, Die Republik von Weimar (= dtv 4003). (1966,
¹⁰1977)
4: Ernst Nolte, Die faschistischen Bewegungen. Die Krise des liberalen
Systems und die Entwicklung der Faschismen (= dtv 4004). (1966,
⁶1977)
5: Hermann Graml, Europa zwischen den Kriegen (= dtv 4005).
(1969, ³1976)
6: Gottfried-Karl Kindermann, Der Ferne Osten (= dtv 4006). (1970)
7: Erich Angermann, Die Vereinigten Staaten von Amerika (= dtv
4007). (1966, ⁵1976)
8: Karl Heinz Ruffmann, Sowjetrußland. Struktur und Entfaltung
einer Weltmacht (= dtv 4008). (1967, ⁶1977)
9: Martin Broszat, Der Staat Hitlers (= dtv 4009). (1969, ⁶1976)
10: Lothar Gruchmann, Der Zweite Weltkrieg. Kriegführung und Politik (= dtv 4010). (1967, ³1977)
11: Thilo Vogelsang, Das geteilte Deutschland (= dtv 4011). (1966,
⁶1975)
12: John Lukacz, Konflikte der Weltpolitik nach 1945. Der Kalte Krieg
(= dtv 4012). (1970)
13: Franz Ansprenger, Auflösung der Kolonialreiche (= dtv 4013).
(1966, ⁴1975)
14: Wolfgang Wagner, Europa zwischen Aufbruch und Restauration.
Die europäische Staatenwelt seit 1945 (= dtv 4014). (1968)

Bibliographie:
DW 60/119–190 b

2. *Europäische Geschichte*

a) *deutschsprachig*

Werner NÄF, Die Epochen der neueren Geschichte. Staat und Staaten-
gemeinschaft vom Ausgang des Mittelalters bis zur Neuzeit. Bd. 1–2.
Aarau 1945, 1946; ²1959, 1960 [Bd. 2 hrsg. v. Ernst Walder. – Taschenbuchausg. 1970]

Hans FREYER, Weltgeschichte Europas. Bd. 1–2 (= Sammlung Dieterich
31, 32). Wiesbaden (1948). – 2. Aufl. Stuttgart (1954). – 3. Aufl. Stuttgart (1969)

HANDBUCH DER MITTELALTERLICHEN UND NEUEREN GESCHICHTE. Hrsg. v.
Georg v. Below, Friedrich Meinecke u. Albert Brackmann. Abt. II. Poli-
tische Geschichte. München/Berlin
[Keine Bandzählung; unvollständig]

[1:]   Ludwig Schmidt, Allgemeine Geschichte der germanischen Völker
bis zur Mitte des 6. Jahrhunderts. 1909 [Nachdruck Osnabrück
1971]

[4:]   Johann Loserth, Geschichte des späteren Mittelalters von 1197 bis
1492. 1903 [Nachdruck Osnabrück 1971]

[5:]   Eduard Fueter, Geschichte des europäischen Staatensystems von
1492–1559. 1919 [Nachdruck Osnabrück 1971]

[5a:] Walter Platzhoff, Geschichte des europäischen Staatensystems
1559–1660. 1928 [2. Nachdruck München 1968]

[6:]   Max Immich, Geschichte des europäischen Staatensystems von
1660 bis 1789. 1905 [Nachdruck München 1967]

[7:]   Adalbert Wahl, Geschichte des europäischen Staatensystems im
Zeitalter der Französischen Revolution und der Freiheitskriege
(1789–1815). 1912 [Nachdruck München 1967]

HANDBUCH FÜR DEN GESCHICHTSLEHRER ... Hrsg. v. Oskar Kende. Bd. 1–
5. [Bd. 2 nicht erschienen]

1: Willy Moog, Geschichtsphilosophie und Geschichtsunterricht in ihren
wichtigsten Problemen ... Leipzig/Wien 1927

3: Fedor Schneider, Mittelalter bis zur Mitte des 13. Jahrhunderts.
Wien 1929 [unveränderter Nachdruck, als 4. Aufl., Darmstadt 1973]

4: Bernhard Schmeidler, Das spätere Mittelalter. Von der Mitte des
13. Jahrhunderts bis zur Reformation. Leipzig/Wien 1937 [Nach-
druck, als 3. Aufl., Darmstadt 1974]

5: Fritz Hartung, Neuzeit von der Mitte des 17. Jahrhunderts bis zur

Französischen Revolution 1789. Leipzig/Wien 1932 [Nachdruck Darmstadt 1965]

Harald ZIMMERMANN, Das Mittelalter. I. Teil. Von den Anfängen bis zum Ende des Investiturstreites. (Braunschweig 1975)

GESCHICHTE DER NEUZEIT. Hrsg. v. Gerhard Ritter. [Bd. 1-3.] (Braunschweig)

[1:] Erich Hassinger, Das Werden des neuzeitlichen Europa 1300–1600. (1959, ²1966)

[2:] Walther Hubatsch, Das Zeitalter des Absolutismus 1600–1789. (1962, ⁴1975)

[3,1–2:] Hans Herzfeld, Die moderne Welt 1789–1945
    1. Die Epoche der bürgerlichen Nationalstaaten 1789–1890 (1950, ⁶1969)
    2. Weltmächte und Weltkriege. Die Geschichte unserer Epoche 1890–1945. (1952, ⁵1976) [Erstaufl. außerhalb der Reihe erschienen.]

HANDBUCH DER EUROPÄISCHEN GESCHICHTE. Hrsg. v. Theodor Schieder. Bd. 1–(7). Stuttgart 1968–
  1: Europa im Wandel von der Antike zum Mittelalter ... hrsg. v. Theodor Schieffer. (1976)
  3: Die Entstehung des neuzeitlichen Europa. Hrsg. v. Josef Engel. 1971
  4: Europa im Zeitalter des Absolutismus und der Aufklärung ... hrsg. v. Fritz Wagner. 1968, ²1975
  6: Europa im Zeitalter der Nationalstaaten und europäische Weltpolitik bis zum Ersten Weltkrieg ... hrsg. v. Theodor Schieder. 1968

PROPYLÄEN GESCHICHTE EUROPAS. Bd. 1– . Berlin
  1: Hellmut Diwald, Anspruch auf Mündigkeit um 1400–1555. [1975]
  2: Ernst Walter Zeeden, Hegemonialkriege und Glaubenskämpfe 1556–1648. [1977]
  3: Robert Mandrou, Staatsräson und Vernunft 1649–1775. [1976]
  4: Eberhard Weis, Der Durchbruch des Bürgertums 1776–1847 [1978]
  5: Theodor Schieder, Staatensystem als Vormacht der Welt 1848–1918. [1977]
  6: Karl Dietrich Bracher, Die Krise Europas 1917–1975. [1976]

b) *englischsprachig*

THE CAMBRIDGE MEDIEVAL HISTORY. Planned by. J. B. Bury. Ed. by H. M. Gwatkin, J. P. Whitney [u.a.]. Bd. 1–8. Cambridge
  1: The Christian Roman Empire and the Foundation of the Teutonic Kingdoms. 1911

2: The Rise of the Saracens and the Foundation of the Western Empire. 1913

3: Germany and the Western Empire. 1922 [Nachdruck 1924]

4: The Eastern Roman Empire (717–1453). 1923. – Neubearbeitung hrsg. v. J. M. Hussey, The Byzantine Empire. Teil 1: Byzantium and its Neighbours. 1966. – Teil 2: Government, Church and Civilization. 1967

5: Contest of Empire and Papacy. 1926

6: Victory of the Papacy. 1929

7: Decline of Empire and Papacy. 1932

8: The Close of the Middle Ages. 1936

THE CAMBRIDGE MODERN HISTORY. Planned by the late Lord Acton ... Ed. by A. W. Ward, G. W. Prothero, Stanley Leathers. Bd. 1–13. Cambridge 1902–11

1: The Renaissance. 1902 [mehrere Neudrucke]

2: The Reformation. 1903 [mehrere Neudrucke]

3: The Wars of Religion. 1904

4: The Thirty Years' War. 1906

5: The Age of Louis XIV. 1908

6: The Eighteenth Century. 1909

7: The United States. 1903 [Neudruck 1904]

8: The French Revolution. 1904

9: Napoleon. 1906

10. The Restoration. 1907

11. The Growth of Nationalities. 1909

12: The Latest Age. 1910

13: Genealogical Tables and Lists and General Index. 1911

THE CAMBRIDGE MODERN HISTORY ATLAS ... 1912

THE NEW CAMBRIDGE MODERN HISTORY. Advisory Committee: G. N. Clark, J. R. M. Butler, J. P. T. Bury, the late E. A. Benians. Bd. 1–12. Cambridge 1957–

1: The Renaissance. 1493–1520. Hrsg. v. G. R. Potter. 1957 ^{2}1975

2: The Reformation. 1520–1559. Hrsg. v. G. R. Elton. 1958 ^{2}1975

3: The Counter-Reformation and Price Revolution. 1559–1610. Hrsg. v. R. B. Wernham. 1968

4: The Decline of Spain and the Thirty Years War, 1609–48/59. Hrsg. v. J. P. Cooper. 1970

5: The Ascendancy of France. 1648–88. Hrsg. v. F. L. Carsten. 1961

6: The Rise of Great Britain and Russia. 1688–1715/25. Hrsg. v. J. S. Bromley. 1970

7: The Old Regime. 1713–63. Hrsg. v. J. O. Lindsay. 1957

8: The American and French Revolutions. 1763–93. Hrsg. v. A. Goodwin. 1965

9: War and Peace in an Age of Upheaval. 1793–1830. Hrsg. v. C. W. Crawley. 1965

10: The Zenith of European Power. 1830–70. Hrsg. v. J. P. T. Bury. 1960

11: Material Progress and World-Wide Problems. 1870–1898. Hrsg. v. F. H. Hinsley. 1962

12: The Era of Violence. 1898–1945. Hrsg. v. David Thomson. 1960 [2. Aufl. u.d.T.: The Shifting Balance of World Forces. 1898–1945. Hrsg. v. C. L. Mowat. 1968]

14: Atlas. Hrsg. v. H. C. Darby u. Harold Fullard. 1970 [Neuausgabe 1975]

*

A GENERAL HSTORY OF EUROPE. Hrsg. v. Denys Hay. (London) [Keine Bandzählung]

[1:] A. H. M. Jones, The Decline of the Ancient World. 1966) [Paperback 1975]

[2:] D. A. Bullough, Europe from the Fifth Century to the Tenth [In Vorbereitung]

[3:] Christopher Brooke, Europe in the Central Middle Ages, 962–1154. 1964) [Paperback 1975]

[4:] J. H. Mundy, Europe in the High Middle Ages, 1150–1309. 1973

[5:] Denys Hay, Europe in the Fourteenth and Fifteenth Centuries. (1966) [Nachdruck u. als Paperback (1970)]

[6:] Helmut Georg Koenigsberger/George L. Mosse, Europe in the Sixteenth Century. (1968)

[7:] D. H. Pennington, Seventeenth Century Europe. (1970)

[8:] Matthew Anderson, Europe in the Eighteenth Century 1713–1783. (1961, [2]1976)

[9:] Franklin L. Ford, Europe 1780–1830. (1970)

[10:] Harry Hearder, Europe in the Nineteenth Century. 1830–1880. (1966) [Nachdruck u. als Paperback 1970]

[11:] John M. Roberts, Europe 1880–1945. (1967)

THE OXFORD HISTORY OF MODERN EUROPE ⟨1789–1945⟩. Hrsg. v. Alan Bullock u. F. W. Deakin. Oxford 1954– [Keine Bandzählung; bisher erschienen:]

[2:] Alan John Percivale Taylor, The Struggle for Mastery in Europe 1845–1918. (1954)

[8:] Hugh Seton Watson, The Russian Empire 1801–1917. 1967

[12:] Raymond Carr, Spain 1808–1939. 1966
Theodore Zeldin, France 1848–1945. Bd. 1–2. 1973–77

3. Deutsche Geschichte

Deutsche Geschichte im Überblick. Ein Handbuch. Hrsg. ... v. Peter Rassow. Stuttgart 1953, ³1973

Deutsche Geschichte in Daten. Hrsg. v. Institut für Geschichte der Deutschen Akademie der Wissenschaften zu Berlin (Ost). Berlin 1967

Repetitorium der deutschen Geschichte. Hrsg. v. Eberhard Büssem u. Michael Neher. [Bd. 1–]. München.– [1:] Mittelalter (3.–15. Jahrh.). Teil I. Repetitorium. (1968, ⁵1977). – [2:] Neuzeit 1. (16.–18. Jahrh.) Teil I. Repetitorium. (1969). Neuaufl. 1976 = Uni-Taschenbücher 569. – Quellen ... Bearb. v. Leopold Auer. (1977) = Uni-Taschenbücher 625. – [4:] Neuzeit 3. (1871–1914). Die imperiale Expansion. Repetitorium. (1972)

Bruno Gebhardt, Handbuch der deutschen Geschichte.
1. Aufl. Bd. 1–2. Stuttgart 1891, 1892. – 2. Aufl. Bd. 1–2. Stuttgart 1901
3. Aufl. Bd. 1–2. Stuttgart (1906). – 4. Aufl. Bd. 1–2. Stuttgart (1910)
5. Aufl. Bd. 1–2. Stuttgart 1913. – 6. Aufl. Hrsg. v. Aloys Meister. Bd. 1–3. Stuttgart/Berlin/Leipzig 1922–23
7. Aufl. Hrsg. v. Robert Holtzmann. Bd. 1–2. Stuttgart 1930, 1931
8. Aufl. Hrsg. v. Herbert Grundmann. Bd. 1–4. Stuttgart 1954–60
9. Aufl. Hrsg. v. Herbert Grundmann. Bd. 1–(4). Stuttgart 1970–
1: Frühzeit und Mittelalter. 1970
2: Von der Reformation bis zum Ende des Absolutismus. 1970
3: Von der Französischen Revolution bis zum Ersten Weltkrieg. 1970
4, 1–2: Die Zeit der Weltkriege. Teil 1–2. 1973–(76)
[Bd. 1–3 auch als dtv-Taschenbuch Bd. 1–17. (München 1973–75). – Bd. 1–8 in 2. Aufl. (München 1975–76).]

Handbuch der deutschen Geschichte. Begr. v. Otto Brandt. Fortgeführt v. Arnold Oskar Meyer. Neu hrsg. v. Leo Just ... Bd. 1–5 [noch unvollständig]
1: Deutsche Geschichte bis zum Ausgang des Mittelalters. Von Karl J. Narr [u.a.]. Konstanz (1957)
2: Deutsche Geschichte im Zeitalter der Reformation bis zum Ausgang des 18. Jahrhunderts. Von Rudolf Stadelmann [u.a.]. Konstanz (1956)
3: Deutsche Geschichte im 19. Jahrhundert.
1. Teil. Von 1800 bis 1852

1. Abschnitt. Deutschland um 1800. Krise und Neugestaltung ⟨1789–1815⟩. Von Kurt v. Raumer [bisher Lieferung 1–3 erschienen; Forts. v. Manfred Botzenhart in Vorb.]

2. Abschnitt. Restauration u. Revolution. Von Karl-Georg Faber [in Vorb.]

2. Teil. Das Zeitalter Bismarcks. Von Walter Bußmann. Konstanz 1956. – 4. Aufl. Frankfurt/M 1968 [als Paperback]

4: Deutsche Geschichte der neuesten Zeit von Bismarcks Entlassung bis zur Gegenwart.

1. Teil. Von 1890 bis 1932

1. Abschnitt. Das Deutsche Reich von 1890 bis 1909. Von Werner Frauendienst. Frankfurt/M 1972. – Abschnitt 1a. Die latente Krise des Deutschen Reiches 1909 bis 1914. Von Wolfgang J. Mommsen. Frankfurt/M 1972

2. Abschnitt. Der Weltkrieg 1914/18. Von Walther Hubatsch. Konstanz (1955)

3. Abschnitt. Die Weimarer Republik. Von Albert Schwarz. Konstanz (1958) [auch als Paperback]

2. Teil. Von 1933 bis zur Gegenwart

4. Abschnitt. Die Diktatur Hitlers bis zum Beginn des Zweiten Weltkrieges. Von Walther Hofer. Konstanz (1960, [3]1971) [a. als Paperb.]

5. Abschnitt. Der Zweite Weltkrieg 1939–1945. Von Herbert Michaelis. Konstanz (1965) [Abschnitt 4 u. 5 auch zusammen erschienen u.d.T.: Von 1933 bis 1945. Von Walther Hofer und Herbert Michaelis. Konstanz 1965]

3. Teil. Von 1945 bis 1955. Von Ernst Deuerlein. Konstanz (1965)

5: Athenaion-Bilderatlas zur Deutschen Geschichte. Hrsg. v. Herbert Jankuhn, Hartmut Boockmann u. Wilhelm Treue. Frankfurt/M (1968)

*

Lehrbuch der deutschen Geschichte (Beiträge). Hrsg. von einem Autorenkollektiv. Wissenschaftlicher Sekretär ... Joachim Streisand. [Bd. 1–12.] (Ost) Berlin

[1:] Karl-Heinz Otto, Deutschland in der Epoche der Urgesellschaft (500 000 v.u.Z. bis zum 5./6. Jahrhundert u.Z.). 1960, [2]1961

[2,1:] Leo Stern/Hans-Joachim Bartmuss, Deutschland von der Wende des 5./6. Jahrhunderts bis zur Mitte des 11. Jahrhunderts. 1964, [2]1970

[2,2:] Leo Stern/Horst Gericke, Deutschland in der Feudalepoche von der Mitte des 11. Jahrhunderts bis zur Mitte des 13. Jahrhunderts. 1965

[2,3:] Leo Stern/Eberhard Voigt, Deutschland in der Feudalepoche von der Mitte des 13. Jahrhunderts bis zum ausgehenden 15. Jahrhundert. 1965, [2]1976

[3:]   Max Steinmetz, Deutschland von 1476 bis 1648. (Von der früh-
       bürgerlichen Revolution bis zum Westfälischen Frieden.) 1965

[4:]   Gerhard Schilfert, Deutschland von 1648–1789. (Vom Westf.
       Fr. b. z. Ausbr. d. Frz. Revolution.) 1959, ³1975

[5:]   Joachim Streisand, Deutschland von 1789 bis 1815. (Von der
       Frz. Rev. b. zu d. Befr.-Kriegen u. d. Wiener Kongr.) 1959, ⁴1977

[6:]   Karl Obermann, Deutschland von 1815 bis 1849. (Von der Grün-
       dung des Deutschen Bundes bis zur bürgerlich-demokratischen
       Revolution.) 1961, ⁴1976

[7:]   Ernst Engelberg, Deutschland von 1849 bis 1871. (Von der Nie-
       derlage der bürgerlich-demokratischen Revolution bis zur Reichs-
       gründung.) 1959, ³1972

[8:]   Ernst Engelberg, Deutschland von 1871 bis 1897. (Deutschland
       in der Übergangsperiode zum Imperialismus.) 1965

[9:]   Fritz Klein, Deutschland von 1896/98 bis 1917. (Deutschland
       in der Periode des Imperialismus bis zur Großen Sozialistischen
       Oktoberrevolution.) 1961, ⁴1976

[10:] Wolfgang Ruge, Deutschland von 1917 bis 1933. (Von der Gro-
       ßen Sozialistischen Oktoberrevolution bis zum Ende der Weima-
       rer Republik.) 1967, ²1970

[11:] Erich Paterna [u.a.], Deutschland von 1933 bis 1939. 1969

[12:] Wolfgang Bleyer [u.a.], Deutschland von 1939 bis 1945. (Deutsch-
       land während des Zweiten Weltkrieges.) 1969, ³1975

DEUTSCHE GESCHICHTE IN DREI BÄNDEN. Hrsg. v. Hans-Joachim Bartmuss
[u.a.] Wissenschaftlicher Sekretär ... Joachim Streisand. Bd. 1–3. (Ost)
Berlin

1: Von den Anfängen bis 1789. 1965, ³1974
2: Von 1789 bis 1917. 1965, ³1975
3: Von 1917 bis zur Gegenwart. 1968, ³1974

*

JAHRBÜCHER DER DEUTSCHEN GESCHICHTE. Hrsg. v. d. Historischen Kommission bei der Bayerischen Akademie der Wissenschaften. [Bd. 1–21]

[1:]   Heinrich Eduard Bonnell, Die Anfänge des karolingischen
       Hauses ⟨–714⟩. Berlin 1866
       [Nachdruck Berlin 1975]

[2:]   Theodor Breysig, Jahrbücher des fränkischen Reiches ⟨714–
       741⟩. Die Zeit Karl Martells. Leipzig 1869
       [Nachdruck Berlin 1975]

[3:]   Heinrich Hahn, Jahrbücher des fränkischen Reiches ⟨741–
       752⟩. Berlin 1863
       [Nachdruck Berlin 1975]

[4:]   Ludwig Oelsner, Jahrbücher des fränkischen Reiches unter
         König Pippin ⟨752–768⟩. Leipzig 1871
         [Nachdruck Berlin 1975]

[5,1–2:] Sigurd Abel, Jahrbücher des Fränkischen Reiches unter Karl
         dem Großen ⟨768–814⟩. Bd. 1. Berlin 1866. – 2. Aufl. Leip-
         zig 1888. – Bd. 2 fortgesetzt v. Bernhard Simson. Leipzig
         1883 [Nachdruck Bd. 1–2 Berlin 1969]

[6,1–2:] Bernhard Simson, Jahrbücher des fränkischen Reiches unter
         Ludwig dem Frommen. Bd. 1–2 ⟨814–840⟩. Leipzig 1874–76
         [Nachdruck Berlin 1969]

[7,1–3:] Ernst Dümmler, Geschichte des Ostfränkischen Reiches. Bd.
         1–2 ⟨814–918⟩. Berlin 1862–65. – 2. Aufl. in 3 Bänden.
         Leipzig 1887–88 [Nachdruck Hildesheim (auch Darmstadt)
         1960]

[8:]   Georg Waitz, Jahrbücher des Deutschen Reiches unter König
         Heinrich I. ⟨919–936⟩. Berlin 1836 [diese Aufl. außerhalb
         der Reihe erschienen]. – 3. Aufl. Leipzig 1885 [Nachdruck,
         mit Anhang, Darmstadt 1963]

[9:]   Rudolf Köpke, vollendet v. Ernst Dümmler, Kaiser Otto der
         Große ⟨936–973⟩. Leipzig 1876 [Nachdruck Darmstadt 1962]

[10,1–2:] Karl [Bd. 2 und Mathilde] Uhlirz, Jahrbücher des Deutschen
         Reiches unter Otto II. und Otto III. Bd. 1. Otto II. ⟨973–
         983⟩. Leipzig 1902 [Nachdruck Berlin 1967]. – Bd. 2.
         Otto III. ⟨983–1002⟩. Berlin 1954

[11,1–3:] Siegfried Hirsch, Jahrbücher des Deutschen Reiches unter
         Heinrich II. Bd. 1–3 ⟨1002–1024⟩ [Bd. 3 hrsg. u. vollendet
         v. Harry Bresslau. Leipzig]. Berlin 1862–75
         [Nachdruck Berlin 1975]

[12,1–2:] Harry Bresslau, Jahrbücher des Deutschen Reiches unter
         Konrad II. Bd. 1–2 ⟨1024–1039⟩. Leipzig 1879–84 [Nach-
         druck Berlin 1967]

[13,1–2:] Ernst Steindorff, Jahrbücher des Deutschen Reiches unter
         Heinrich III. Bd. 1–2 ⟨1039–1056⟩. Leipzig 1874–81 [Nach-
         druck, mit Anhang, Darmstadt 1963]

[14,1–7:] Gerold Meyer von Knonau, Jahrbücher des Deutschen Rei-
         ches unter Heinrich IV. und Heinrich V. Bd. 1–7 ⟨1056–
         1125⟩. Leipzig 1890–1909 [Nachdruck Berlin 1964–66]

[15:]   Wilhelm Bernhardi, Lothar von Supplinburg ⟨1125–1137⟩.
         Leipzig 1879
         [Nachdruck Berlin 1975]

[16,1–2:] Wilhelm Bernhardi, Konrad III. Bd. 1–2 ⟨1138–1152⟩. Leip-
         zig 1883
         [Nachdruck Berlin 1975]

[17,1:] Henry Simonsfeld, Jahrbücher des Deutschen Reiches unter

Friedrich I. Bd. 1 ⟨1152–1158⟩. Leipzig 1908 [mehr nicht erschienen; Nachdruck Berlin 1967]

[18:] Theodor Toeche, Kaiser Heinrich VI. ⟨1189–1197⟩. Leipzig 1867 [Nachdruck Darmstadt 1965]

[19,1–2:] Eduard Winkelmann, Philipp von Schwaben und Otto IV. von Braunschweig. Bd. 1. Philipp von Schwaben ⟨1197–1208⟩. Leipzig 1873. – Bd. 2. Kaiser Otto IV. von Braunschweig ⟨1208–1218⟩. Leipzig 1878 [Nachdruck Darmstadt 1968]

[20,1–2:] Eduard Winkelmann, Kaiser Friedrich II. Bd. 1–2 ⟨1218–1233⟩. Leipzig 1889–97 [Nachdruck Darmstadt 1967]

[21:] Alfred Hessel, Jahrbücher des Deutschen Reiches unter König Albrecht I. von Habsburg ⟨1298–1308⟩. München 1931

*

DEUTSCHE GESCHICHTE. Ereignisse und Probleme. Hrsg. v. Walther Hubatsch. Bd. 1–. (Frankfurt/Berlin)

1,1: Theodor Schieffer, Die deutsche Kaiserzeit (900–1250). (1973)

1,2: Friedrich Baethgen, Deutschland und Europa im Spätmittelalter. (1968, [2]1978)

2,1–2: Gerhard Ritter, Die Neugestaltung Deutschlands und Europas im 16. Jahrhundert. Die kirchlichen und staatlichen Wandlungen im Zeitalter der Reformation und Glaubenskämpfe. (1967)

2,3: Walther Hubatsch, Deutschland zwischen dem Dreißigjährigen Krieg und der Französischen Revolution. (1973, [2]1976)

3,1: Egmont Zechlin, Die deutsche Einheitsbewegung. (1967, [3]1977)

3,2: Egmont Zechlin, Die Reichsgründung. (1967, [2]1974)

4: Winfried Baumgart, Deutschland im Zeitalter des Imperialismus (1890–1914). Grundkräfte, Thesen und Strukturen. (1972, [2]1976)

5: Walther Hubatsch, Deutschland im Weltkrieg 1914–1918. (1966, [3]1978)

6: Hans Herzfeld, Die Weimarer Republik. (1966, [5]1978)

7: Thilo Vogelsang, Die nationalsozialistische Zeit. Deutschland 1933 bis 1939. (1967, [3]1976)

8: Hellmuth Günther Dahms, Der Zweite Weltkrieg. (1966, [3]1975)

9: Andreas Hillgruber, Deutsche Geschichte 1945–1972. Die »deutsche Frage« in der Weltpolitik. (1974, [3]1978)

10: Hermann Conrad, Der deutsche Staat. Epochen seiner Verfassungsentwicklung (843–1945). (1969, [2]1974)

11: Ernst Bizer, Kirchengeschichte Deutschlands I: Von den Anfängen bis zum Vorabend der Reformation. (1970)

12: Johannes Wallmann, Kirchengeschichte Deutschlands II. Von der Reformation bis zur Gegenwart. (1973)

13: Georg Droege, Deutsche Wirtschafts- und Sozialgeschichte. (1972, ²1976)

14: Winfried Baumgart, Bücherverzeichnis zur deutschen Geschichte. Hilfsmittel, Handbücher, Quellen. (1971, ⁴1978)

15: Wolfgang Treue, Die deutschen Parteien. Vom 19. Jahrhundert bis zur Gegenwart. (1975)

16: Aloys Heupel/Friedrich Hoffmann [u.a.], Karten und Stammtafeln zur deutschen Geschichte. (1972)

17: Walther Hubatsch, Deutscher Orden. [In Vorb.]

18: Hugo Weczerka, Die Hanse. [In Vorb.]

19: Werner Hilgers, Deutsche Frühzeit. 1976

DEUTSCHE GESCHICHTE. Hrsg. v. Joachim Leuschner. Bd. 1–10 (= Kleine Vandenhoeck-Reihe). Göttingen

1: Josef Fleckenstein, Grundlagen und Beginn der deutschen Geschichte. (1974)

2: Horst Fuhrmann, Deutschland im hohen Mittelalter. [In Vorb.]

3: Joachim Leuschner, Deutschland im späten Mittelalter. (1975)

4: Bernd Moeller, Deutschland im Zeitalter der Reformation. (1977)

5: Martin Heckel, Deutschland im konfessionellen Zeitalter [In Vorb.]

6: Rudolf Vierhaus, Deutschland im Zeitalter des Absolutismus (1978)

7: Karl Otmar Freiherr von Aretin, Vom Deutschen Reich zum Deutschen Bund. [In Vorb.]

8: Reinhard Rürup, Deutschland im 19. Jahrhundert. [In Vorb.]

9: Hans-Ulrich Wehler, Das Deutsche Kaiserreich 1871–1918. (1973, ³1977)

10: Gerhard Schulz, Deutschland seit dem Ersten Weltkrieg 1918–1945. (1976)

DEUTSCHE GESCHICHTE seit dem Ersten Weltkrieg. Bd. 1–3. Stuttgart

1: Helmut Heiber, Die Republik von Weimar. – Hermann Graml, Europa zwischen den Kriegen. – Martin Broszat, Der Staat Hitlers. (1971)

2: Lothar Gruchmann, Der Zweite Weltkrieg. – Thilo Vogelsang, Das geteilte Deutschland. – Dietmar Petzina, Grundriß der deutschen Wirtschaftsgeschichte 1918 bis 1945. (1973)

3: Wolfgang Benz, Quellen zur Zeitgeschichte. (1973)

*

Österreich

Karl UHLIRZ, Handbuch der Geschichte Österreichs und seiner Nachbarländer Böhmen und Ungarn. Bd. 1–4 [Bd. 2,2–4 bearb. v. Mathilde Uhlirz]. Graz [u.a.] 1927–44
[Neubearbeitung:]
Mathilde UHLIRZ, Handbuch der Geschichte Österreich-Ungarns. Bd. 1–.
Graz/Wien/Köln ²1963–
  1: ⟨–1526⟩. ²1963

*

Schweiz

HANDBUCH DER SCHWEIZER GESCHICHTE. Bd. 1–2. Zürich
  1: Von den Anfängen bis 1660. Bearb. v. Emil Vogt [u.a.]. 1972
  2: Von 1660 bis heute. Bearb. v. Ulrich Im Hof [u.a.]. 1977

4. Englische Geschichte

Kurt KLUXEN, Geschichte Englands. Von den Anfängen bis zur Gegenwart (= Kröners Taschenausgabe 374). Stuttgart 1968, ²1976)

THE OXFORD HISTORY OF ENGLAND. Hrsg. v. George Clark. Bd. 1–15.
Oxford (1934–66)
  1: R. G. Collingwood/J. N. L. Myres, Roman Britain and the English Settlements. 1936, ²1937 [verschiedene Nachdrucke]
  2: F. M. Stenton, Anglo-Saxon England. 1943, ³1971
  3: Austin Lane Poole, From Domesday Book to Magna Carta 1087–1216. 1951, ²1955
  4: Maurice Powicke, The Thirteenth Century. 1216–1307. 1953, ²1962
  5: May Mckisack, The Fourteenth Century. 1307–1399. 1959
  6: E. F. Jacob, The Fifteenth Century. 1399–1485. 1961
  7: J. D. Mackie, The Earlier Tudors. 1485–1558. 1952, ²1957
  8: J. B. Black, The Reign of Elizabeth. 1558–1603. 1936, ²1959
  9: Godfrey Davies, The Early Stuarts. 1603–1660. 1937, ²1959
  10: George Clark, The Later Stuarts. 1660–1714. 1934, ²1955
  11: Basil Williams, The Whig Supremacy. 1714–1760. 1939, ²1962. [Ber. Neudr. 1965]
  12: J. Steven Watson, The Reign of George III. 1760–1815. 1960
  13: E. L. Woodward, The Age of Reform. 1815–1870. 1938, ²1962
  14: R. C. K. Ensor, England 1870–1914. 1936, ²1952
  15: A. J. P. Taylor, English History 1914–1945. 1965. [Ber. Neudruck 1966]

5. Amerikanische Geschichte (USA)

Udo SAUTTER, Geschichte der Vereinigten Staaten von Amerika (= Kröners Taschenausgabe 443). Stuttgart (1976)

Samuel Eliot MORISON/Henry Steele COMMAGER, The Growth of the American Republic. Bd. 1–2. New York [u.a.] 1930. – 6. Aufl. v. Samuel Eliot Morison/Henry Steele Commager u. William E. Leuchtenburg. Oxford 1969. – Neubearb. Kurzausg. u. d. T.: A Concise History of the American Republic. New York 1977
[Übersetzung:]
Samuel Eliot MORISON/Henry Steele COMMAGER, Das Werden der amerikanischen Republik. Geschichte der Vereinigten Staaten von ihren Anfängen bis zur Gegenwart. Bd. 1–2. Stuttgart 1949, (1950)

6. Französische Geschichte

Ernest LAVISSE, Histoire de France depuis les origines jusqu'à la Révolution ... Bd. 1–9. Paris 1903–(11) [Ndr. New York; Bd. 1 Geographie]
  2,1: Charles Bayet/Christian Pfister/Arthur Kleinclausz, Le Christianisme, les Barbares, Mérovingiens et Carolingiens. 1903
  2,2: Achille Luchaire, Les Premiers Capétiens (987–1113). 1901
  3,1: Achille Luchaire, Louis VII – Philippe-Auguste – Louis VIII (1137–1226). 1901
  3,2: Charles-Victor Langlois, Saint Louis – Philippe le Bel. Les derniers Capétiens directs (1226–1328). 1901
  4,1: Alfred Coville, Les premiers Valois et la Guerre de Cent ans (1328–1422). 1902
  4,2: Charles Petit-Dutaillis, Charles VII, Louis XI et les premières années de Charles VIII (1422–1492). 1902
  5,1: Henry Lemonnier, Les guerres d'Italie. La France sous Charles VIII, Louis et François Ier (1492–1547). 1903
  5,2: Henry Lemonnier, La lutte contre la maison d'Autriche. La France sous Henri II (1519–1559). 1904
  6,1: Jean H. Mariéjol, La Réforme et la Ligue. L'Édit de Nantes (1559–1598). 1904
  6,2: Jean H. Mariéjol, Henri IV et Louis XIII (1598–1643). 1905
  7,1: Ernest Lavisse, Louis XIV. La Fronde. Le Roi. Colbert (1643–1685). 1906
  7,2: Ernest Lavisse, Louis XIV. La Religion. Les Lettres et les Arts. La Guerre (1643–1685). 1906
  8,1: A. de Saint-Léger [u.a.], Louis XIV. La fin du règne (1685–1715). 1908

8,2: Henri Carré, Le règne de Louis XV (1715–1774). 1909

9,1: Henri Carré/Ph. Sagnac/Ernest Lavisse, Le règne de Louis XVI (1774–1789). 1910

9,2: Tables Alphabétiques. (1911)

HISTOIRE DE LA FRANCE. Bd. 1–3. Publié sous la direction de Georges Duby (= Collection encyclopédique in-quarto). Paris (1970–72)

*

NOUVELLE HISTOIRE DE LA FRANCE CONTEMPORAINE. Bd. 1–16. [Paris] (1972–)

1: Michel Vovelle, La chute de la monarchie 1787–1792. (1972)

2: Marc Bouloiseau, La République jacobine 10 août 1792 – 9 thermidor an II [1794]. (1972)

3: Denis Woronoff, La République bourgeoise de Thermidor à Brumaire 1794–1799. (1972)

4: Louis Bergeron, L'épisode napoléonien. 1. Aspects intérieurs 1799–1815. (1972)

5: Jacques Lovie/André Palluel-Guillard, L'épisode napoléonien. 2. Aspects extérieurs 1799–1815. (1972)

6–7: André Jardin/André-Jean Tudesq, La France des Notables 1815–1848. 1. La vie de la nation. (1973). – 2. L'évolution politique. (1973)

8: Maurice Agulhon, 1848 et l'apprentissage de la République 1848–1852. (1973)

9: Alain Plessis, De la fête impériale au mur des fédérés 1852–1871. (1973)

10: Jean-Marie Mayeur, Les débuts de la Troisième République 1871–1899. (1973)

11: Madeleine Rebérioux, La République radicale 1899–1914. (1975)

12: Philippe Bernard, La fin d'un monde 1914–1929. (1975)

13: Henrie Dubief, Le déclin de la Troisième République 1929–1938. (1976)

14: Jean-Pierre Azéma, De Munich à la libération 1938–1944. [In Vorb.]

15: Jean-Pierre Rioux, La Quatrième République 1944–1958. [In Vorb.]

16: Jacques Julliard, La Cinquième République. [In Vorb.]

7. Italienische Geschichte

Hans Kramer, Geschichte Italiens. Bd. 1–2 (= Urban Bücher 108, 109). Stuttgart/Berlin/Köln/Mainz (1968)

Storia d'Italia. Bd. 1–9. [Mailand] (1936–64) [Bd. 1–2 Altertum]

3: Luigi Salvatorelli, L'Italia medioevale. Dalle invasione barbariche agli inizi del secolo 11. [1938]
4: Luigi Salvatorelli, L'Italia communale dal sec. 11 alla metà del secolo 14. (1940)
5: Nino Valeri, L'Italia nell'età dei principati dal 1343 al 1516. [1949]
6: Alessandro Visconti, L'Italia nel'epoca della controriforma (1516–1713). (1958)
7: Franco Valsecchi, L'Italia nel Settecento dal 1714 al 1788. (1959)
8: Franco Catalano/Ruggero Moscati/Franco Valsecchi, L'Italia nel Risorgimento. Dal 1789 al 1870. (1964)
9: Giacomo Perticone, L'Italia contemporanea dal 1871 al 1948. (1962)

8. Spanische Geschichte

Historia de Espana. Dirigida por Ramón Menéndez Pidal. Bd. 1–. Madrid 1950– [Bd. 1–2 Altertum]

3: Manuel Torres López/Octavio Gil Farrés [u.a.], España Visigoda (414–711 de J. C.). 1940, ²1963
4: Evariste Lévi-Provençal, España musulmana hasta la caída del Califato de Córdoba (711–1031 de J. C.). 1950, ²1957
5: Evariste Lévi-Provençal, España musulmana hasta la caída del Califato de Córdoba (711–1031 de J. C.). Instituciones y vida social e intelectual. 1957
6: Fray Justo Pérez de Urbel/Ricardo del Arco y Garay, España cristiana comienzo de la Reconquista (711–1038). 1956
14: Luis Suárez Fernández/Juan Reglá Campistol, España cristiana. Crisis de la Reconquista. Luchas civiles. 1966
15: Luis Suárez Fernández/Ángel Canellas López/Jaime Vicens Vives, Los trastamaras de Castilla y Aragón en el siglo XV ... 1964
17,1–2: Luis Suárez Fernández/Juan de Mata Carriazo Arroquia, La España de los reyes católicos (1474–1516). 1969
18: Manuel Fernández Alvarez, La España del Emperador Carlos V (1500–1558; 1517–1556). 1966
19,1–2: Luis Fernández y Fernández de Retana, España en tiempo de Felipe II (1556–1598). 1958

26: Miguel Artola Gallego, La España de Fernando VII ⟨1808–1833⟩. 1968

9. Russische Geschichte

Karl STÄHLIN, Geschichte Rußlands von den Anfängen bis zur Gegenwart [1917]. Bd. 1–4. Stuttgart/Königsberg/Berlin 1923–39 [Nachdruck Graz 1961]

Valentin GITERMANN, Geschichte Rußlands. Bd. 1–3. Hamburg 1949. – 3. Aufl. Frankfurt/M 1965

Günther STÖKL, Russische Geschichte. Von den Anfängen bis zur Gegenwart (= Kröners Taschenausgabe 244). Stuttgart (1962, ³1973)

Michael T. FLORINSKY, Russia. A History and an Interpretation. Bd. 1–2. New York 1955. – Neuaufl. 1960–61, ²1969

Sergej Michailovič SOLOV'EV, Istorija Rossii s drevnejšich vremen [Geschichte Rußlands von den ersten Anfängen] Buch 1–15 [= Bd. 1–29; in Bd. 29 Register]. St. Petersburg 1852–79 [Ndr. Moskau 1960–66]

George VERNADSKY/Michael KARPOVICH, A History of Russia. Bd. 1–(5). New Haven 1952–(69)

Georg von RAUCH, Geschichte der Sowjetunion. Wiesbaden (1955). – 6. Aufl. (= Kröners Taschenausgabe 394). Stuttgart (1977)

X. Handbücher und Hilfsmittel der historischen Hilfswissenschaften

1. Historische Geographie

Friedrich RATZEL, Anthropogeographie oder Grundzüge der Anwendung der Erdkunde auf die Geschichte. Bd. 1–2 (= Bibliothek geographischer Handbücher). Stuttgart 1882, 1891. – ²⁻³1909–1912

Hugo HASSINGER, Geographische Grundlagen der Geschichte (= Geschichte der führenden Völker). Freiburg i. Br. 1931, ²1953

Helmut JÄGER, Historische Geographie (= Das geographische Seminar 10). (Braunschweig 1969, ²1973)

RAUM UND BEVÖLKERUNG IN DER WELTGESCHICHTE. Bevölkerungs-Ploetz. Bd. 1–2. Würzburg (1955–56). – 3. Aufl. in 4 Bänden. (1965–68)
    1: Kartenteil zu Bd. 2, 3, 4. Bearb. v. Ernst Kirsten. Gezeichnet v. W. Kircheiß. (1965)

2: Von der Vorzeit bis zum Mittelalter. Bearb. v. Ernst Kirsten. (1968)
3: Vom Mittelalter z. Neuzeit. Bearb. v. Ernst Wolfg. Buchholz. (1966)
4: Bevölkerung und Raum in Neuerer und Neuester Zeit. Bearb. v. Wolfgang Köllmann. (1965)

*

Historische Atlanten

Karl v. SPRUNER, Historisch-geographischer Hand-Atlas zur Geschichte der Staaten Europas bis auf die neueste Zeit. Gotha 1846. – [3. Aufl. u.d.T.:]

SPRUNER-MENKE, Hand-Atlas für die Geschichte des Mittelalters und der Neueren Zeit. Dritte Aufl. von Karl v. Spruners Hand-Atlas. Neu bearb. v. Theodor Menke. Gotha 1880

Friedrich Wilhelm PUTZGER, Historischer Weltatlas. Jubiläumsausgabe. Bielefeld/Berlin/Hannover ([96]1974)

[Erstaufl. u.d.T.:]

Friedrich Wilhelm PUTZGER, Historischer Schulatlas zur alten, mittleren und neueren Geschichte … Bielefeld 1877

WESTERMANNS ATLAS ZUR WELTGESCHICHTE. Teil III: Neuzeit. Bearb. v. Gerhard Czybulka … Braunschweig [u.a.] 1953, [3]1969

[Teil I–III vereinigt in 1 Bd. u.d.T.:] WESTERMANNS GROSSER … Hrsg. v. Hans-Erich Stier [u.a.]. Vorzeit – Altertum – Mittelalter – Neuzeit. Bearb. v. Hans-Erich Stier [u.a.]. Braunschweig [u.a.] 1956, [9]1976

[Kürzere Ausgabe in 1 Bd.:]

VÖLKER, STAATEN UND KULTUREN. Ein Kartenw. z. Geschichte. Erw. Ausg. Hrsg. v. Hans-Erich Stier [u.a.] Braunschweig 1957. – Neuaufl. 1976

GROSSER HISTORISCHER WELTATLAS. Hrsg. v. Bayerischen Schulbuch-Verlag. II. u. III. Teil. Redaktion: Josef Engel. München. – II. Mittelalter. (1970). – III. Neuzeit. (1957, [4]1972)

Hermann KINDER/Werner HILGEMANN, dtv-Atlas zur Weltgeschichte. Karten und chronologischer Abriß. Bd. 1–2. (München)
  1: Von den Anfängen bis zur Französischen Revolution. (1964, [11]1975)
  2: Von der Französischen Revolution bis zur Gegenwart. (1966, [12]1977)

ATLAS ZUR GESCHICHTE. Hrsg.: Zentralinstitut für Geschichte der Akademie der Wissenschaften der DDR. Bd. 1–2. Gotha/Leipzig
  1: Von den Anfängen der menschlichen Gesellschaft bis zum Vorabend der Großen Sozialistischen Oktoberrevolution 1917. 1973
  2: Von der Großen Sozialistischen Oktoberrevolution 1917–1972. 1975

*

Ortsverzeichnisse

Benjamin RITTER, Geographisch-statistisches Comptoir- und Zeitungslexikon. Leipzig 1835 [9. rev. Aufl. u.d.T.:]

RITTERS GEOGRAPHISCH-STATISTISCHES LEXIKON über die Erdteile, Länder, Meere, Häfen, Seen, Flüsse … Ein Nachschlagewerk über jeden geographischen Namen der Erde von irgendwelcher Bedeutung für den Weltverkehr. Bd. 1–2. Leipzig 1910

Johann Georg Theodor GRAESSE, Orbis Latinus oder Verzeichnis lateinischer Benennungen der bekanntesten Städte... Dresden 1861 [Nachdruck Amsterdam 1969]. – 2. Aufl. bearb. v. Friedrich Benedict. Berlin 1909. – 4. Aufl. u.d.T.: Graesse, Benedict, Plechl. Orbis latinus. Lexikon lateinischer geographischer Namen des Mittelalters und der Neuzeit. Großausgabe, bearb. u. hrsg. v. Helmut Plechl... Bd. 1–3. Braunschweig (1972). – ... Handausgabe. Lat.-dt., dt.–lat. Hrsg. ... v. Helmut Plechl. Braunschweig (1971)

Hermann OESTERLEY, Historisch-geographisches Wörterbuch des deutschen Mittelalters. Gotha 1883 [Nachdruck Aalen 1962]

Maurits GYSSELING, Toponymisch Woordenboek van België, Nederland, Luxemburg, Noord-Frankrijk en West-Duitsland (voor 1226). Bd. 1–2 (= Boustoffen en studien voor de geschiedenis en de Lexicografie van het Nederlands 6,1–2). [o.O.] 1960

*

Bibliographie:
Günther FRANZ, Historische Kartographie. Forschung und Bibliographie (= Veröffentlichungen der Akademie für Raumforschung und Landesplanung. Abhandlung 29). Hannover 1955, ²1962
DW 26/1–1469; 27/1–390 a.

2. *Chronologie*

Hermann GROTEFEND, Zeitrechnung des deutschen Mittelalters und der Neuzeit. Bd. 1–2. Hannover
[Nachdruck Aalen 1970]
  1:    Glossar und Tafeln. 1891
  2,1: Kalender der Diöcesen Deutschlands, der Schweiz und Skandinaviens. 1892
  2,2: Ordenskalender. Heiligenverzeichnis. Nachträge zum Glossar. 1898

Hermann GROTEFEND, Taschenbuch der Zeitrechnung des deutschen Mittelalters und der Neuzeit. Für den praktischen Gebrauch und zu Lehrzwecken entworfen. Hannover 1898. – 11. Aufl. hrsg. v. Theodor Ulrich. Hannover 1971

Friedrich Karl GINZEL, Handbuch der mathematischen und technischen Chronologie. Das Zeitrechnungswesen der Völker. Bd. 1–3. Leipzig 1906–14 [Nachdruck Leipzig 1958]
  3:    Zeitrechnung der Makedonier, Kleinasier und Syrer, der Germanen und Kelten, des Mittelalters, der Byzantiner (und Russen), Armenier,

Kopten, Abessinier, Zeitrechnung der neueren Geschichte sowie Nachträge zu den drei Bänden. 1914

Hans LIETZMANN, Zeitrechnung der römischen Kaiserzeit, des Mittelalters und der Neuzeit für die Jahre 1–2000 nach Christus (= Sammlung Göschen 1085). Berl. 1934. – 3. Aufl., durchges. v. Kurt Aland. Berlin 1956

Egied I. STRUBBE/Léon VOET, De chronologie van de middeleeuwen en de moderne tijden in de Nederlanden. Antwerpen/Amsterdam 1960

*

Bibliographie:
DW 17/1–147

3. Genealogie

Ottokar LORENZ, Lehrbuch der gesamten wissenschaftlichen Genealogie. Stammbaum und Ahnentafel in ihrer geschichtlichen, sociologischen und naturwissenschaftlichen Bedeutung. Berlin 1898

Wilhelm Karl Prinz von ISENBURG, Historische Genealogie. München/Berlin 1940

HANDBUCH DER GENEALOGIE ... hrsg. v. Eckart Henning u. Wolfgang Ribbe. Neustadt a. d. Aisch 1972

*

Wörterbuch
Fritz VERDENHALVEN, Familienkundliches Wörterbuch. Neustadt a. d. Aisch 1964, ²1969

*

Stammtafeln
STAMMTAFELN ZUR GESCHICHTE DER EUROPÄISCHEN STAATEN. Hrsg. v. Wilhelm Karl Prinz von Isenburg. Bd. 1–3. Berlin
  1: Die deutschen Staaten. [1936]
  2: Die außerdeutschen Staaten. [1936]
  3: Register und Ergänzungen. 1937
[2. verb. Aufl. u.d.T.:]
STAMMTAFELN ZUR GESCHICHTE DER EUROPÄISCHEN STAATEN. Von Wilhelm Karl Prinz von Isenburg. Hrsg. v. Frank Baron Freytag von Loringhoven. Bd. 1–2. Marburg 1953. – Bericht. u. erg. Abdruck ... 1956. – Neudruck Marburg 1975
  1: Die deutschen Staaten
  2: Die außerdeutschen Staaten
[Fortsetzung:]
EUROPÄISCHE STAMMTAFELN. Stammtafeln zur Geschichte der europäischen Staaten. Von Frank Baron Freytag von Loringhoven. Bd. 3–4.

Der »Gotha«

3. Marburg 1956, ³1975
4. Marburg 1957. – Nachdruck der 2. Aufl. 1975
Wilhelm WEGENER, Genealogische Tafeln zur mitteleuropäischen Geschichte. Göttingen 1962–69
STAMMTAFELN EUROPÄISCHER HERRSCHERHÄUSER. Zus.gest. v. Brigitte Sokop. Wien 1976

*

Der »Gotha«
⟨1763–1942⟩
[A. Für die regierenden, ehemals regierenden, vormals reichsständischen und alle übrigen *fürstlichen Häuser* Europas:]

1) Gothaischer Hof-Kalender zum Nutzen und Vergnügen eingerichtet. [Bd. 1–52.] ⟨1763–1815⟩. Gotha
2) Gothaischer genealogischer Kalender 53 (1816) – 60 (1823). Gotha
3) Gothaischer genealogischer Hof-Kal. 61 (1824) – 85 (1848). Gotha
4) Gothaischer genealogischer Hof-Kalender nebst diplomatisch-statistischem Jahrbuch 86 (1849) – 156 (1919). Gotha.
5) Gothaischer Kalender. Genealogischer Hofkalender und diplomatisch-statistisches Jahrbuch 157 (1920) – 162 (1925). Gotha
6) Gothaischer Hofkalender. Genealogisches Taschenbuch der Fürstlichen Häuser 163 (1926) – 175 (1938). Gotha
7) Gothaisches genealogisches Taschenbuch. Fürstliche Häuser (Hofkalender) 176 (1939) – 179 (1942). Gotha

⟨1825–1942⟩
[B. Für die *gräflichen Häuser:*]

1) Genealogisches Taschenbuch der deutschen Gräflichen Häuser 1 (1825) – 21 (1848). Gotha
2) Genealogisches Taschenbuch der Gräflichen Häuser 22 (1849) – 27 (1854). Gotha
3) Gothaisches genealogisches Taschenbuch der Gräflichen Häuser 28 (1855) – 95 (1922). Gotha
4) Gothaisches genealogisches Taschenbuch der Gräflichen Häuser. Teil A und B. 96 (1923) – 115 (1942). Gotha
   A. Deutscher Uradel
   B. Alter Adel und Briefadel

⟨1848–1942⟩
[C. Für die *freiherrlichen Häuser:*]

1) Genealogisches Taschenbuch der Freiherrlichen Häuser 1 (1848) – 4 (1854). Gotha
2) Gothaisches genealogisches Taschenbuch der Freiherrlichen Häuser 5 (1855) – 71 (1921). Gotha
3) Gothaisches genealogisches Taschenbuch. Teil A und B. 72 (1922) – 92 (1942). Gotha

A. Deutscher Uradel
B. Alter Adel und Briefadel

⟨1900–1942⟩
[D. Für die *adeligen (uradeligen) Häuser:*]
1) Gothaisches genealogisches Taschenbuch der Adeligen Häuser 1 (1900) – 7 (1906). Gotha
2) Gothaisches genealogisches Taschenbuch der Uradeligen Häuser. Der in Deutschland eingeborene Adel [Uradel]. 8 (1907) – 20 (1919). Gotha
3) Gothaisches genealogisches Taschenbuch der Adeligen Häuser. Deutscher Uradel [= Teil A]. 21 (1920) – 41 (1942). Gotha

⟨1907–1942⟩
[E. Für die *briefadeligen Häuser* (Alter Adel und Briefadel):]
1) Genealogisches Taschenbuch der Briefadeligen Häuser 1 (1907) – 13 (1919). Gotha
2) Gothaisches genealogisches Taschenbuch der Adeligen Häuser. Alter Adel und Briefadel [= Teil B]. 14 (1920) – 34 (1942). Gotha

[F. Gesamtverzeichnisse:]
GESAMTVERZEICHNIS der im Hofkalender und in den Taschenbüchern behandelten Geschlechter nach dem Stand von 1926. Gotha 1926
[Fortsetzung:]
GESAMTVERZEICHNIS der in den Gothaischen genealogischen Taschenbüchern behandelten Häuser. Mit Angabe der Jahrgänge der Erst- und Letztaufnahme und der Veröffentlichung von Stammreihe und Wappenbild sowie Hinzufügung der Aufnahmebedingungen ⟨1927–1942⟩. Gotha 1927–42

[Fortsetzung des »Gotha«:]
GENEALOGISCHES HANDBUCH DES ADELS. Bearb. v. Hans Friedrich von Ehrenkrook [u.a.]. Bd. 1–. Glücksburg [ab 1958 Limburg/L.] 1951–
[Übersicht:]
[A.] Genealogisches Handbuch der fürstlichen Häuser. Bd. 1–(9) [= Bd. 1, 3, 8, 14, 19, 25, 33, 42, 50 der Gesamtreihe]. 1951–(71)
[B.] Genealogisches Handbuch der Gräflichen Häuser. A. Bd. 1–(8) (= Bd. 2, 10, 18, 28, 40, 47, 56, 63 der Gesamtreihe). 1952–(76)
...B. Bd. 1–(4) [= Bd. 6, 23, 35, 54 der Gesamtreihe]. 1953–(73)
[C.] Genealogisches Handbuch der Freiherrlichen Häuser. A. Bd. 1–(10) [= Bd. 4, 13, 21, 27, 30, 37, 44, 51, 59, 65 der Gesamtreihe]. 1952–(77)
...B. Bd. 1–(6) [= Bd. 7, 16, 31, 39, 48 der Gesamtreihe]. 1954–(76)

[D.] Genealogisches Handbuch der Adeligen Häuser. A. Bd. 1–(13)
[= 5, 11, 15, 22, 24, 29, 34, 38, 43, 45, 49, 55, 60 der Gesamtreihe].
1953–75
... B. Bd. 1–(12) [= Bd. 9, 12, 17, 20, 26, 32, 36, 41, 46, 52, 57, 64
der Gesamtreihe]. 1954–(77)

GENEALOGISCHES HANDBUCH BÜRGERLICHER FAMILIEN. Hrsg. unter Leitung
eines Redaktions-Comités des Vereins »Herold« [7 ff. von Bernhard
Koerner]. Bd. 1–10. Charlottenburg [u.a.] 1889–1903
[Fortsetzung:]
GENEALOGISCHES HANDBUCH BÜRGERLICHER FAMILIEN, ein Deutsches Ge-
schlechterbuch. Hrsg. v. Bernhard Koerner. Bd. 11–18. Berlin [u.a.]
1904–10
[Fortsetzung:]
DEUTSCHES GESCHLECHTERBUCH. (Genealogisches Handbuch bürgerlicher
Familien.) Hrsg. v. Bernhard Koerner. Bd. 19–119. Görlitz 1911–43. –
Neue Reihe. Hrsg. v. Edmund Strutz [Bd. 140 ff. (1965 ff.) von Ma-
rianne Strutz-Ködel unter Mitarbeit von Friedrich W. Euler]. Bd. 120–
(176). Glücksburg [1958 ff. Limburg/L.] 1955–(77)

[Register für das Genealogische Handbuch und das Deutsche Geschlechterbuch:]
STAMMFOLGE-VERZEICHNISSE für das Genealogische Handbuch des Adels
1. Bände 1–30 ... und das Deutsche Geschlechterbuch. 2. Alte Reihe
Bände 1–119 ... 3. Neue Reihe Bände 120–134. Limburg/L. 1963

[Verzeichnis für den »Gotha«:]
Thomas von FRITSCH, Die Gothaischen Taschenbücher, Hofkalender und
Almanach[e] (= Aus dem Deutschen Adelsarchiv ... Bd. 2 der Schriftenreihe der Gothaischen Taschenbücher, Hofkalender und Almanach[e]). Limburg/L. 1968

NEUES ALLGEMEINES DEUTSCHES ADELS-LEXICON ... Hrsg. v. Ernst Heinrich Kneschke. Bd. 1–9. Leipzig 1859–70 [Neudruck Leipzig 1929–30;
Nachdruck Hildesheim/New York 1973]
ADELSLEXIKON. Bearb. v. Walter v. Hueck [u.a.] Bd. 1–(3) (= Genealogisches Handbuch des Adels ... Bd. 53, 58, 61 der Gesamtreihe). Limburg
1972–(75)

*

Bibliographien
FAMILIENGESCHICHTLICHE BIBLIOGRAPHIE. Hrsg. von der Zentralstelle für
Deutsche Personen- und Familiengeschichte. Bd. 1–11,3. Leipzig [u.a.,
zuletzt Neustadt a. d. Aisch] [Neudruck Bd. 1–6. Wiesbaden (1969)]

Gaston SAFFROY, Bibliographie généalogique, héraldique et nobiliaire de la France des origines à nos jours. Imprimés et manuscrits. Bd. 1–3. Paris 1968–74
DW 21/1–263

4. Paläographie

Karl BRANDI, Die Schrift. In: Grundzüge der Deutschkunde. Hrsg. v. W Hofstaetter u. Fr. Panzer. Bd. 1. Leipzig/Berlin 1925, S. 61–70
[Wiederabdruck in:]
Karl BRANDI, Ausgewählte Aufsätze ... Festgabe ... Oldenburg i. O./ Berlin 1938, S. 53–63
Heribert STURM, Unsere Schrift. Einführung in die Entwicklung ihrer Stilformen. Neustadt a. d. Aisch 1961
Bernhard BISCHOFF, Paläographie (mit besonderer Berücksichtigung des deutschen Kulturgebiets). In: Deutsche Philologie im Aufriß. Bd. I. Berlin/Bielefeld/München 1952. – 2. Aufl. [ohne Untertitel] Berlin/Bielefeld/München 1957 [Nachdruck Berlin 1966]
Hans FOERSTER, Abriß der lateinischen Paläographie. Bern (1949). – 2. Aufl. Stuttgart 1963
Wilhelm WATTENBACH, Das Schriftwesen im Mittelalter. Leipzig 1871, ³1896 [Nachdruck Graz 1958]
Jacques STIENNON, Paléographie du Moyen Age. Paris (1973) [mit Schrifttafeln]

*

Tafelwerke
KAISERURKUNDEN IN ABBILDUNGEN. Hrsg. v. Heinrich v. Sybel u. Theodor von Sickel. Lieferung 1–11. Berlin 1880–91
Franz STEFFENS, Lateinische Paläographie. 125 Tafeln in Lichtdruck mit gegenüberstehender Transkription nebst Erläuterungen und einer systematischen Darstellung der Entwicklung der lateinischen Schrift. Berlin ²1929 [Nachdruck (Berlin 1964); 1. Aufl. ... Hundert Tafeln ... Freiburg/Schweiz 1903]
INSCRIPTIONES LATINAE. Zusammengestellt v. Ernst Diehl (= Tabulae in usum scholarum 4). Bonn 1912
URKUNDEN UND SIEGEL in Nachbildungen für den akademischen Gebrauch. Hrsg. v. Gerhard Seeliger. Heft 2–4 [1 nicht erschienen]. Leipzig/Berlin 1914
    2: Albert Brackmann, Papsturkunden
    3: Oswald Redlich/Lothar Gross, Privaturkunden
    4: Friedrich Philippi, Siegel
CODICES LATINI ANTIQUIORES. A Palaeographical Guide to Latin Manu-

scripts Prior to the Ninth Century. Hrsg. v. Elias Lowe. Bd. 1–11. Oxford 1934–66. – Suppl. 1971

CHARTAE LATINAE ANTIQUIORES. Facsimile Edition of the Latin Charters Prior to the Ninth Century. Hrsg. v. Albert Bruckner u. Robert Marichal. Bd. 1–(9). Olten [u.a.] 1954–(77)

Charles SAMARAN/Robert MARICHAL, Catalogue des manuscrits en écriture latine portant des indications de date, de lieu ou de copiste. Bd. 1–. Paris 1959–(74). [Jeder Bd. in 2 Teilen: Texte – Planches; bisher erschienen Bd. 1–3, 5 u. 6]

HANDSCHRIFTEN DER REFORMATIONSZEIT. Ausgew. v. Georg Mentz (= Tabulae in usum scholarum 5). Bonn 1912

SCHRIFTTAFELN ZUR DEUTSCHEN PALÄOGRAPHIE des 16.–20. Jahrhunderts. Bearb. v. Karl Dülfer u. Hans-Enno Korn. T. 1–2 (= Veröffentlichungen der Archivschule Marburg ... 2). Marburg 1966, ³1973
1: Tafeln
2: Transkriptionen

Abkürzungsverzeichnisse

Adriano CAPPELLI, Lexicon abbreviaturarum. Dizionario di abbreviature latine ed italiane ... Mailand 1899, ⁶1961

[Deutsche Ausgabe:]

Adriano CAPPELLI, Lexicon abbreviaturarum. Wörterbuch lateinischer und italienischer Abkürzungen, wie sie in Urkunden und Handschriften besonders des Mittelalters gebräuchlich sind. Leipzig 1901. – 2. Auflage (= J. J. Webers illustrierte Handbücher) 1928

[Dazu Suppl.:]

Auguste PELZER, Abréviations latines médiévales. Löwen 1964. – 2. Aufl. (= Recherches de philosophie ancienne et médiévale) 1966

Paul Arnold GRUN, Schlüssel zu alten und neuen Abkürzungen. Wörterbuch lateinischer und deutscher Abkürzungen des späten Mittelalters und der Neuzeit mit historischer und systematischer Einführung für Archivbenutzer, Studierende, Heimat- und Familienforscher u.a. ... (= Grundriß der Genealogie 6). Limburg/L 1966

GEBRÄUCHLICHE ABKÜRZUNGEN DES 16.–20. JAHRHUNDERTS. Bearb. v. Kurt Dülfer (= Veröff. d. Archivschule Marburg ... 1). Marburg 1966, ²1971

Bibliographien

PAUL SATTLER/GÖTZ V. SELLE, Bibliographie zur Geschichte der Schrift bis in das Jahr 1930. Linz a. D. 1935

Claudio BONACINI, Bibliografia delle arti scrittorie e della calligrafia (= Biblioteca bibliografica italica 5). Florenz 1953

DW 14/1–275

5. Diplomatik

Harry BRESSLAU, Handbuch der Urkundenlehre für Deutschland und Italien. Bd. 1. Leipzig 1889; 2. Aufl. Leipzig 1912; 4. Aufl. Berlin 1969 [= Nachdruck der 2. Aufl.]. – Bd. 2,1. Leipzig 1889 [= 2. Hälfte v. Bd. 1]; 2. Aufl. Leipzig 1915; 4. Aufl. Berlin 1968 [= Nachdruck der 2. Aufl.]. – Bd. 2,2. Aus dem Nachlaß hrsg. v. Hans-Walter Klewitz. Berlin/Leipzig 1931; 4. Aufl. Berlin 1969 [= Nachdruck der 1. Aufl.]. – Reg. zur zweiten u. dritten Aufl. zusammengestellt v. Hans Schulze. Berlin 1960

Wilhelm ERBEN/Ludwig SCHMITZ-KALLENBERG/Oswald REDLICH, Urkundenlehre. Teil 1–3 (= Handbuch der mittelalterlichen und neueren Geschichte. Hrsg. v. Georg v. Below u. Friedrich Meinecke. Abt. IV)

  1: Oswald Redlich, Allgemeine Einleitung zur Urkundenlehre. – Wilhelm Erben, Die Kaiser- und Königsurkunden des Mittelalters in Deutschland, Frankreich und Italien. München/Berlin 1907 [2. Nachdruck München 1971]

  2: [nicht erschienen]

  3: Oswald Redlich, Die Privaturkunden des Mittelalters. München/ Berlin 1911 [2. Nachdruck München 1971]

Ludwig SCHMITZ-KALLENBERG, Papsturkunden. In: Grundriß der Geschichtswissenschaft... Hrsg. v. Aloys Meister. Erste Reihe, 2. Abt. Leipzig/Berlin ²1913

Leo SANTIFALLER, Urkundenforschung. Methoden, Ziele, Ergebnisse. Weimar 1937 [Nachdruck als 2. Aufl. Darmstadt 1967 (= Sonderausgabe... der Wissenschaftlichen Buchgesellschaft 162)]

Georges TESSIER, Diplomatique royale française. Paris 1962

Bibliographie
DW 18/1–143

6. Sphragistik

Wilhelm EWALD, Siegelkunde (= Handbuch der mittelalterlichen und neueren Geschichte. Hrsg. v. Georg von Below und Friedrich Meinecke. Abt. IV....) München 1914 [3. Nachdruck München 1975]

Erich KITTEL, Siegel (= Bibliothek für Kunst- und Antiquitätenfreunde 11). Braunschweig (1970) [mit Abbildungen u. Bibliographie]

Abbildungswerke

Otto POSSE, Die Siegel der deutschen Kaiser und Könige von 751 bis 1806.
Bd. 1–5 [Bd. 5 u.d.T.: Das Siegelwesen der deutschen Kaiser und Könige
von 751 bis1913]. Dresden 1909–13

Pietro SELLA, I sigilli dell'Archivio Vaticano. Bd. 1–2 (= Inventari
dell'Archivio Segreto Vaticano). Vatikanstadt 1937–46

Bibliographien

Mariette TOURNEUR-NICODÈME, Bibliographie générale de la sigillographie.
Besançon 1934

MarietteTOURNEUR-NICODÈME, ... Supplément. In: Archives bibliothèques
et musées de Belgique 30 (1959). Brüssel 1959

DW 19/1–69

7. *Heraldik*

Erich GRITZNER, Heraldik. In: Grundriß der Geschichtswissenschaft ...
Hrsg. v. Aloys Meister. Bd. 1,2. Leipzig 1906. – 2. Aufl. Leipzig 1912.
In: Grundriß ... Bd. 1,4

WAPPENFIBEL. Handbuch der Heraldik. Hrsg. v. »Herold« ... Begr. durch
Adolf Matthias Hildebrandt. Bearb. v. Herolds-Ausschuß der Deutschen
Wappenrolle. Neustadt a. d. Aisch [16]1970
[1. u. 2. Aufl. u.d.T.: Wappenfibel. Kurze Zusammenstellung der haupt-
sächlichsten heraldischen und genealogischen Regeln. Frankfurt/M 1887]

Heather CHILD, Heraldic Design. A Handbook for Students. London
(1965) [Ber. Neudruck 1966]

Ottfried NEUBECKER, Heraldik. Wappen – ihr Ursprung, Sinn und Wert.
Mit Beiträgen von J. P. Brooke-Little. Gestaltet v. Robert Tobler.
(Frankfurt/M 1977) [auch amerikanische Ausgabe 1976]

*

Wappenbücher

Johann SIBMACHER, Wappen-Büchlein ... Nürnberg 1596. [Mehrere Neu-
bearbeitungen; zuletzt:]

JOHANN SIEBMACHER'S GROSSES UND ALLGEMEINES WAPPENBUCH ... hrsg. ...
v. Otto Titan von Hefner. Nürnberg 1856–(1967) [Bisher 622 Lieferungen.]

[Dazu:]

GENERAL-INDEX zu den Siebmacher'schen Wappenbüchern von 1605–1961.
Bearb. v. H. Jäger-Sunstenau. Graz 1964

*

Wörterbuch
Julian FRANKLYN/John TANNER, An Encyclopedic Dictionary of Heraldry.
Illustrated by Violetta Keeble. Oxford [u.a.] (1970)

Bibliographien
HERALDISCHE BIBLIOGRAPHIE. Bearb. v. Egon Frhr. von Berchem. Teil 1.
Leipzig 1937. – [Auch in:] Familiengeschichtliche Bibliographie. Hrsg.
v. d. Zentralstelle für Deutsche Personen- und Familiengeschichte 5,3
(1937). Leipzig 1937
DW 20/1–187

8. *Numismatik*

Arnold LUSCHIN VON EBENGREUTH, Allgemeine Münzkunde und Geld-
geschichte des Mittelalters und der neueren Zeit (= Handbuch der mit-
telalterlichen und neueren Geschichte. Hrsg. v. Georg von Below und
Friedrich Meinecke. Abt. III). München 1904. – 2. Aufl. München 1926
(= Handbuch... Abt. IV). [4. Nachdruck München 1976.]
Arthur SUHLE, Deutsche Münz- und Geldgeschichte von den Anfängen bis
zum 15. Jahrh. Berlin (Ost) 1964, ³1968. – Lizenzausg. München 1970
Philip GRIERSON, Münzen des Mittelalters (= Die Welt der Münzen 4).
München (1976)
Herbert RITTMANN, Moderne Münzen (= Die Welt der Münzen 6). Mün-
chen (1974)

*

Wörterbuch
WÖRTERBUCH DER MÜNZKUNDE ... Hrsg. v. Friedrich Frhr. v. Schrötter.
Berlin/Leipzig 1930

*

Abbildungswerke
Hermann DANNENBERG. Die deutschen Münzen der sächsischen und fränkischen Kaiserzeit. Bd. 1–4, Erg.-Bd. 1. Berlin 1876–1905 [Nachdruck
Aalen 1967]
Maurice PROU, Les monnaies mérovingiennes (= Catalogue des monnaies
françaises de la Bibliothèque Nationale). Paris 1896 [Nachdruck Graz
1969]
Maurice PROU, Les monnaies carolingiennes (= Catalogue des monnaies
françaises de la Bibliothèque Nationale). Paris 1892 [Ndr. Graz 1969]

Jean LAFAURIE, Les Monnaies des rois de France. Hugues Capet à Louis
XII. Paris 1951
[Fortsetzung:]
Jean LAFAURIE/Pierre PRIEUR, Les monnaies des rois de France. François
Ier à Henri IV. Paris 1956
[Fortsetzung:]
Jean LAFAURIE/Pierre PRIEUR, Les monnaies des rois de France. Louis XIII
à Louis XVI [noch nicht erschienen]
[Fortsetzung:]
Jean MAZARD, Histoire monétaire et numismatique contemporaine 1790–
1963 [1967]. Bd. 1–2. Paris
    1: 1790–1848. 1965
    2: 1848–1967. [1967]

Bibliographien
Philip GRIERSON, Bibliographie numismatique (= Cercle d'étude numis-
matique. Travaux 2). Brüssel 1966
Elvira Eliza CLAIN-STEFANELLI, Select Numismatic Bibliography. New
York (1965)
DW 22/1–202

9. Akten- und Archivkunde

Heinrich Otto MEISNER, Aktenkunde. Ein Handbuch für Archivbenutzer
mit besonderer Berücksichtigung Brandenburg-Preußens. Berlin 1935
[Neubearbeitung:]
Heinrich Otto MEISNER, Urkunden- und Aktenlehre der Neuzeit. Leipzig
1950, ²1952
[Neubearbeitung:]
Heinrich Otto MEISNER, Archivalienkunde vom 16. Jahrhundert bis 1918.
Göttingen 1969
Adolf BRENNEKE, Archivkunde. Ein Beitrag zur Theorie und Geschichte
des europäischen Archivwesens. Bearb. nach Vorlesungsnachschriften und
Nachlaßpapieren u. erg. v. Wolfgang Leesch. Leipzig 1953 [Nachdruck
(München-Pullach 1970), auch Leipzig 1970]
Eckhart G. FRANZ, Einführung in die Archivkunde. Darmstadt 1974, ²1977
Gerhart ENDERS, Archivverwaltungslehre (= Archivwissenschaft und
historische Hilfswissenschaften. Schriftenreihe des Instituts für Archiv-
wissenschaft, Humboldt-Universität zu Berlin. Hrsg. v. Helmut Lötzke.
Nr. 1). Berlin 1962, ³1968
Rudolf SCHATZ, Behördenschriftgut, Aktenbildung, Aktenverwaltung,

Archivierung (= Schriften des Bundesarchivs 8). (Boppard 1961)
Friedrich P. KAHLENBERG, Deutsche Archive in West und Ost. Zur Entwicklung des staatlichen Archivwesens seit 1945 (= Mannheimer Schriften zur Politik und Zeitgeschichte 4). Düsseldorf (1972)

*

Inventare

a) *Altes Reich/Österreich*

INVENTARE ÖSTERREICHISCHER ARCHIVE. V. Inventare des Wiener Haus-, Hof- und Staatsarchivs, Bd. 4–8. Gesamtinventar des Wiener Haus-, Hof- und Staatsarchivs. Aufgebaut auf der Geschichte des Archivs und seiner Bestände. Hrsg. v. . . . Ludwig Bittner. Bd. 1–5. Wien 1936–40
. . . VII. Inventar des Wiener Hofkammerarchivs (= Publikationen des Österreichischen Staatsarchivs. Hrsg. v. d. Generaldirektion. II. Serie: Inventare österreichischer Archive . . .) Wien 1951
. . . VII/1. Register zum Inventar des Wiener Hofkammerarchivs. Bearb. v. den Beamten des Hofkammerarchivs (= Publikationen . . .) Wien 1958
. . . VIII. Inventar des Kriegsarchivs Wien. Verfaßt von den Beamten des Kriegsarchivs. Bd. 1 (= Publikationen . . .) Wien 1953
Robert STROPP, Die Akten des k. u. k. Ministeriums des Äußern 1848 bis 1918. Sonderdruck aus: Mitteilungen des Österreichischen Staatsarchivs 20 (1967) S. 389–506

b) *Bundesrepublik*

DAS BUNDESARCHIV UND SEINE BESTÄNDE. Übersicht. Bearb. v. Friedrich Facius, Hans Booms, Heinz Boberach (= Schriften des Bundesarchivs 10). (Boppard 1961). – 3. erg. u. neu bearb. Aufl. v. Gerhard Granier [u.a.]. Boppard (1977)
ÜBERSICHT ÜBER DIE BESTÄNDE DES GEHEIMEN STAATSARCHIVS in Berlin-Dahlem. Bearb. v. Hans Branig [u.a.]. T. 1–2. (Köln/Berlin 1966–67)
VERZEICHNIS DER SCHRIFTLICHEN NACHLÄSSE in den deutschen Archiven und Bibliotheken. Bd. 1–2. Boppard
1,1–2: Die Nachlässe in den deutschen Archiven (mit Ergänzungen aus anderen Beständen). Bearb. v. Wolfgang A. Mommsen. T. 1. Einleitung und Verzeichnis (= Schriften des Bundesarchivs 17). (1971). – T. 2. Register [in Vorbereitung]
2: Die Nachlässe in den Bibliotheken der Bundesrepublik Deutschland. Bearb. in der Murhardschen Bibliothek der Stadt Kassel und der Landesbibliothek v. Ludwig Denecke. (1969)

c) *Mitteldeutschland*

ÜBERSICHT ÜBER DIE BESTÄNDE DES DEUTSCHEN ZENTRALARCHIVS POTSDAM.
Bearb. v. Helmut Lötzke u. Hans-Stephan Brater (= Schriftenreihe des
Deutschen Zentralarchivs 1). Berlin (1957)

DIE NACHLÄSSE in den wissenschaftlichen Allgemeinbibliotheken. Stand
vom 1. 8. 1959 (= Gelehrten- und Schriftstellernachlässe in den Bibliotheken der Deutschen Demokratischen Republik 1). Berlin (Ost) 1959

DIE NACHLÄSSE in wissenschaftlichen Instituten und Museen und in den
allgemeinbildenden Bibliotheken. Hrsg. ... v. Hans Lülfing u. Ruth
Unger (= Gelehrten- und Schriftstellernachlässe ... 2). Berlin (Ost)
1968

[Dazu:]

Nachträge, Ergänzungen, Register ... hrsg. v. Hans Lülfing u. Horst Wolf
(= Gelehrten- u. Schriftstellernachlässe ... 3). Berlin (Ost) 1971

d) *Vatikan*

Karl August FINK, Das Vatikanische Archiv. Einführung in die Bestände
und ihre Erforschung. Rom ²1951. – 1. Aufl. mit dem Zusatz: unter besonderer Berücksichtigung der deutschen Geschichte (= Bibliothek des
Deutschen Historischen Instituts in Rom 20). Rom 1943

e) *Frankreich*

Charles Victor LANGLOIS/Henri STEIN, Les archives de l'histoire de France.
Teil 1–3 (= Manuels de bibliogr. hist. 1). Paris 1891–93

f) *England*

GUIDE TO THE CONTENTS OF THE PUBLIC RECORD OFFICE. Bd. 1–3. London
1963–68 [Neudruck Bd. 1 (1964), Bd. 2 1965]

Gedruckte Repertorien (Findbücher)

a) *Für das Politische Archiv [PA] des Auswärtigen Amtes, Bonn*

A CATALOGUE OF FILES AND MICROFILMS of the German Foreign Ministry
Archives 1867–1920. Hrsg. v. The American Historical Association,
Committee for the Study of War Documents. [o.O. Druck: Oxford]
1959 [Nachdruck New York 1970]

A CATALOG OF FILES AND MICROFILMS of the German Foreign Ministry
Archives 1920–1945. Compiled and ed. by George O. Kent. Bd. 1–4
(= Hoover Institution Publications). Stanford

1: ⟨1920–1936⟩. 1962
2: ⟨1920–1936⟩. 1964
3: ⟨1936–1945⟩. 1966
4: ⟨1936–1945⟩. 1972

b) *Für das Bundesarchiv Koblenz und das Bundesarchiv/Militärarchiv Freiburg i. Br.*

GUIDES TO GERMAN RECORDS Microfilmed at Alexandria, Va. Hrsg. v. The American Historical Association (AHA), Committee for the Study of War Documents. Nr. 1–(70). Washington 1958–(75). [Geplant 75–80 Bde.]

c) *Für das Public Record Office [PRO] London*

1) PUBLIC RECORD OFFICE LISTS AND INDEXES. Bd. 1–55. London 1892–1936 [Bd. 1–2, 4–40, 42–55 als Nachdruck, z. T. revidiert, New York]
2) PUBLIC RECORD OFFICE LISTS AND INDEXES. Supplementary Series. Nr. 1–16. New York 1963–(76)
3) INDEX TO THE CORRESPONDENCE OF THE FOREIGN OFFICE for the Year ... ⟨1920–1946⟩. (Now preserved in the Public Record Office, London.) Nendeln (Liechtenstein) 1969–(77) [Keine Bd.-, sond. Jahrgangszählung; jeder Jahrgang alphabetisch geordnet und aus 4 Teilen bestehend; wird entsprechend der Benutzungsgrenze von 30 Jahren jahrgangsweise fortgeführt. Veröffentlichung der Repertorien für die Jahre 1906–1919 ist geplant.]

*

Archivführer

ARCHIVE. Archive im deutschsprachigen Raum. Bd. 1–2 (= Minerva-Handbücher). Berlin/New York ²1974. – 1. Aufl. u.d.T.: Die Archive. Bd. 1 ... Berlin 1932

THE NEW GUIDE TO THE DIPLOMATIC ARCHIVES OF WESTERN EUROPE. Hrsg. v. Daniel H. Thomas u. Lynn M. Case. Philadelphia/Pa. 1975. – 1. Aufl. u.d.T.: Guide to ... 1959

RECORD REPOSITORIES IN GREAT BRITAIN. London [Her Majesty's Stationery Office] 1964

THE RECORDS OF THE FOREIGN OFFICE 1782–1939. Bearb. v. M. Roper (= Public Record Office Handbook Nr. 13). London [Her Majesty's Stationery Office] 1969

TASCHENBUCH ARCHIVWESEN der DDR. Hrsg. v. der Staatl. Archivverwaltung des Ministeriums des Innern der DDR. Berlin (Ost) 1971 [Neuauflage:]

LEXIKON ARCHIVWESEN DER DDR. Hrsg. v. d. Staatl. Archivverwaltung des Ministeriums des Innern der DDR. Berlin (Ost) 1976

Patricia Kennedy GRIMSTED, Archives and Manuscript Repositories in the USSR. Moscow and Leningrad (= Studies of the Russian Institute, Columbia University). Princeton, N.J. 1972

Bibliographie
DW 9/1-530 a

XI. Handbücher von Teildisziplinen und Nachbargebieten der Geschichte

1. *Kirchen- und Kirchenrechtsgeschichte*

Albert HAUCK, Kirchengeschichte Deutschlands. Bd. 1-5. Leipzig 1887–1920 [Bd. 4–5 in 1. u. 2. Aufl.]. – 8. unveränderte Aufl. Berlin/Leipzig 1954

Karl BIHLMEYER, Kirchengeschichte. Neu besorgt von Hermann Tüchle (= Wissenschaftliche Handbibliothek. Eine Sammlung theologischer Lehrbücher). Bd. 1–3. Paderborn [18]1966–69
[1. Aufl. von Franz Xaver Funk, Lehrbuch der Kirchengeschichte. Rottenburg 1886]

Karl HEUSSI, Kompendium der Kirchengeschichte. Tübingen [14]1976
[1. Aufl. in 2 Hälften. Tübingen 1907–08]

Josef LORTZ, Geschichte der Kirche in ideengeschichtlicher Betrachtung. Bd. 1–2. Münster ([22/23]1962–1964)
[1. Aufl. mit zusätzlichem Untertitel: Eine geschichtliche Sinndeutung der christlichen Vergangenheit. Münster 1932]

Emanuel HIRSCH, Geschichte der neueren evangelischen Theologie im Zusammenhang mit den allgemeinen Bewegungen des europäischen Denkens. Bd. 1–5. Gütersloh 1949–54, ([5]1975)

HANDBUCH DER KIRCHENGESCHICHTE. Hrsg. v. Herbert Jedin. Bd. 1–6. Freiburg/Basel/Wien 1962–77 [Bd. 1 [3]1973, Bd. 3 [2]1973, Bd. 4 [2]1975]

HISTOIRE DE L'ÉGLISE depuis les origines jusqu'à nos jours. Fondée par Augustin Fliche et Victor Martin. Bd. 1–21. Paris 1934–52 [z. T. 2. Aufl. Für die Neuzeit ⟨–1878⟩ Bd. 15–21.]

DIE KIRCHE IN IHRER GESCHICHTE. Ein Handbuch. Begr. v. Kurt Dietrich Schmidt u. Ernst Wolf. Hrsg. v. Bernd Moeller. Bd. 1–(4). Göttingen (1961–[75]) [bisher nur in Lieferungen erschienen]

Paul HINSCHIUS, Das Kirchenrecht der Katholiken und Protestanten.
Bd. 1–6,1 [unvollständig]. Berlin 1869–97 [Nachdruck Graz 1959]
Johannes Baptist SÄGMÜLLER, Lehrbuch des katholischen Kirchenrechts.
Freiburg i. Br. 1904, ²1909. – 3. Aufl. Bd. 1–2. 1914. – 4. Aufl. Bd. 1–4.
1925–34
Hans Erich FEINE, Kirchliche Rechtsgeschichte. Bd. 1 [mehr nicht erschie-
nen]. Die katholische Kirche. Weimar 1950. – 5. Aufl. Köln/Graz 1972
Willibald M. PLÖCHL. Geschichte des Kirchenrechts. Bd. 1–5. Wien/Mün-
chen (1953–69) [Bd. 1 u. 2 (²1960–62)]

Quellensammlungen:
CORPUS IURIS CANONICI ... [Bearb. v.] Emil Friedberg. Bd. 1–2. Leipzig
²1879–81 [Nachdruck Graz 1955. – Frühe Auflagen aus dem 16. Jh.
u. ö. – Neuausg. des 19. Jh. hrsg. v. Aemil L. Richter. Leipzig 1839.]
CODEX IURIS CANONICI [CIC] ... [Hrsg. v. Petro Gasparri]. Rom 1917
[häufige Neudrucke]

2. Rechts- und Verfassungsgeschichte

Deutschland

Heinrich BRUNNER, Deutsche Rechtsgeschichte. Bd. 1–2 (= Systematisches
Handbuch der Deutschen Rechtswissenschaft. Abt. 2, Teil 1 Bd. 1–2).
Leipzig 1887–92, ²1906–28 [Bd. 2 neu bearb. v. Claudius v. Schwerin.
München. – Nachdruck als 3. Aufl. Berlin (1958–61)]
Heinrich MITTEIS, Deutsche Rechtsgeschichte. Ein Studienbuch (= Kurz-
lehrbücher für das juristische Studium). München/Berlin 1949. – Neu-
bearb. v. Heinz Lieberich. München ¹⁴1976
Hans PLANITZ, Deutsche Rechtsgeschichte. Graz 1950. – Von der 2. Aufl.
an bearb. v. Karl August Eckhardt. Graz/Köln ³1971
Hermann CONRAD, Deutsche Rechtsgeschichte. Ein Lehrbuch. Bd. 1–(3).
Karlsruhe
  1: Frühzeit und Mittelalter. 1954, ²1962
  2: Neuzeit bis 1806. 1966
  3: [In Vorbereitung]
Karl KROESCHELL, Deutsche Rechtsgeschichte. Bd. 1 (bis 1250). Bd. 2 (1250–
1650) (= rororo studium 8–9). (Reinbek 1972)
Georg WAITZ, Deutsche Verfassungsgeschichte. Bd. 1–8. Kiel 1844–78. –
Bd. 1–2 ³1880–82; Bd. 3–6 ²1883–96 [Nachdruck, jeweils in fortlau-
fender Aufl.-Zählung, Graz 1953–55]
Fritz HARTUNG, Deutsche Verfassungsgeschichte vom 15. Jahrhundert bis
zur Gegenwart. Stuttgart ⁹1969
  [1. Aufl. (= Grundriß der Geschichtswissenschaft ... Hrsg. v. Aloys
Meister. II. Reihe 4. Abt.) Leipzig 1914]

Ernst Rudolf HUBER, Deutsche Verfassungsgeschichte seit 1789. Bd. 1–.
Stuttgart [u.a.] (1957–)
  1: Reform und Restauration. (1957, [2]1967) [Nachdruck 1975]
  2: Der Kampf um Einheit und Freiheit. 1830 bis 1850. (1960, [2]1968)
    [Nachdruck (1975)]
  3: Bismarck und das Reich. (1963)
    ([2]1970)
  4: Struktur und Krise des Kaiserreichs. (1969)
  5: Weltkrieg, Revolution und Reichserneuerung 1914–1919. (1978)
  6: Weimarer Republik 1920–1933. [In Vorbereitung]
MODERNE DEUTSCHE VERFASSUNGSGESCHICHTE (1815–1918). Hrsg. v. Ernst-
Wolfgang Böckenförde unter Mitarbeit v. Rainer Wahl (= Neue Wiss.
Bibliothek 51. Geschichte). Köln (1972)

Quellensammlung
CORPUS IURIS CIVILIS. [Bearb. v. Paul Krüger (u. a.).] Bd. 1–3. Berlin
  1: [Institutiones/Digesta]. 1872, [22]1973
  2: [Codex Iustinianus]. 1877, [15]1970
  3: [Novellae]. 1895, [10]1972

*

Österreich
Friedrich WALTER, Österreichische Verfassungs- und Verwaltungsgeschichte
von 1500–1955. Aus dem Nachlaß hrsg. v. Adam Wandruszka (= Ver-
öffentlichungen der Kommission für Neuere Geschichte Österreichs 59).
Wien/Köln/Graz 1972
Hermann BALTL, Österreichische Rechtsgeschichte. Graz 1970. – 3. Aufl.
Graz/Wien 1977

*

Frankreich
Robert HOLTZMANN, Französische Verfassungsgeschichte von der Mitte des
9. Jahrhunderts bis zur Revolution (= Handbuch der mittelalterlichen
und neueren Geschichte. Hrsg. v. Georg von Below und Friedrich Meinecke. Abt. 3. München/Berlin 1910 [Nachdruck München 1965]

*

England
David Lindsay KEIR, The Constitutional History of Modern Britain since
1485. London (1938, [9]1969)

3. Völkerrecht

Alfred VERDROSS, Völkerrecht (= Enzyklopädie der Rechts- und Staatswissenschaft. Abteilung Rechtswissenschaft 30). Berlin 1937. – 5. Aufl. unter Mitarbeit v. Stephan Verosta u. Karl Zemanek (= Rechts- und Staatswissenschaften 10). Wien 1964

Georg DAHM, Völkerrecht. Bd. 1–3. (Stuttgart 1958–61)

Friedrich BERBER, Lehrbuch des Völkerrechts. Bd. 1–3. München/Berlin. – 2. Aufl. Berlin

    1: Allgemeines Friedensrecht. 1960, [2]1975

    2: Kriegsrecht. 1962, [2]1969

    3: Streiterledigung, Kriegsverhütung, Integration. 1964, [3]1977

Hermann MEYER-LINDENBERG, Völkerrecht (= Schaeffers Grundriß des Rechts und der Wirtschaft. Abt. 2 Bd. 32) (Stuttgart) 1957. – 2. Aufl. in Zusammenarbeit mit P. Sympher. (Stuttgart) 1969. – 3. Aufl. ... Stuttgart [u.a.] [1974]

VÖLKERRECHT. Lehrbuch. Hrsg. v. d. Arbeitsgemeinschaft für Völkerrecht b. Institut f. Internationale Beziehungen an d. Akademie f. Staats- und Rechtswissenschaft der DDR. Bd. 1–2. Berlin (Ost) 1973 [auch Köln 1974]

4. Kriegs- und Militärgeschichte

Carl Hans HERMANN, Deutsche Militärgeschichte. Eine Einführung. Hrsg. im Auftrag d. Arbeitskreises f. Wehrforschung. Frankfurt/M 1966, [2]1968

KURZER ABRISS DER MILITÄRGESCHICHTE von den Anfängen der Geschichte des deutschen Volkes bis 1945. [Bearb. v. einem Autorenkollektiv.] (= Schriften des Militärgeschichtlichen Institutes der DDR). Berlin (Ost) 1974

HANDBUCH ZUR DEUTSCHEN MILITÄRGESCHICHTE 1648–1939. Hrsg. vom Militärgeschichtlichen Forschungsamt, Freiburg i. Br., durch Hans Meier-Welcker u. Wolfgang von Groote. Bd. 1–. Freiburg
[Einteilung:]

    1: Gerhard Papke, Militärgeschichte des Absolutismus. 1648–1789 [noch nicht erschienen]

    2: Rainer Wohlfeil, Vom Stehenden Heer des Absolutismus zur Allgemeinen Wehrpflicht. 1789–1814. 1964–65

    3: Jürg Zimmermann, Militärverwaltung und Heeresaufbringung in Österreich bis 1806. 1965

    4: Militärgeschichte im 19. Jahrhundert 1814–1849. Teil 1–2
        1. Manfred Messerschmidt, Die politische Geschichte der preußisch-deutschen Armee. 1975

2. Manfred Messerschmidt, Die Preußische Armee. – Wolfgang Petter, Deutscher Bund und deutsche Mittelstaaten. – Edgar Graf von Matuschka/Wolfgang Petter, Organisationsgeschichte der Streitkräfte. 1976

5: Wiegand Schmidt-Richberg/Edgar Graf von Matuschka, Von der Entlassung Bismarcks bis zum Ende des Ersten Weltkrieges (1890–1918). 1968

6: Rainer Wohlfeil/Edgar Graf von Matuschka, Reichswehr und Republik (1918–1933). 1970

7. Michael Salewski [u. a.], Wehrmacht und Nationalsozialismus 1933–1939. [Für 1978 angekündigt.]

8. Wolfgang Petter [u. a.], Deutsche Marinegeschichte der Neuzeit. (1978)

9: Volkmar Regling/Heinz-Ludger Borgert, Grundzüge der militärischen Kriegführung; Gesamtregister [noch nicht erschienen]

Bibliographien

Hans PLANITZ/Thea BUYKEN, Bibliographie zur deutschen Rechtsgeschichte. Bd. 1–2. Frankfurt/M 1952

BIBLIOGRAPHIE DER DEUTSCHEN HOCHSCHULSCHRIFTEN ZUR RECHTSGESCHICHTE (1945–1964). Bearb. v. Gerhard Köbler (= Göttinger Studien zur Rechtsgeschichte. Sonderband). Göttingen/Zürich/Frankfurt/M 1969

BIBLIOGRAPHIE ZUR FRIEDENSFORSCHUNG. Hrsg. v. Gerta Scharffenorth u. Wolfgang Huber unter Mitarbeit v. J. Bopp [u.a.] ... (= Studien zur Friedensforschung 6). Stuttgart/München (1970)

NEUE BIBLIOGRAPHIE ZUR FRIEDENSFORSCHUNG. Hrsg. v. Gerta Scharffenorth u. Wolfgang Huber unter Mitarbeit v. U. Albrecht [u. a.] (= Studien z. Friedensforschung 12). Stuttgart/München (1973)

DW 39/1–3935 [Recht und Staat]; DW 40/1–506 [Kriegs- und Wehrwesen]; 42/1–4386 [Religion und Kirche]

5. Wirtschafts- und Sozialgeschichte

METHODEN DER SOZIALWISSENSCHAFTEN. Dargestellt v. Eberhard Fels, Gerhard Tintner [u.a.] (= Enzyklopädie der geisteswissenschaftlichen Arbeitsmethoden 8). München/Wien (1967)

GESCHICHTE UND SOZIOLOGIE. Hrsg. v. Hans-Ulrich Wehler (= Neue Wiss. Bibliothek 53. Geschichte). Köln (1972)

BEVÖLKERUNGSGESCHICHTE. Hrsg. v. Wolfgang Köllmann u. Peter Marschalck (= Neue Wiss. Bibliothek 54. Geschichte). Köln (1972)

Arthur E. IMHOF, Einführung in die Historische Demographie (=Beck'sche Elementarbücher). München (1977)

Europa

THE CAMBRIDGE ECONOMIC HISTORY [Bd. 1: of Europe from the Decline of the Roman Empire]. Bd. 1–. Cambridge 1941–
 1: The Agrarian Life of the Middle Ages. 1941, ²1966
 2: Trade and Industry in the Middle Ages. Hrsg. v. M. Postan u. E. E. Rich. 1952
 3: Economic Organization and Policies in the Middle Ages. Hrsg. v. M. Postan, E. E. Rich u. Edward Miller. 1963
 4: The Economy of Expanding Europe in the Sixteenth and Seventeenth Centuries. Hrsg. v. E. E. Rich u. C. H. Wilson. 1967
 5: Economic Organization of Early Modern Europe. Hrsg. v. E. E. Rich u. C. H. Wilson. 1977
 6,1–2: The Industrial Revolution and After: Incomes, Population and Technological Change. Hrsg. v. H. J. Habakkuk u. M. Postan. 1965
 7,1–2: Industrial Economics: Capital Labour and Enterprise. Hrsg. v. Peter Mathias u. M. M. Postan. 1977

Hans HAUSSHERR, Wirtschaftsgeschichte der Neuzeit vom Ende des 14. Jh.s b. z. Höhe d. 19. Jh.s. Weimar 1954. – 4. A. Köln/Wien 1970
Wilhelm TREUE, Wirtschaftsgeschichte der Neuzeit ⟨18.–20. Jh.⟩. Bd. 1–2. [Untertitel der 1. Aufl.: Im Zeitalter der Industriellen Revolution 1710 bis 1960.] (= Kröners Taschenbuchausg. 207–208). Stuttgart (1962, ³1973)
Hermann KELLENBENZ, Grundlagen des Studiums der Wirtschaftsgeschichte. Unter Benutzung des Werkes v. Ludwig Beutin völlig neu bearb. (= Böhlau-Studien-Bücher). Köln/Wien 1973

*

Deutschland

Friedrich LÜTGE, Deutsche Sozial- und Wirtschaftsgeschichte. Ein Überblick (= Enzyklopädie der Rechts- und Staatswissenschaft. Abt. Staatswissenschaft . . .). Berlin [u.a.] 1952, ³1966 [Nachdruck Berlin (u.a.) 1976]
HANDBUCH DER DEUTSCHEN WIRTSCHAFTS- UND SOZIALGESCHICHTE. Hrsg. v. Hermann Aubin u. Wolfgang Zorn. Bd. 1–2. Stuttgart
 1: Von der Frühzeit bis zum Ende des 18. Jahrhunderts. 1971
 2: Das 19. und 20. Jahrhundert. 1976
Hermann KELLENBENZ, Deutsche Wirtschaftsgeschichte. Bd. 1–2 (= Beck'-sche Sonderausgaben). München
 1: Von den Anfängen bis zum Ende des 18. Jahrhunderts. 1977
 2: Das 19. und 20. Jahrhundert. [In Vorb.]
Wolfgang ZORN, Einführung in die Wirtschafts- und Sozialgeschichte des Mittelalters und der Neuzeit. Probleme und Methoden (= Beck'sche Elementarbücher). München (1972, ²1974)
Gustav STOLPER, Deutsche Wirtschaft seit 1870. Fortgef. v. Karl Häuser

u. Knut BORCHARDT. Tübingen 1964, ²1966. – 1. Ausgabe u.d.T.: Deutsche Wirtschaft 1870–1940. Kaiserreich – Republik – Drittes Reich. Stuttgart (1950)

Wilhelm ABEL, Geschichte der deutschen Landwirtschaft vom frühen Mittelalter bis zum 19. Jahrhundert (= Deutsche Agrargeschichte. Hrsg. v. Günther Franz. 2). Stuttgart (1962), ²1967

Günther FRANZ, Geschichte des deutschen Bauernstandes vom frühen Mittelalter bis zum 19. Jahrhundert (= Deutsche Agrargeschichte ... 4). Stuttgart (1970, ²1976)

Heinz HAUSHOFER, Geschichte der deutschen Landwirtschaft im technischen Zeitalter (= Deutsche Agrargeschichte. Hrsg. v. Günther Franz. 5). Stuttgart (1963, ²1972)

MODERNE DEUTSCHE WIRTSCHAFTSGESCHICHTE. Hrsg. v. Karl Erich Born (= Neue Wissenschaftliche Bibliothek. Geschichte. 12). Köln/Berlin 1966

MODERNE DEUTSCHE SOZIALGESCHICHTE. Hrsg. v. Hans-Ulrich Wehler (= Neue Wissenschaftliche Bibliothek. Geschichte. 10). Köln/Berlin 1966, ³1970

*

Österreich

Anton TAUTSCHER, Wirtschaftsgeschichte Österreichs auf der Grundlage abendländischer Kulturgeschichte. Berlin (1974)

*

Frankreich

HISTOIRE ECONOMIQUE ET SOCIALE DE LA FRANCE. Hrsg. v. Fernand Braudel u. Ernest Labrousse ... Bd. 1–3. Paris

1,1–2: De 1450 à 1660. T. 1–2
    1. Pierre Chaunu/Richard Gascon, L'Etat et la Ville. (1977)
    2. Emmanuel le Roy Ladurie/Michel Morineau, Paysannerie et croissance. (1977)

2:    Ernest Labrousse [u.a.], Des derniers temps de l'âge seigneurial aux préludes de l'âge industriel (1660–1789). (1970)

3,1–2: Pierre Léon [u.a.], L'avènement de l'ère industrielle (1789 – années 1880). T. 1–2. (1976)

Pierre GOUBERT, L'ancien régime ⟨1600–1750⟩. Bd. 1. La société (= Collection U. Série « Histoire moderne » ...). Paris (1969, ⁴1974). – Bd. 2. Les pouvoirs (=Collection U ...). Paris (1973)

Georges DUPEUX, La société française 1789–1960 (= Collection U. Série « Histoire contemporaine » ...). Paris 1964, ⁷1974

WIRTSCHAFT UND GESELLSCHAFT IN FRANKREICH seit 1789. Hrsg. v. Gilbert Ziebura ... (=Neue Wiss. Bibliothek 76). (Köln 1975)

England

Ephraim LIPSON, The Economic History of England. Bd. 1–3. London (1915–31) [Bd. 1 u.d.T.: An Introduction to the Economic History of England. 1. The Middle Ages (1915, [12]1959). – Für die Neuzeit: Bd. 2–3: The Age of Mercantilism. (1931, [6]1956); häufige Neudrucke]

Pauline GREGG, A Social and Economic History of Britain 1760–1972. London ([7]1973). – 1. Aufl. u.d.T.: ... 1760–1950. London (1950)

Bibliographie

Hans-Ulrich WEHLER, Bibliographie zur modernen deutschen Wirtschaftsgeschichte. (18.–20. Jahrhundert.) (= Arbeitsbücher z. modernen Gesch. 2 = Uni-Taschenbücher 621). Göttingen (1976)

Hans-Ulrich WEHLER, Bibliographie zur modernen deutschen Sozialgeschichte. 18.–20. Jahrhundert (= Arbeitsbücher z. modernen Gesch. 1 = Uni-Taschenbücher 620). Göttingen (1976)

DW 35/1–1658 [Sozialwissenschaften]; 37/1–1242 [Wirtschaft]

6. Geschichtliche Landeskunde und Landesgeschichte

GESCHICHTE DER DEUTSCHEN LÄNDER. »Territorien-Ploetz«. Hrsg. v. Georg Wilhelm Sante u. A. G. Ploetz-Verlag. Bd. 1–2. Würzburg
  1: Die Territorien bis zum Ende des alten Reiches. (1964)
  2: Die deutschen Länder vom Wiener Kongreß bis zur Gegenwart. 1971

HANDBUCH DER HISTORISCHEN STÄTTEN DEUTSCHLANDS. Bd. 1–(11, 13) (= Kröners Taschenausgabe 271–277, 311–314, 317). Stuttgart (1958–[75]) [z. T. mehrere Neuauflagen]

GESCHICHTE SCHLESWIG-HOLSTEINS. Begr. v. Volquart Pauls. Im Auftrage der Gesellschaft für schleswig-holsteinische Geschichte ... hrsg. v. Olaf Klose. Bd. 1–8. Neumünster 1934–(72) [noch unvollständig]

DER RAUM WESTFALEN. Im Auftrag des Landschaftsverbandes Westfalen-Lippe hrsg. v. Hermann Aubin [u.a.]. Bd. 1–. Berlin 1931–34 [Bd. 1, 2,2; 3]; Münster 1955–(70) [Bd. 2,1; 4,1–4; 5,1] [noch unvollständig]

GESCHICHTE DES RHEINLANDES von der ältesten Zeit bis zur Gegenwart. Von Hermann Aubin [u.a.]. (Hrsg. v. d. Gesellschaft f. rhein. Geschichtskunde.) Bd. 1–2. Essen 1922

Karl E. DEMANDT, Geschichte des Landes Hessen. Kassel 1959, [2]1972

Berthold SÜTTERLIN, Geschichte Badens. Bd. 1–. Karlsruhe (1965, [2]1968) [bisher Bd. 1 Frühzeit und Mittelalter]

Karl WELLER, Württembergische Geschichte. 8. ... Aufl. hrsg. v. Arnold Weller. Stuttgart (1975). – 1. Aufl. (= Sammlung Göschen 462) Leipzig 1909

Ernst MARQUARDT, Geschichte Württembergs. Stuttgart 1961, ²1962
HANDBUCH DER BAYERISCHEN GESCHICHTE ... Hrsg. v. Max Spindler. Bd.
1–4. München 1967–75
DAS ÖSTLICHE DEUTSCHLAND. Ein Handbuch. Hrsg. v. Göttinger Arbeits-
kreis. Würzburg (1959)
Bruno SCHUMACHER, Geschichte Ost- und Westpreußens. Königsberg
(1937). – 4. Aufl. hrsg. v. Göttinger Arbeitskreis. Würzburg (1959)
GESCHICHTE SCHLESIENS. Hrsg. v. der Historischen Kommission für Schle-
sien unter Leitung v. Hermann Aubin, Ludwig Petry, Herbert Schlenger.
Bd. 1–(2). Stuttgart [2: Darmstadt] (1961–[73]) [Bd. 1 in 3. Aufl. 1961.
Von den drei geplanten Bänden der 1. Vorkriegsaufl. erschien nur Bd. 1.
Breslau 1938]
Johannes SCHULTZE, Die Mark Brandenburg. Bd. 1–5 〈–1815〉. Berlin
(1961–69)
Rudolf KÖTZSCHKE/Hellmut KRETZSCHMAR, Sächsische Geschichte. Wer-
den und Wandlungen eines deutschen Stammes und seiner Heimat im
Rahmen der deutschen Geschichte. Bd. 1–2. Dresden (1935). – Nachdruck
in 1 Bd. Frankfurt/M (1965). – Neuaufl. für 1977 angekündigt.
GESCHICHTE THÜRINGENS. Hrsg. v. Hans Patze u. Walter Schlesinger. Bd.
1–(4) (= Mitteldeutsche Forschungen 48/I–IV). Köln [u. a.] 1967–(74)

Bibliographien
Reinhard OBERSCHELP, Die Bibliographien zur deutschen Landesgeschichte
und Landeskunde im 19. und 20. Jahrhundert (= Zeitschrift für Biblio-
thekswesen und Bibliographie 7). Frankfurt (1967)
DW 26/1–1469 [Die zu DW 26/539 gehörige Bibl. inzwischen ersch.:]
BIBLIOGRAPHIE ZUR STÄDTEGESCHICHTE. Deutschland ... hrsg. v. Erich
Keyser (= Acta Collegii Historiae urbanae Societatis Historicorum
Internationalis. Köln/Wien 1969

7. Politische Ideengeschichte

Friedrich MEINECKE, Die Idee der Staatsräson in der neueren Geschichte.
München/Berlin 1924. – [Zuletzt in:] F. Meinecke, Werke. Bd. 1. Hrsg.
u. eingel. v. Walther Hofer. München 1957
Gerhard RITTER, Die Dämonie der Macht. Betrachtungen über Geschichte
und Wesen des Machtproblems im politischen Denken der Neuzeit. München (⁶1948)
[1. Aufl. u.d.T.: Machtstaat und Utopie. Vom Streit um die Dämonie
der Macht seit Machiavelli und Morus. München/Berlin 1940]
George Holland SABINE, A History of Political Theory. London (1937). –
⁴1973

Jean TOUCHARD, Histoire des idées politiques (= « Thémis ». Manuels juridiques, économiques et politiques . . .) Bd. 1–2. Paris 1959, ³, ⁴1967 ⁴, ⁶1971–73

Bibliographie
DW 39/1841–1943

8. *Politische Wissenschaft*

Otto Heinrich von der GABLENTZ, Einführung in die Politische Wissenschaft (= Die Wissenschaft von d. Politik 13). Köln/Opladen (1965)

Gerhard LEHMBRUCH, Einführung in die Politikwissenschaft. Unter Mitarbeit v. Frieder Naschold u. Peter Seibt (= Gesch. u. Gegenwart). Stuttgart [u.a.] (1967, ⁴1971)

Manfred HÄTTICH, Lehrbuch der Politik-Wissenschaft. Bd. 1–3. Mainz (1967–72)
   1: Grundlegung und Systematik. 1967
   2: Theorie der pol. Ordnung. 1969
   3: Theorie der politischen Prozesse. 1972

Manfred HÄTTICH, Grundbegriffe der Politikwissenschaft. Darmstadt 1969

DIE WAHL DER PARLAMENTE und anderer Staatsorgane. Ein Handbuch. Hrsg. v. Dolf Sternberger u. Bernhard Vogel. Bd. 1–. Berlin 1969–
   1,1–2: Europa. 1969

Paul NOACK, Was ist Politik? Eine Einführung in ihre Wissenschaft. Geleitwort v. Alfred Grosser. München/Zürich 1973

Bibliographien
Thomas ELLWEIN/Oswald von NAGY, Kleine Bücherkunde für die politische Bildung. München (1956). 5. Ausgabe u.d.T.: Thomas Ellwein/Joachim Hirsch, Bücherkunde zur Politik. München (1966)

BIBLIOGRAPHIE ZUR POLITIK IN THEORIE UND PRAXIS. Hrsg. v. Karl Dietrich Bracher und Hans-Adolf Jacobsen (= Bonner Schriften zur Politik und Zeitgeschichte 1). Düsseldorf 1970. – Erg.-Bd.: Schrifttum Juni 1969 bis Oktober 1972. Düsseldorf 1973

LITERATURVERZEICHNIS DER POLITISCHEN WISSENSCHAFTEN ⟨1952–(1970)⟩. Hrsg. v. der Hochschule für Politische Wissenschaften München. München 1952–70 [Erscheinen eingestellt]

DW 39/1735–1767

9. *Publizistik*

HANDBUCH DER PUBLIZISTIK. Hrsg. v. Emil Dovifat. Bd. 1–3. Berlin
1968–69
GESCHICHTE DER DEUTSCHEN PRESSE. Teil 1–3 (= Abhandlungen u. Materialien z. Publizistik 5–7). (Berlin)
  1: Margot Lindemann, Deutsche Presse bis 1815. (1969)
  2: Kurt Koszyk, Deutsche Presse im 19. Jahrhundert. (1966)
  3: Kurt Koszyk, Deutsche Presse 1914–1945. (1972)

Bibliographien
DW 36/1–396 [Publizistik], 54/1–212 [Film], 55/1–114 [Rundfunk]
Gert HAGELWEIDE, Deutsche Zeitungsbestände in Bibliotheken und Archiven. Hrsg. v. der Kommission für Geschichte des Parlamentarismus u. der politischen Parteien u. dem Verein Deutscher Bibliothekare e. V. (= Bibliographien z. Geschichte d. Parlamentarismus u. d. politischen Parteien 6). Düsseldorf (1974)

10. *Kulturgeschichte*

HANDBUCH DER KULTURGESCHICHTE. Hrsg. v. Heinz Kindermann. Abt.
1–2. Potsdam (1934–39)
  Abt. 1 [Bd. 1–7]: Geschichte des deutschen Lebens
  Abt. 2 [Bd. 1–3; unvollständig]: Geschichte des Völkerlebens
[Neubearbeitung:]
HANDBUCH DER KULTURGESCHICHTE. Begr. v. Heinz Kindermann. Neu
hrsg. v. Eugen Thurnher. Abt. 1–2. (1960–)
  Abt. 1: Zeitalter deutscher Kultur
    [1:] Willy Krogmann, Die Kultur der alten Germanen [bisher Heft 1–7. Konstanz (1961–66)]
    [5:] Ernst W. Zeeden, Dt. Kultur in d. früh. Neuzeit. Frf./M (1968)
    [6:] Willi Flemming, Deutsche Kultur im Zeitalter des Barocks. Konstanz (1960)
    [7:] Emil Ermatinger, Deutsche Kultur im Zeitalter der Aufklärung (1969)
    [8:] Walter Horace Bruford, Deutsche Kultur in der Goethezeit. Konstanz (1965)
    [9:] Karl Buchheim, Deutsche Kultur zwischen 1830 und 1870. Frankfurt/M (1966)
    [10:] Hans Kramer, Deutsche Kultur zwischen 1871 und 1918 (1971)

[11:] Dietrich W. H. Schwarz, Die Kultur der Schweiz. Frank-
furt/M (1967)
[12:] Die Kultur Österreichs [in Vorbereitung]
Abt. 2: Kulturen der Völker [noch nicht abgeschlossen]

11. *Literaturgeschichte (Mittelalter)*

Gustav GRÖBER, Übersicht über die Lateinische Literatur von der Mitte des
6. bis zur Mitte des 14. Jahrhunderts. In: Grundriß der romanischen
Philologie, Bd. 2 Abt. 1. Straßburg 1902 [Nachdruck München 1974]
Max MANITIUS, Geschichte der lateinischen Literatur des Mittelalters. Bd.
1–3 [Bd. 3 unter Paul Lehmanns Mitwirkung] (= Handbuch der klas-
sischen Altertumswissenschaft. Abt. 9, Teil 2). München 1911–31 [Nach-
druck 1965–74]
Franz BRUNHÖLZL, Geschichte der lateinischen Literatur des Mittelalters.
Bd. 1–(4). München 1975– [noch unvollständig]
Frederic James Edward RABY, A History of Christian-Latin Poetry from
the Beginnings to the Close of the Middle Ages. Oxford 1927, ²1953
Frederic James Edward RABY, A History of Secular Latin Poetry in the
Middle Ages. Bd. 1–2. Oxford 1934, ²1957
Berthold ALTANER, Patrologie (= Herders theologische Grundrisse). Frei-
burg 1938
[Neubearbeitung:]
Berthold ALTANER/Alfred STUIBER, Patrologie. Leben, Schriften und Lehre
der Kirchenväter. Freiburg/Basel/Wien ⁷1966
Gustav EHRISMANN, Geschichte der deutschen Literatur bis zum Ausgang
des Mittelalters. Bd. 1–2 (= Handbuch des deutschen Unterrichts an
höheren Schulen 6). München 1918–32 [Bd. 1, ²1932. – Nachdruck München 1954 und 1965–66]
Helmut de BOOR/Richard NEWALD, Geschichte der deutschen Literatur
von den Anfängen bis zur Gegenwart. Bd. 1–(8). München 1949– [bis-
her erschienen Bd. 1–6. Bd. 1 ⁸1971; Bd. 2 ⁹1974; Bd. 3,1 ⁴1973; Bd. 4,1
1970; Bd. 4,2 1973; Bd. 5 ⁶1967; Bd. 6,1 ⁶1973. – Bd. 3,2 und 6,2 noch in
1. Aufl.]

*

Vulgär- und Mittellatein
Karl VOSSLER, Einführung ins Vulgärlatein. Hrsg. u. bearb. v. Helmut
Schmeck. München (1954)
Karl STRECKER, Einführung in das Mittellatein. Berlin ³1939. – [Zuletzt
in engl. Übersetzung:]

Karl STRECKER, Introduction to Medieval Latin. English Translation and Revised by Robert B. Palmer. (Berlin 1957). – 6. Aufl. Zürich/Berlin 1971

Ludwig TRAUBE, Einleitung in die lateinische Philologie des Mittelalters. Hrsg. v. Paul Lehmann (= Ludwig Traube, Vorlesungen und Abhandlungen 2). München 1911 [Nachdruck München (1965)]

Karl LANGOSCH, Lateinisches Mittelalter. Einleitung in Sprache und Literatur. Darmstadt 1963, ³1969 [Nachdruck 1975]

Dag NORBERG, Manuel pratique de latin médiéval (= Connaissances des langues 4). Paris 1968

*

Textgeschichte und Rhetorik

Paul MAAS, Textkritik. Leipzig ⁴1960

GESCHICHTE DER TEXTÜBERLIEFERUNG der antiken und mittelalterlichen Literatur. Bd. 1–2. Zürich. – Bd. 1. Von Herbert Hunger [u.a.]. (1961). – Bd. 2. Von Karl Langosch [u. a.]. (1964)

Heinrich LAUSBERG, Handbuch der literarischen Rhetorik. Eine Grundlegung der Literaturwissenschaft [nebst Reg.-Bd.]. München 1960, ²1973

Heinrich LAUSBERG, Elemente der literarischen Rhetorik. Eine Einführung für Studierende der klassischen, romanischen, englischen und deutschen Philologie. Münster 1949, (⁵1976)

Leonid ARBUSOW, Colores rhetorici. Eine Auswahl rhetorischer Figuren und Gemeinplätze als Hilfsmittel für akademische Übungen an mittelalterlichen Texten. Göttingen 1948, ²1963

*

Wörterbücher

DIE DEUTSCHE LITERATUR DES MITTELALTERS. Verfasserlexikon Bd. 1–4, Nachtrags-Bd. 1. Hrsg. v. Wolfgang Stammler. Berlin/Leipzig [Bd. 3 ff. Berlin] 1933–1955

DIE DEUTSCHE LITERATUR DES MITTELALTERS. Verfasserlexikon. Bd. 1– Hrsg. v. Kurt Ruh [u. a.]. Berlin/New York 1977

Alfred FRANKLIN, Dictionnaire des noms, surnoms et pseudonymes latins de l'histoire littéraire du moyen âge [1100 à 1530]. Paris 1875 [Nachdruck Hildesheim 1966]

Bibliographie

DW 31/266–377, 50/230–378, 622–685

12. *Kunstgeschichte*

METHODEN DER KUNST- UND MUSIKWISSENSCHAFT. Dargestellt v. Martin Gosebruch, Christian Wolters, Walter Wiora (= Enzyklopädie der geisteswissenschaftlichen Arbeitsmethoden 6). München/Wien (1970)

Hubert SCHRADE, Einführung in die Kunstgeschichte (= Urban-Bücher 9). Stuttgart [u.a.] (1966)

Udo KULTERMANN, Geschichte der Kunstgeschichte. Der Weg einer Wissenschaft. Wien/Düsseldorf (1966)

Bibliographien

DW 51/547–594 [Bild. Künste], 52/219–705 [Musik], 53/226–400 [Theater]

BIBLIOGRAPHIE D'HISTOIRE DE L'ART. (Colloque) Paris 24, 25, 26 mars 1969 (= Colloques internationaux du Centre national de la recherche scientifique. Sciences humaines). Paris 1969

13. *Technikgeschichte*

Franz HENDRICHS, Der Weg aus der Tretmühle. Ein Abriß der Technik der Neueren Zeit. Düsseldorf 1955, ³1966

Albrecht TIMM, Einführung in die Technikgeschichte (= Sammlung Göschen 5010). Berlin/New York 1972

MODERNE TECHNIKGESCHICHTE. Hrsg. v. Karin Hausen u. Reinhard Rürup (= Neue Wiss. Bibliothek 81). (Köln 1975)

A HISTORY OF TECHNOLOGY. Hrsg. v. Charles Singer [u.a.] Bd. 1–5. Oxford 1954–58

Thomas Kingston DERRY/Trevor J. WILLIAMS, A Short History of Technology. From the Earliest Times to A. D. 1900. Oxford 1960 [als Paperback London/Oxford/New York 1970]

HISTOIRE GÉNÉRALE DES TECHNIQUES. Publiées sous la direction de Maurice Daumas. Bd. 1–(3). Paris 1962–(68)

Bibliographie
DW 56/1–431

XII. Geschichte der Geschichtswissenschaft

Karl BRANDI, Geschichte der Geschichtswissenschaft (= Geschichte der Wissenschaften. I. Geschichtswissenschaften). Bonn 1947. – 2. Aufl. überarbeitet v. Wolfgang Graf. Bonn 1952

*

Mittelalter
Herbert GRUNDMANN, Geschichtsschreibung im Mittelalter. Gattungen, Epochen, Eigenart. In: Deutsche Philologie im Aufriß. Hrsg. v. Wolfgang Stammler, Bd. 3 (Berlin 1957, ²1962). [Als Sonderausg. = Kleine Vandenhoeck-Reihe 209/210 Göttingen (1965, ²1969)]

Neuzeit
Eduard FUETER, Geschichte der neueren Historiographie (= Handbuch der mittelalterlichen und neueren Geschichte. Hrsg. v. Georg von Below und Friedrich Meinecke. Abt. I). München/Berlin 1911, ³1936 [Nachdruck München/Berlin (1968)]

Heinrich Ritter von SRBIK, Geist und Geschichte vom deutschen Humanismus bis zur Gegenwart. Bd. 1–2. München/Salzburg (1950–51) [Bd. 1 in 3. unveränderter, Bd. 2 in 2. unveränderter Aufl. 1964]

Friedrich MEINECKE, Die Entstehung des Historismus. Bd. 1–2. Berlin 1936 [Neudruck in:]

Friedrich MEINECKE, Die Entstehung des Historismus. Hrsg. v. Carl Hinrichs (= Werke 3). München ⁴1965

Friedrich MEINECKE, Zur Geschichte der Geschichtsschreibung. Hrsg. v. Eberhard Kessel (= Werke 7). München 1968

George Peabody GOOCH, History and Historians in the Nineteenth Century. London 1913, ²1952 [Deutsche Ausgabe:]

George Peabody GOOCH, Geschichte und Geschichtsschreiber im 19. Jahrhundert. Vom Verfasser neubearb. deutsche Ausgabe mit einem Ergänzungskapitel. (Frankfurt/M 1964)

Peter HÜNERMANN, Der Durchbruch des geschichtlichen Denkens im 19. Jahrhundert. Johann Gustav Droysen, Wilhelm Dilthey, Graf Paul Yorck von Wartenberg. Ihr Weg und ihre Weisung für die Theologie. Freiburg/Basel/Wien (1967)

Georg G. IGGERS, The German Conception of History. The National Tradition of Historical Thought, from Herder to the Present. Middletown/Conn. (1968) – [In deutscher Übers. erschienen u.d.T.:] Deutsche Geschichtswissenschaft. Eine Kritik der traditionellen Geschichtsauffassung von Herder bis zur Gegenwart (= dtv Wiss. Reihe). (München 1971) (²1972)

Alfons LHOTSKY, Österreichische Historiographie (= Österreich Archiv). München (1962)

Richard FELLER/Edgar BONJOUR, Geschichtsschreibung der Schweiz vom Spätmittelalter zur Neuzeit. Bd. 1–2. Basel/Stuttgart (1962)

*

Textsammlung
GESCHICHTE UND GESCHICHTSSCHREIBUNG. Möglichkeiten. Aufgaben. Methoden. Texte von Voltaire bis zur Gegenwart. Hrsg. u. eingel. v. Fritz Stern. München (1966) [Übers. aus d. Amerikanischen]

*

Bibliographien
DW 5/1–45; 7/1–1624
Georg G. IGGERS/Wilhelm SCHULZ, Geschichtswissenschaft. In: Sowjetsystem und demokratische Gesellschaft. Eine vergleichende Enzyklopädie. Hrsg. v. C. D. Kernig ... Bd. 2. Freiburg/Basel/Wien 1968, Sp. 955–59
[Über *Geschichtsphilosophie* vgl. DW 3/1–746; 4/1–446.]

XIII. Vertragssammlungen

CORPS UNIVERSEL DIPLOMATIQUE du Droit des Gens; contenant un recueil des traitez d'alliance, de paix, de trêve ... depuis le Regne de l'Empereur Charlemagne jusques à présent ... Hrsg. v. Jean DuMont [u.a.] Bd. 1–8. Amsterdam/Den Haag 1726–31 [Nachdruck New York]

1: ⟨800–1358⟩. 1726
2: ⟨1359–1435⟩. 1726
3: ⟨1436–1500⟩. 1726
4: ⟨1501–1555⟩. 1726   7: ⟨1667–1700⟩. 1731
5: ⟨1556–1630⟩. 1728   8: ⟨1701–1730⟩. 1731
6: ⟨1631–1666⟩. 1728

SUPPLÉMENT au Corps Universel ... augmenté par Mr. Rousset. Bd. 1–5. Amsterdam/Den Haag 1739 [Nachdruck New York]

THE CONSOLIDATED TREATY SERIES [CTS] ⟨1648–1918⟩. Ed. ... by Clive
Parry. Bd. 1–135) ⟨–1867⟩. Dobbs Ferry, N.Y. 1969– [Geplant über
200 Bde.; ersetzt Bd. 6–8 des DuMont, die Martens-Serien und andere
nationale Vertragssammlungen]

*

Martens-Serien
1) ⟨1761–1808⟩
   Recueil de traités [Bd. 5 ff. Recueil des principaux traités] d'alliance,
   de paix, de trêve, de neutralité, de commerce, de limites, d'échange ...
   des puissances et Etats de l'Europe ... depuis 1761 jusqu'à présent ...
   Hrsg. v. Georges Frédéric de Martens [Georg Friedrich von Mar-
   tens]. Bd. 1–8. Göttingen ²1817–1835 [1. Aufl. Bd. 1–7. Göttingen
   1791–1801]
2) ⟨1494, –1807⟩
   Supplément au Recueil des principaux traités d'alliance ... conclus
   par les puissances de l'Europe tant entre elles qu'avec les puissances et
   Etats dans d'autres parties du monde depuis 1761 jusqu'à présent,
   précédé de traités du XVIIIᵉ siècle à cette époque et qui ne se trou-
   vent pas dans le corps universel diplomatique de Mʳˢ Dumont et
   Rousset et autres recueils généraux de traités ... par Georges Frédéric
   de Martens. Bd. 1–4. Göttingen 1802–08
3) ⟨1808–1839⟩
   Nouveau Recueil ... depuis 1808 ... par Georges Frédéric de Martens
   [tomes 1–4; tome 5 par le Baron C. de Martens; vol. suppl. au Vème
   vol. et tomes 6–9 par F. Saalfeld; tomes 10–16 par F. Murhard].
   Bd. 1–16. Göttingen 1817–42. – [Als Vortitel erscheint auch der Titel
   von 2) mit durchgehender Bandzählung von Bd. 1–20.]
4) ⟨1559, –1839⟩
   Nouveaux supplémens au Recueil de traités ... Par Frédéric Murhard. Bd. 1–3. Göttingen 1839–42
5) [Register zu 1)–4); ersetzt durch 7):]
   Table générale ... Teil 1 ⟨1760–1826⟩. Göttingen 1837
   Teil 2 ⟨1559–1839⟩. Göttingen 1843
6) ⟨1720–1874⟩
   Nouveau recueil général de traités, de conventions et autres trans-
   actions remarquables ... Rédigé ... par Frédéric Murhard [tomes
   1–11. Continué par Ch. Murhard et J. Pinhas, tomes 12, 13; par
   Charles Samwer, tomes 14–17; par Charles Samwer et Jules Hopf,
   tomes 18–20] *Serie 1* Bd. 1–20. Göttingen 1843–76 [Bd. 12 u. 13 tragen Nebentitel: Archives diplomatiques générales des années 1848 et
   suivantes ... Bd. 1–2. Göttingen 1854–55.
   Bd. 14–20 tragen Nebentitel: Recueil général de traités et autres

actes relatifs aux rapports de droit international ... Bd. 1–7. Göttingen 1856–76. – Nachdruck Bd. 1–20 Nendeln/Liecht. 1975]

7) [Register zu 1)–4), 6):]
Table générale ... 1494–1874. Teil 1–2. Göttingen
1. [chronologisch]. 1875
2. [alphabetisch]. 1876

8) ⟨1776, –1907⟩
Nouveau recueil général de traités et autres actes relatifs aux rapports de droit international. Continuation ... par Charles Samwer [tomes 1–7; par Jules Hopf, tomes 8–10; par Felix Stoerk, tomes 11–35] *Serie 2* Bd. 1–35. Göttingen [Bd. 22 ff. Leipzig] 1876–1908 [Nachdruck Nendeln/New York 1967]

9) [Register zu 8):]
Table générale. Tomes I–XXV ⟨1853–1899⟩. Leipzig 1900
[Überholt durch:]
Table générale. Tomes I–XXXV ⟨1776–1907⟩. Leipzig 1910 [Nachdruck Nendeln/New York 1967]

10) ⟨1799, –1943⟩
Nouveau recueil général de traités et autres actes relatifs aux rapports de droit international. Continuation par Heinrich Triepel [u.a.] *Serie 3* Bd. 1–41. Leipzig [1941 ff. Greifswald] 1909–44 [Teilnachdruck Aalen 1959–71; Lieferung 3 von Bd. 41, die 1944 nicht mehr erschien, erstmalig Aalen 1970]

11) [Register zu 10):]
Table générale. Tomes I à X ... ⟨1799–1920⟩. Leipzig 1922 [Nachdruck Aalen 1965]
Table générale. Tomes XI à XX ... ⟨1880–1928⟩. Leipzig 1930 [Nachdruck Aalen 1965]
Table générale. Tomes XXI–XXX ... ⟨1859–1935⟩. Leipzig 1935 [Nachdruck Aalen 1965]
Table générale. Tomes XXXI–XLI. Aalen [in Vorbereitung]

*

Der Vertrags-Ploetz
KONFERENZEN UND VERTRÄGE. Vertrags-Ploetz. Ein Handbuch geschichtlich bedeutsamer Zusammenkünfte, Vereinbarungen, Manifeste und Memoranden. Teil II: 1493–1952. Bearb. v. Helmuth Rönnefarth ... Bielefeld (1953)
[Neubearbeitung:]
KONFERENZEN UND VERTRÄGE. Vertrags-Ploetz. Ein Handbuch geschichtlich bedeutsamer Zusammenkünfte und Vereinbarungen. Teil II. Bd. 3: Neuere Zeit. 1492–1914. Zweite erweiterte u. veränderte Aufl. Bearb. v. Helmuth K. G. Rönnefarth. Würzburg (1958). – Teil II. Bd. 4:

Neueste Zeit. 1914–1959. Zweite erweiterte u. veränderte Auflage.
Bearb. v. Helmuth K. G. Rönnefarth und Heinrich Euler. Würzburg
(1959)
[Neubearbeitung von Teil II Bd. 4 unter demselben Haupttitel:]
... Teil II. Bd. 4A: Neueste Zeit. 1914–1959. Zweite u. erweiterte Auf-
lage. Bearb. v. Helmuth K. G. Rönnefarth u. Heinrich Euler. Würzburg
(1959)
Teil II. Bd. 4B: Neueste Zeit. 1959–1963. Begr. v. Helmuth K. G.
Rönnefarth. Unter seiner Mitwirkung bearb. v. Heinrich Euler, unter-
stützt v. Johanna Schomerus. Würzburg (1963)
   [Teil II.] Bd. 5: 1963–1970. Bearb. v. Heinrich Euler ... Würzburg (1975)

HANDBUCH DER VERTRÄGE 1871–1964. Verträge und andere Dokumente
aus der Geschichte der internationalen Beziehungen. Hrsg. v. Helmuth
Stoecker unter Mitarbeit v. Adolf Rüger. (Ost)Berlin 1968
HANDBUCH DER NOTEN, PAKTE UND VERTRÄGE ⟨1944–1967⟩. Hrsg. v.
Franz-Wilhelm Engel. Recklinghausen (²1968)
INDEX TO MULTILATERAL TREATIES. A chronological list of multiparty
international agreements from the 16th century through 1963, with
citations to their text. Hrsg. v. V. Mostecky u. F. R. Doyle (= Harvard
Law School Library). Cambridge/Mass. 1965

LEAGUE OF NATIONS. Treaty Series [LNTS]. Publications of Treaties and
International Engagements Registered with the Secretariat of the
League of Nations. ⟨1918–1943⟩. Bd. 1–205. London 1920–46
[Französischer Vortitel dieser Sammlung:]
SOCIÉTÉ DES NATIONS. Recueil des Traités et des Engagements Internatio-
naux enregistrés par le Secrétariat de la Société des Nations ... [auch
Lausanne 1920–46]
UNITED NATIONS. NATIONS UNIES. TREATY SERIES [UNTS]. Treaties and
other International Agreements Registered or Filed and Recorded with
the Secretariat of the United Nations. 1(1946/47)–895(1973). New York
1946–(76)
[Dazu:]
UNITED NATIONS ... TREATY SERIES ... Cumulative Index Nr. 1–(11) [für
Bd. 1–(750)]. New York 1956–(77)

VERTRÄGE DER BUNDESREPUBLIK DEUTSCHLAND. Serie A: Multilaterale
Verträge. Hrsg. v. Auswärtigen Amt. Bd. 1–48. Bonn/Köln/Berlin
1955–(77). – Erg.-Bd. 1: Verzeichnis und Stand der Verträge ... 1960
[Serie B: Bilaterale Verträge. In Vorbereitung]

Bibliographien:
Ludwig BITTNER, Chronologisches Verzeichnis der österreichischen Staats-
verträge. II.· Die österreichischen Staatsverträge von 1763 bis 1847
(= Veröffentlichungen der Kommission für Neuere Geschichte Öster-
reichs 8). Wien 1909, S. XXI–XXXVII
UNITED NATIONS. List of Treaty Collections. New York 1956

XIV. Bischofs-, Nuntien-, Regenten- und Diplomatenlisten

Louis DUCHESNE, Fastes épiscopaux de l'ancienne Gaule. Bd. 1–3. Paris
1894–1915. – Bd. 1 ²1907; Bd. 2 ²1910
Pius Bonifatius GAMS, Series episcoporum ecclesiae catholicae. Regensburg
1873–86 [Nachdruck Graz 1957]
HIERARCHIA CATHOLICA medii [4 ff.: et recentioris] aevi. Hrsg. von Konrad Eubel [u.a.] ⟨1198–1846⟩. Bd. 1–6. Münster 1898–1958 [Bd. 1–3
²1913–23]

Henry BIAUDET, Les Nonciatures apostoliques permanentes jusqu'en 1648
(= Études romaines publiées par l'Expédition finlandaise Vol. 1 No. 1).
Helsinki 1910
Liisi KARTTUNEN, Les Nonciatures apostoliques permanentes de 1650 à
1800. Genf 1912
Giuseppe DE MARCHI, Le Nunziature Apostoliche dal 1800 al 1956 (= Sus-
sidi eruditi 13). Rom 1957
REGENTEN UND REGIERUNGEN DER WELT. Sovereigns and Governments of
the World . . . Teil II: 1492–1953. Bearb. v. Bertold Spuler. Bielefeld
(1953)
[Neue Aufl. unter dem gleichen Titel:]
. . . Teil II. Bd. 3: Neuere Zeit 1492–1918. Bearb. v. Bertold Spuler.
Würzburg (²1962)
. . . Teil II. Bd. 4: Neueste Zeit 1917/18–1964. Bearb. v. Bertold Spuler.
Würzburg (²1964)
. . . Teil II. Nachtrag 1964/65. Zu Bd. 4: Neueste Zeit 1917/18–1964.
Bearb. v. Bertold Spuler. Würzburg (1966)
. . . Teil II. Bd. 5: Neueste Zeit 1965–1970. Bearb. v. Bertold Spuler.
Würzburg (1972)
HANDBOOK OF BRITISH CHRONOLOGY. Hrsg. v. F. Maurice Powicke
[2. Aufl.: u. E. B. Fryde] (= Royal Historical Society Guides and
Handbooks 2). London 1939, ²1961

REPERTORIUM DER DIPLOMATISCHEN VERTRETER aller Länder seit dem
Westfälischen Frieden (1648) ... Veröffentlicht ... vom Internationalen
Ausschuß für Geschichtswissenschaft. Bd. 1–3.
1: (1648–1715). Hrsg. v. Ludwig Bittner u. Lothar Groß. Oldenburg
   i. O./Berlin (1936) [Nachdruck Nendeln/Liecht. 1976]
2: (1716–1763). Hrsg. unter der Leitung v. Leo Santifaller ... v.
   Friedrich Hausmann. Zürich (1950)
3: 1764–1815. Hrsg. ... unter der Leitung und der Mitarbeit v. Edith
   Wohlgemuth-Kotasek v. Otto Friedrich Winter. Graz/Köln 1965

XV. Jahrbücher

L'ANNÉE POLITIQUE ... [1. Serie] par André Daniel. 1 (1874) – 32 (1905).
Paris 1875–1905
[Fortsetzung:]
L'ANNÉE POLITIQUE [2. Serie]. Revue chronologique des principaux faits
politiques, économiques et sociaux de la France [1952 ff.: et de l'Union
Française]. ⟨1944/45–1962⟩. Paris 1946–63
[Fortsetzung:]
L'ANNÉE POLITIQUE, économique, sociale et diplomatique en France. ...
⟨1963–1976⟩. Paris 1964–(77)

THE ANNUAL REGISTER, or a view of history, politics ... for the year ...
1 (1758) – 217 (1975). London [u.a.] 1758–(1976) [zu Beginn mehrere
Auflagen; begr. v. Edmund Burke]
[Titeländerungen:
Bd. 105 ff. ⟨1863⟩: The Annual Register, a review of public events at
            home and abroad, for the year ... New Series
Bd. 163 ff. ⟨1921⟩: The Annual Register ... Ed. by M. Epstein. New
            Series
Bd. 196 ff. ⟨1954⟩: The Annual Register of World Events. A review of
            the year ...
Bd. 206 ff. ⟨1964⟩: The Annual Register. World Events in ...]

ANNUARIO DI POLITICA INTERNAZIONALE ... Hrsg. v. Istituto per gli studi
di politica internazionale. 1 (1935) – 26 (1973). Mailand 1936–(76)
[1 (1935) – 6 (1939); danach 8 (1951) ...; Bd. 7 ist in der Zählung über-
gangen.]

DEUTSCHER GESCHICHTSKALENDER. Begr. v. Karl Wippermann. Hrsg. v.
Friedrich Purlitz u. Sigfried H. Steinberg. 1 (1885) – 49 (1933). Leipzig
1886–[1934]
[Jeder Bd. hat 2 Teile: Inland und Ausland.]
EUROPÄISCHER GESCHICHTSKALENDER. Hrsg. v. Heinrich Schulthess. 1
(1860) – 25 (1884). Nördlingen 1861–85
[Fortges. u.d.T.:]
SCHULTHESS' EUROPÄISCHER GESCHICHTSKALENDER. Neue Folge. ... Hrsg.
v. Ernst Delbrück [u.a.; zuletzt v. Ulrich Thürauf] 26 (1885) – 82 (1941)
[= N.F. 1–57] Nördlingen [30 ff. München] 1886–1965
[Bd. 81 erschien 1942, der während des Krieges schon fertiggestellte
Bd. 82 erst nachträglich 1965. – Teilnachdruck Nendeln 1971 und 1977]

DIE INTERNATIONALE POLITIK. Jahrbücher des Forschungsinstituts der
Deutschen Gesellschaft für Auswärtige Politik. Eine Einführung in das
Geschehen der Gegenwart. Hrsg. v. Wilhelm Cornides, Dietrich Mende
u. Wolfgang Wagner. ⟨1955–1968/69⟩. München 1958–(74). – [Dazu
Erg.-Bde. m. d. Untertitel: Dokumente und Zeittafeln ⟨1961–1976⟩.
München 1962–(77)]
KEESINGS ARCHIV DER GEGENWART [26 ff. Archiv der Gegenwart]. Hrsg.
v. Heinrich von Siegler 1 (1931/33) – 47 (1977). Bonn/Wien/Zürich
[o.J.; Bd. 15 ff. (Jg. 1945 ff.) Essen; Jg. 1954 ff. Essen/Wien/Zürich]

MAJOR PROBLEMS OF UNITED STATES FOREIGN POLICY ... Prepared by the
Staff of the International Studies Group of the Brookings Institution.
1 (1947 ⟨1946⟩) – 8 (1956 ⟨1955⟩). Washington 1947–56 [Erscheinen
eingestellt]
SURVEY OF INTERNATIONAL AFFAIRS ... Hrsg. v. Arnold J. Toynbee [u.a.]
Issued under the auspices of the Royal Institute of International Affairs.
⟨1920/23–1963⟩. London [u.a.] 1925–(77) [Erscheinen eingestellt; Nachdruck vergriffener Bände New York]
[Übersicht:
A. Vorkriegsserie ⟨1920–1938⟩. Davon mit besonderem Untertitel:
... 1935. Bd. 2: Arnold J. Toynbee, Abyssinia and Italy. 1936
... 1937. Bd. 2: Arnold J. Toynbee, The International Repercus-
sions of the War in Spain (1936–7). 1938
... 1938. Bd. 2: Robert George Laffan, The Crisis over Czechoslo-
vakia. January to September 1938. 1951
B. Kriegsserie ⟨1939–1946⟩. Sämtliche Bände mit zusätzlichem Untertitel:
[1:] The World in March 1939. Hrsg. v. Arnold J. Toynbee u.
Frank T. Ashton-Gwatkin. 1952
[2:] Arnold J. Toynbee/Veronica M. Toynbee, The Eve of War.
1958

[3:] The Initial Triumph of the Axis. Hrsg. v. Arnold J. Toynbee u. Veronica M. Toynbee. 1958

[4:] Hitler's Europe. Hrsg. v. Arnold J. Toynbee u. Veronica M. Toynbee. 1954

[5:] William Hardy Macneill, America, Britain, and Russia ... 1941–1946. 1953

[6:] The War and the Neutrals. Hrsg. v. Arnold J. Toynbee u. Veronica M. Toynbee. 1956

[7:] Michael Balfour/John Mair, Four-Power Control in Germany and Austria 1945–1946. 1956

[8:] The Realignment of Europe. Hrsg. v. Arnold J. Toynbee u. Veronica M. Toynbee. 1955

[9:] George Kirk, The Middle East in the War. (1952)

[10:] George Kirk, The Middle East 1945–50. 1954

[11:] F. C. Jones [u.a.], The Far East 1942–46. 1955

C. Nachkriegsserie ⟨1947/48–(63)⟩]

XVI. Zeitschriften

[Vermerkt werden in der Regel nur der jeweilige letzte Herausgeber und Erscheinungsort. Nachdruck früherer Jahrgänge liegt zumeist vor und wird nicht eigens aufgeführt.

1. deutschsprachig

ARCHIV FÜR DIPLOMATIK, Schriftgeschichte, Siegel- und Wappenkunde. Begr. durch Edmund E. Stengel. Hrsg. v. H. Büttner, W. Heinemeyer u. K. Jordan. 1 (1955) – 21 (1975). Köln/Graz [Bd. 1 Münster/Köln] 1955–(75)

ARCHIV DER GESELLSCHAFT FÜR ÄLTERE DEUTSCHE GESCHICHTSKUNDE ... Hrsg. v. J. Lambert Büchler u. Carl Georg Dümge [5 ff. Georg Heinrich Pertz]. 1 (1820) – 12 (1874). Frankfurt/M [5 ff. Hannover] 1820–74 [Forts.: Neues Archiv]

ARCHIC FÜR KULTURGESCHICHTE. Hrsg. v. Fritz Wagner. 1 (1903) – 59 (1977). Köln/Wien 1903–(77)

ARCHIV FÜR ÖSTERREICHISCHE GESCHICHTE. Hrsg. v. d. Österreichischen [früher: Kaiserlichen] Akademie der Wissenschaften. Philosophisch-Historische Klasse. Historische Kommission. 1 (1848) – 132 (1976). Wien 1848–(1976)

[Jeweils eigener Untertitel. Titel bis Bd. 33 (1865): Archiv für Kunde österreichischer Geschichts-Quellen.]

ARCHIV FÜR REFORMATIONSGESCHICHTE [ARG]. Internationale Zeitschrift zur Erforschung der Reformation und ihrer Weltwirkungen. Im Auftrag des Vereins für Reformationsgeschichte und der American Society for Reformation Research. Hrsg. v. Heinrich Bornkamm [u.a.] 1 (1903) – 68 (1977). Gütersloh 1903–(77)

ARCHIV FÜR SOZIALGESCHICHTE. Red.: Georg Eckert [u.a.] 1(1961) – 17 (1977). Bonn-Bad Godesberg 1961–(77)

ARCHIV FÜR URKUNDENFORSCHUNG [AUF]. Hrsg. v. Karl Brandi. 1 (1908) – 17 (1942). Berlin 1908–1942

ARCHIVALISCHE ZEITSCHRIFT. [Folge 3.] Im Auftrag des Bayerischen Hauptstaatsarchivs hrsg. v. Otto Schottenloher. 1 (1915) – 72 (1976). Köln/Graz 1915–(76). – [1 (1876) – 13 (1888). – N.F. 1 (1890) – 20 (1914)]

DER ARCHIVAR. Mitteilungsblatt für deutsches Archivwesen. Hrsg. v. Hauptstaatsarchiv Düsseldorf. 1 (1947/48) – 30 (1977). Düsseldorf 1947/48–(77)

ARCHIVMITTEILUNGEN. Zeitschrift für Theorie und Praxis des Archivwesens. 1 (1951) – 27 (1977). Berlin (Ost) 1950–(77)

AUSSENPOLITIK. Zeitschrift für internationale Fragen. Hrsg. v. Heinrich Bechtoldt [u.a.]. 1/2 (1950/51) – 28 (1977). (Stuttgart) 1950/51–(77)

*

BEITRÄGE ZUR GESCHICHTE DER DEUTSCHEN ARBEITERBEWEGUNG. 1 (1959) – 19 (1977). (Ost)Berlin 1959–(77)

BERLINER MONATSHEFTE. Hrsg. v. August Bach. 1 (1923) – 21 (1943). Berlin 1923–43
[Jg. 1–5 u.d.T.: Die Kriegsschuldfrage. Monatsschrift für internationale Aufklärung]

BLÄTTER FÜR DEUTSCHE LANDESGESCHICHTE. Neue Folge des Korrespondenzblattes. Im Auftrage des Gesamtvereins der deutschen Geschichts- und Altertumsvereine hrsg. v. Otto Renkhoff. 1 (1853) – 112 (1976). Wiesbaden 1853–(1976)
[Jg. 1–87: Correspondenz-Blatt des Gesammtvereins der deutschen Geschichts- und Alterthumsvereine . . .]

BYZANTINISCHE ZEITSCHRIFT. Begr. v. Karl Krumbacher. Hrsg. v. Hans-Georg Beck, Friedrich Wilhelm Deichmann, Herbert Hunger. 1 (1892) – 70 (1977). München 1892–(1977)

DEUTSCHE VIERTELJAHRSSCHRIFT FÜR LITERATURWISSENSCHAFT UND GEISTESGESCHICHTE. Begr. v. Paul Kluckhohn u. Erich Rothacker. Hrsg. v.

Richard Brinkmann u. Hugo Kuhn. 1 (1923) – 51 (1977). Stuttgart 1923–(77)
[Dazu:]
Gesamtregister für Bd. 1–40. 1923–1966. Stuttgart 1968

DEUTSCHES ARCHIV FÜR ERFORSCHUNG [bis Bd. 7: für Geschichte] DES MITTELALTERS [DA]. Hrsg. v. Horst Fuhrmann u. Hans Martin Schaller. 1 (1937) – 32 (1976). Köln/Graz 1937–(76). [Forts. v. Neues Archiv]

EUROPA-ARCHIV. Zeitschrift für internationale Politik. Begr. v. Wilhelm Cornides. Hrsg. v. Wolfgang Wagner. 1 (1947) – 32 (1977). Bonn 1947–(77)
[3 Teile: Dokumente – Beiträge und Berichte – Zeittafel. Sach- und Personenverzeichnis. – 1946–1965. Sammelregister. 1–20. Jahrgang. Bonn 1966]

FORSCHUNGEN ZUR BRANDENBURGISCHEN UND PREUSSISCHEN GESCHICHTE [FBPG]. Hrsg. v. Johannes Schultze. 1 (1888) – 55 (1943). Berlin 1888–1943

FORSCHUNGEN ZUR OSTEUROPÄISCHEN GESCHICHTE [FOEG]. Hrsg. v. Mathias Bernath, Horst Jablonowski u. Werner Philipp. 1 (1954) – 23 (1976). Wiesbaden [bis 1965 Berlin] 1954–(76)

FRÜHMITTELALTERLICHE STUDIEN [FMST]. Jahrbuch des Instituts für Frühmittelalterforschung der Universität Münster. Hrsg. v. Karl Hauck. 1 (1967) – 10 (1977). Berlin 1967–(77)
[Dazu:]
Register zu Bd. 1–5. Bearb. v. Brigitta Grau u. Goswin Spreckelmeyer. Berlin/New York 1974. – ... zu Bd. 6–10. Bearb. v. Jörgen Vogel u. Wolfgang Piecha. Berlin/New York 1977

*

GESCHICHTE UND GESELLSCHAFT. Zeitschrift für Historische Sozialwissenschaft. Hrsg. v. Helmut Berding [u.a.]. 1(1975) – 3(1977). Göttingen 1975–(77)

GESCHICHTE IN WISSENSCHAFT UND UNTERRICHT [GWU]. Zeitschrift des Verbandes d. Geschichtslehrer Deutschlands. Hrsg. v. Karl Dietrich Erdmann u. Felix Messerschmid. 1 (1950) – 28 (1977). Stuttgart 1950–(77)
[Dazu:]
Gesamtverzeichnis für die Jahrgänge 1–5 (1950–1954). Stuttgart [o.J.]
... 6–10 (1955–1959). Stuttgart [o.J.]
... 11–15 (1960–1964). Stuttgart (1966)
... 16–20 (1965–1969). Stuttgart (1969)

HANSISCHE GESCHICHTSBLÄTTER. Hrsg. v. Hansischen Geschichtsverein. 1
(1871) – 95 (1977). Köln/Wien 1871–(77)
DAS HISTORISCH-POLITISCHE BUCH [HPB]. Ein Wegweiser durch das
Schrifttum. Hrsg. im Auftrage der Ranke-Gesellschaft ... v. Otto
Brunner [u.a.] 1 (1953) – 25 (1977). Göttingen 1953–(1977)
HISTORISCHE VIERTELJAHRSSCHRIFT. Zeitschrift für Geschichtswissenschaft
und für lateinische Philologie des Mittelalters. 1 (1898) – 31 (1936/37).
Dresden 1898–1938
[Früherer Titel: Deutsche Zeitschrift für Geschichtswissenschaft. Hrsg. v.
L. Quidde. 1 (1889) – 12 (1894/95). Freiburg i. Br. 1889–96. – Dsgl.
N.F. 1 (1896/97) – 2 (1897/98). Freiburg i. Br. (u.a.) 1897–98]
HISTORISCHE ZEITSCHRIFT [HZ]. Begründet v. Heinrich von Sybel. Fort-
geführt v. Friedrich Meinecke. Hrsg. v. Theodor Schieder, Theodor
Schieffer u. Lothar Gall. 1 (1859) – 225 (1977). München 1859–(77)
[Dazu:]
Register zu Bd. 1–56. München/Leipzig 1888. – ... zu Bd. 57–96. Mün-
chen/Berlin 1906. – ... zu Bd. 97–130. München/Berlin 1925. – ... zu
Bd. 131–168. München 1976. – ... zu Bd. 169–219. München 1977
HISTORISCHES JAHRBUCH [HJb]. Im Auftrag der Görres-Gesellschaft.
Hrsg. v. Johannes Spörl. 1 (1880) – 95 (1975). München/Freiburg 1880–
(1975)

INTERNATIONALES JAHRBUCH FÜR GESCHICHTS- UND GEOGRAPHIE-UNTER-
RICHT. Hrsg. v. Internationalen Schulbuchinstitut mit Unterstützung
der Arbeitsgemeinschaft Deutscher Lehrerverbände. 1 (1951) – 16 (1975).
Braunschweig 1951–(75)

*

JAHRBUCH FÜR GESCHICHTE. Hrsg. v. d. Akademie d. Wiss. der DDR.
Zentralstelle f. Geschichte. 1(1969) – 15(1977). Berlin (Ost) 1969–(77)
JAHRBUCH FÜR GESCHICHTE MITTEL- UND OSTDEUTSCHLANDS. Publika-
tionsorgan der Historischen Kommission zu Berlin. Hrsg. v. Wilhelm
Berges [u.a.]. Im Auftrage des Friedrich-Meinecke-Instituts der Freien
Universität Berlin. 1 (1952) – 26 (1977). Berlin 1952–(77)
JAHRBUCH DER HISTORISCHEN FORSCHUNG in der Bundesrepublik Deutsch-
land ⟨1974–(1975)⟩. Hrsg. v. d. Arbeitsgemeinschaft außeruniversitärer
historischer Forschungseinrichtungen in der Bundesrepublik Deutschland.
Stuttgart 1974–(76)
JAHRBUCH FÜR WIRTSCHAFTSGESCHICHTE. Hrsg. v. d. Deutschen Akademie
der Wissenschaften zu Berlin. Institut für Wirtschaftsgeschichte. ⟨1960–
1977⟩. (Ost)Berlin 1960–(77)
JAHRBÜCHER FÜR GESCHICHTE OSTEUROPAS. Begründet als Jahresberichte

für Kultur und Geschichte der Slaven (Breslau 1924). Neue Folge: Jahr-
bücher für Kultur und Geschichte der Slaven (Breslau 1925–1935).
Fortgeführt als Jahrbücher für Geschichte Osteuropas (Breslau 1936–
1941). Neue Folge (München 1953 ff.) Im Auftrage des Osteuropa-
Institutes München ... hrsg. v. Günther Stökl ... 1 (1953) – 25 (1977).
Wiesbaden [1953–60 München] 1953–(77)
[Dazu:]
Register zu den Bänden N.F. 1–20 (1953–1972). Bearb. v. Jürgen Käm-
merer. Wiesbaden 1976

LUTHER-JAHRBUCH. Jahrbuch der Luther-Gesellschaft. Hrsg. v. Helmar
Junghans. 1 (1919) – 44 (1977). Hamburg 1919–(77)

MILITÄRGESCHICHTLICHE MITTEILUNGEN [MGM]. Hrsg. v. Militärge-
schichtlichen Forschungsamt durch Herbert Schottelius u. Manfred
Messerschmidt 1 (1967) – 22 (1977). Karlsruhe 1967–(77). – [Dazu:]
Register zu Bd. 1–20 (1967–1976). Bearb. v. Horst Zoske. Karlsruhe 1977
MITTEILUNGEN DES INSTITUTS FÜR ÖSTERREICHISCHE GESCHICHTSFOR-
SCHUNG [MIÖG]. Hrsg. v. Institut für österreichische Geschichtsfor-
schung. 1 (1880) – 85 (1977). Wien/Köln/Graz 1880–(77)
MITTEILUNGEN DES ÖSTERREICHISCHEN STAATSARCHIVS. Hrsg. v. d. Gene-
raldirektion. 1 (1948) – 27 (1974). Wien 1948–(74)

NEUE POLITISCHE LITERATUR [NPL]. Berichte über das internationale
Schrifttum. Hrsg. v. Erwin Stein [u.a.]. 1 (1956) – 22 (1977). Frank-
furt/M 1956–(77)
NEUES ARCHIV der Gesellschaft für ältere deutsche Geschichtskunde ...
[NA]. 1 (1876) – 50 (1935). Berlin 1876–1935. [Vorher: Archiv der Ge-
sellschaft für ältere deutsche Geschichtskunde; Forts.: Deutsches Archiv]
OSTEUROPA. Zeitschrift für Gegenwartsfragen des Ostens. Hrsg. v. d.
Deutschen Gesellschaft für Osteuropakunde. 1 (1951/52) – 27 (1977).
Stuttgart 1952–(77)

*

PREUSSISCHE JAHRBÜCHER. Begr. v. Rudolf Haym, Heinrich v. Treitschke
u. Hans Delbrück. 1 (1858) – 240 (1935). Berlin 1858–1935
PUBLIZISTIK. Vierteljahreshefte für Kommunikationsforschung ... Hrsg. v.
Wilmont Haacke, Günter Kieslich [u.a.]. 1 (1956) – 22 (1977). Konstanz 1956–(77)

QUELLEN UND FORSCHUNGEN AUS ITALIENISCHEN ARCHIVEN UND BIBLIO-
THEKEN [QFIAB]. Hrsg. v. Deutschen [früher: Königlich Preußischen]
Historischen Institut in Rom 1 (1898) – 55/56 (1976). Tübingen 1898–(76)

RHEINISCHE VIERTELJAHRSBLÄTTER. Mitteilungen des Instituts für Geschichtliche Landeskunde der Rheinlande an der Universität Bonn. Hrsg.
v. Werner Besch [u.a.]. 1 (1931) – 41 (1977). Bonn 1932–(77)

RÖMISCHE QUARTALSCHRIFT FÜR CHRISTLICHE ALTERTUMSKUNDE UND FÜR
KIRCHENGESCHICHTE. Im Auftrage des Priesterkollegs am Campo Santo
Teutonico in Rom u. des Römischen Instituts der Görresgesellschaft …
hrsg. v. Ambrosius Eßer [u.a.]. 1 (1887) – 72 (1977). Rom/Freiburg/
Wien 1887–(77)

SAECULUM. Jahrbuch für Universalgeschichte. Begr. v. Georg Stadtmüller.
Hrsg. v. Herbert Franke [u.a.]. 1 (1950) – 28 (1977). Freiburg/Mün-
chen 1950–(77)

SCHMOLLERS JAHRBUCH FÜR GESETZGEBUNG, VERWALTUNG UND VOLKS-
WIRTSCHAFT. Fortgeführt v. Arthur Spiethoff u. Jens Jessen. Hrsg. v.
Alfred Kruse. 1 (1877) – 92 (1972). Berlin 1877–(1972)
[Früherer Titel: Jahrbuch für Gesetzgebung, Verwaltung und Volks-
wirtsch. im Deutschen Reich … Jetzt: Zeitschr. f. Wirtsch- u. Soz.wiss.]

SCHWEIZERISCHE ZEITSCHRIFT FÜR GESCHICHTE. Revue Suisse d'histoire.
Rivista storica svizzera. Hrsg. v. d. Allgemeinen Geschichtsforschenden
Gesellschaft der Schweiz. 1 (1951) – 27 (1977). (Zürich) 1951–(77)
[Forts. von: Zeitschrift für schweizerische Geschichte …]

SOZIALWISSENSCHAFTLICHE INFORMATIONEN für Unterricht und Studium.
Hrsg. v. Arbeitskreis Sozialwissenschaftliche Informationen. 1 (1972) –
6 (1977). Stuttgart 1972–(77)

DER STAAT. Zeitschrift für Staatslehre, Öffentliches Recht und Verfassungsgeschichte. Hrsg. v. Ernst-Wolfgang Böckenförde [u.a.]. 1 (1962) – 16
(1977). Berlin 1962–(77)

TECHNIK-GESCHICHTE. Hrsg. v. Verein Deutscher Ingenieure. 32 (1965) –
44 (1977). Düsseldorf 1965–(77) [Früherer Titel: Beiträge zur Geschichte der Technik und Industrie. Jahrbuch des Vereins Deutscher
Ingenieure 1 (1909) – 21 (1931/32); danach Forts. u.d.T.: Technik-
Geschichte. Beiträge … 22 (1933) – 30 (1941). – Dazu: Register zu Bd.
1–30 als Bd. 31. 1965]

Can look at the index for the year years

? interested in

Zeitschriften (deutschsprachig)

VIERTELJAHRSHEFTE FÜR ZEITGESCHICHTE [VfZG]. Im Auftrag des Instituts für Zeitgeschichte München hrsg. v. Hans Rothfels u. Theodor Eschenburg. 1 (1953) – 25 (1977). Stuttgart 1953–(77)

VIERTELJAHRSSCHRIFT FÜR SOZIAL- UND WIRTSCHAFTSGESCHICHTE [VSWG]. Hrsg. v. Otto Brunner [u.a.]. 1 (1903) – 64 (1977). Wiesbaden 1903–(77)

WEHRWISSENSCHAFTLICHE RUNDSCHAU [WR]. Zeitschrift für Europäische Sicherheit. Hrsg. v. Arbeitskreis für Wehrforschung. 1 (1951) – 26 (1977). Frankfurt/M 1951–(77). [Erschien 21 (1971/72)–24 (1975) u.d.T. Wehrforschung]

DIE WELT ALS GESCHICHTE [WaG]. Eine Zeitschrift für Universalgeschichtliche Forschung [wechselnder Untertitel]. Hrsg. v. Hans Erich Stier u. Fritz Ernst. 1 (1935) – 23 (1963). Stuttgart 1935–63

ZEITSCHRIFT FÜR GESCHICHTSWISSENSCHAFT [ZfG]. 1 (1953) – 25 (1977). (Ost)Berlin 1953–(77)

ZEITSCHRIFT FÜR HISTORISCHE FORSCHUNG. Halbjahresschrift zur Erforschung des Spätmittelalters und der frühen Neuzeit. Hrsg. v. Johannes Kunisch [u.a.]. 1(1974) – 4(1977). Berlin 1974–(77)

ZEITSCHRIFT FÜR KIRCHENGESCHICHTE [ZKG]. Hrsg. v. Karl August Fink [u.a.]. 1 (1887) – 88 (1977). Stuttgart 1887–(1977)

ZEITSCHRIFT FÜR MILITÄRGESCHICHTE [Titel ab 1972: MILITÄRGESCHICHTE]. Hrsg. v. Institut für deutsche Militärgeschichte. 1 (1962) – 14 (1976). Berlin (Ost) 1962–(76)

ZEITSCHRIFT FÜR OSTFORSCHUNG [ZfO]. Länder und Völker im östlichen Mitteleuropa. Im Auftrage des Johann Gottfried Herder-Forschungsrates e. V. hrsg. v. Friedrich Benninghoven [u.a.]. 1 (1952) – 26 (1977). Marburg/L 1952–(77)

ZEITSCHRIFT FÜR RELIGIONS- UND GEISTESGESCHICHTE. Hrsg. durch E. Benz u. Hans-Joachim Schoeps. 1 (1948) – 29 (1977). Köln 1948–(77)

ZEITSCHRIFT DER SAVIGNY-STIFTUNG FÜR RECHTSGESCHICHTE [ZRG]. Hrsg. v. M. Kaser [u.a.]
Germanistische Abteilung. 1 (1880) – 93 (1976). Weimar 1880–(1976)
Romanistische Abteilung. 1 (1880) – 93 (1976). Weimar 1880–(1976)
Kanonistische Abteilung. 1910 begr. v. Ulrich Stutz. 1 (1911) – 57 (1971). Weimar 1911–(71)
[Dazu:]
(Germ. Abt.) Generalregister zu den Bänden 1–50. Weimar 1932. ... 51–75. Teil I: Sachregister. Weimar 1971. – Teil II: Namen- u. Quellenregister. Weimar 1972
(Rom. Abt.) Generalregister zu den Bänden 1–50. Weimar 1932

(Kan. Abt.) Generalregister zu den Bänden 1–25. Weimar 1937. . . . 26–50.
Weimar 1968
ZEITSCHRIFT FÜR WIRTSCHAFTS- UND SOZIALWISSENSCHAFTEN. Hrsg. v. d.
Gesellschaft f. Wirtschafts- u. Sozialwissenschaften – Verein für Social-
politik –. 1(1877) – 93(1973). Berlin 1877–(1973) [Seit 1974 ff. keine
Jahrgangszählung. – Ursprünglicher Titel: Jahrbuch für Gesetzgebung,
Verwaltung und Volkswirtschaft im Deutschen Reich. – Späterer Titel
u.a.: Schmollers Jahrbuch für Gesetzgebung . . .]

Bibliographie
DW 59/166–181

2. fremdsprachig

THE AMERICAN HISTORICAL REVIEW [AHR]. Hrsg. v. d. American Histo-
rical Association. 1 (1895/96) – 82 (1977). New York 1896–(1977)
ANNALES. Économies. Sociétés. Civilisations. Hrsg. v. Fernand Braudel
[u.a.]. 1 (1946) – 32 (1977). Paris 1946–(77)
[Früherer Titel: Annales d'histoire économique et sociale. Hrsg. v. Marc
Bloch u. Lucien Febvre. 1 (1929) – 10 (1938). – Danach wechselnde Titel
⟨1939–1945⟩.]
ARCHIVIO STORICO ITALIANO. Fondato da G. P. Vieusseux e pubblicato
dalla Deputazione Toscana di Storia Patria. 1 (1842) – 135 (1977).
Florenz 1842–(1977)
ARCHIVUM HISTORIAE PONTIFICIAE. Editum a Facultate Historiae Eccle-
siasticae in Pontificia Universitate Gregoriana. 1 (1963) – 14 (1976).
Rom 1963–(76).

BIBLIOTHÈQUE DE L'ÉCOLE DES CHARTRES [BECh]. 1 (1839) – 134 (1976).
Genf 1839/40 – (1976)
[Dazu:]
Table. [In unregelmäßigen Abständen erschienen für die Bände 1–100
(Paris 1849–1942)]
BIBLIOTHÈQUE D'HUMANISME ET RENAISSANCE. Travaux et documents.
1 (1941) – 39 (1977). Genf 1941–(77)
[Der bibliographische Teil erscheint seit 1965 selbständig u.d.T.: Biblio-
graphie internationale de l'Humanisme et de la Renaissance. Travaux
parus en . . . Hrsg. v. d. Fédération internationale des Sociétés et Insti-
tuts pour l'étude de la Renaissance. 1 (1965) – 9 (1973). Genf 1966–(77)]

Zeitschriften (fremdsprachig)

CAHIERS DE CIVILISATION MÉDIÉVALE. X^e–XIIe siècles. 1 (1958) – 20 (1977).
Poitiers 1958–(77)
CENTRAL EUROPEAN HISTORY ... Published by Emory University. 1 (1968)
– 10 (1977). Atlanta 1968–(77)
[Setzt das eingegangene Journal of Central European Affairs fort. Vgl.
unten.]
COMPARATIVE STUDIES IN SOCIETY AND HISTORY. An international quart-
erly. Hrsg. v. Sylvia L. Thrupp [u.a.] 1 (1958/59) – 19 (1977). Cambridge 1958/59–(77)

THE ECONOMIC HISTORY REVIEW. 1 (1927/28) – 18 (1948). London 1927
–48. – Second Series. Hrsg. v. D. C. Coleman [u.a.]. 1 (1948/49) – 30
(1977). London 1948/49–(77)
THE ENGLISH HISTORICAL REVIEW [EHR]. Hrsg. v. J. M. Wallace-Hadrill
u. J. M. Roberts. 1 (1886) – 92 (1977). London 1886–(77)
[Dazu:]
General Index ... [to] vol. 1–40. London 1906 [Nachdruck New York
1967]

FRENCH HISTORICAL STUDIES. Hrsg. v. David H. Pinkney. 1 (1958) – 10
(1977). Worcester, Mass. 1958–(77)
HISPANIA. Revista española de historia. 1 (1940/41) – 35 (1975). Madrid
1940/41–(75)
THE HISTORICAL JOURNAL. Hrsg. v. T. C. W. Blanning [u.a.]. 1(1958) –
20(1977). Cambridge 1958–(77) [Vorläufer: The Cambridge Historical
Journal. 1(1923) – 13(1957)]
HISTORY. The Journal of the Historical Association. Hrsg. v. R. H. C.
Davis. [New Series.] 1 (1916) – 62 (1977). London 1916–(77)

ISTORIJA SSSR [Geschichte der UdSSR]. Hrsg. v. d. Akademija nauk SSSR.
Institut istorii SSSR. ⟨1956–1977⟩. Moskau 1956–(77)
ISTORIČESKIE ZAPISKI [Historische Schriften]. Hrsg. v. d. Akademija nauk
SSSR. Institut istorii. 1 (1937) – 98 (1977). Moskau 1937–(77)
[Dazu:]
Index to volumes 1–90 (1937–1972). Bearb. v. Angelika Schmiegelow
Powell. Nendeln/Liecht. 1976

JOURNAL OF CENTRAL EUROPEAN AFFAIRS. 1 (1941/42) – 23 (1963). Boul-
der 1942–64
[Ersch. eingest. Nachfolgeorgan Central European History; vgl. oben.]

THE JOURNAL OF CONTEMPORARY HISTORY. Hrsg. v. Walter Laqueur u. George L. Mosse. 1 (1966 – 12 (1977). London 1966–(77)

THE JOURNAL OF ECONOMIC HISTORY. Hrsg. v. Robert E. Gallmann. 1 (1941) – 36 (1976). New York 1941–(76)

THE JOURNAL OF MODERN HISTORY. Hrsg. v. William H. McNeill. 1 (1929) – 49 (1977). Chicago 1929–(77)

KRASNYJ ARCHIV. Istoričeskij žurnal [Das Rote Archiv. Historische Zeitschrift]. 1 (1922) – 106 (1941). Moskau 1922–41
[Dazu Wegweiser:]
KRASNYJ ARCHIV … 1922–1941. Annotirovannyj ukazatel' soderžanija. Bearb. v. Rostislav Jakovlevič Zverev. Moskau 1960

LE MOYEN ÂGE [MA]. Revue [bis Bd. 10: Bulletin mensuel] d'histoire et de philologie. Hrsg. v. M. Delbouille [u.a.]. 1 (1888) – 83 (1977). Brüssel 1888–(1977)

NOVAJA I NOVEJŠAJA ISTORIJA [Neuere und neueste Geschichte]. Hrsg. v. d. Akademija nauk SSSR. Institut vseobščej istorii. ⟨1957–1977⟩. Moskau 1957–(77)

PAST AND PRESENT. A Journal of Historical Studies. Hrsg. v. T. H. Aston. ⟨1952–1977⟩. London 1952–(77)

REVUE D'HISTOIRE DE LA DEUXIEME GUERRE MONDIALE. 1 (1950) – 27 (1977). Paris 1950–(77)

REVUE D'HISTOIRE DIPLOMATIQUE. Publiée par la Société d'histoire générale et d'histoire diplomatique. 1 (1887) – 90 (1977). Paris 1887–(1977)
[Dazu:]
G. Dethan, Table générale et méthodique de la Revue d'histoire diplomatique depuis son origine (1887–1963). Paris 1965

REVUE D'HISTOIRE ECCLÉSIASTIQUE [RHE]. 1 (1900) – 72 (1977). Löwen 1900–(77)

REVUE D'HISTOIRE DE L'ÉGLISE DE FRANCE. Organe de la Société d'histoire ecclésiastique de la France. 1 (1910) – 62 (1976). Paris 1910–(76)

REVUE D'HISTOIRE MODERNE ET CONTEMPORAINE. Publiée par la Société d'histoire moderne … 1 (1954) – 24 (1977). Paris 1954–(77)

REVUE HISTORIQUE [RH]. Fondée en 1876 par Gabriel Monod. Hrsg. v. Pierre Renouvin. 1 (1876) – 257 (1977). Paris 1876–(1977)

REVUE INTERNATIONALE DES SCIENCES SOCIALES. Hrsg. v. d. UNESCO. 1
(1949) – 28 (1976). Paris 1949–(76)
[Früherer Titel: UNESCO Bulletin international des sciences sociales. –
Auch in englischer Sprache u.d.T.: International Social Science Journal.]
RIVISTA STORICA ITALIANA [RSI]. 1 (1884) – 89 (1977). Neapel 1884–
(1977)

SPECULUM. A Journal of Medieval Studies. 1 (1926) – 52 (1977). Cam-
bridge/Mass. 1926–(77)
STUDI MEDIEVALI. 1 (1904/05) – 4 (1912/13). – Nuovi studi medievali.
1 (1923) – 3 (1927). Studi medievali N. S. 1 (1928) – 18 (1952). –
Studi medievali. Serie 3. 1 (1960) – 17 (1976). Spoleto 1904/05–(76)
STUDI STORICI. Rivista trimestrale. 1 (1959) – 18 (1977). Rom 1959–(77)

TRADITIO. Studies in Ancient and Medieval History, Thought, and Religion. Hrsg. v. Edwin A. Quain [u.a.]. 1 (1943) – 33 (1977). New York
1943–(77)

VOPROSY ISTORII. Ežemesjačnyj žurnal [Fragen der Geschichte. Monats-
schrift]. Hrsg. v. d. Akademija nauk SSSR, otdelenie istorii, ministerstvo
vysšego i srednego special'nogo obrazovanija SSSR. ⟨1946–1977⟩. Moskau 1946–(77)
[Dazu:]
Author Index 1945–1975. Bearb. v. Angelika Schmiegelow Powell. Nen-
deln/Liecht. 1977
Subject Index 1945–1975. Bd. 1–3. Bearb. v. Angelika Schmiegelow Powell. Nendeln/Liecht. 1977
[Vorher: Bor'ba klassov 1 (1931) – 6 (1936). Moskau 1931–36. – Forts.:
Istoričeskij žurnal ⟨1937–1941 (Heft 6)⟩. Moskau 1937–41. – Danach
bis 1945 vereint mit Istorik Marksist. Moskau]

YEAR BOOK. Publications of the Leo Baeck Institute. 1 (1956) – 21 (1976).
London/Jerusalem/New York 1956–(76)

Bibliographien
DW 59/89–181
WORLD LIST OF HISTORICAL PERIODICALS AND BIBLIOGRAPHIES. Hrsg. v.
Paul Caron u. Marc Jaryc. Oxford 1939
HISTORICAL PERIODICALS. An Annotated World List of Historical and

Related Serial Publications. Hrsg. v. Eric H. Boehm u. Lalit Adolphus.
Santa Barbara/Calif. 1961

BIBLIOGRAPHIE HISTORISCHER ZEITSCHRIFTEN, 1939–1951 (= Westdeutsche
Bibliothek [Sammlungen der ehem. Preußischen Staatsbibliothek]).
Bearb. v. Heinrich Kramm. Lieferung 1–3. Marburg 1952–54

XVII. Quellenkunden

Max JANSEN, Historiographie und Quellen der deutschen Geschichte bis
1500 (= Grundriß der Geschichtswissenschaft ... Hrsg. v. Aloys Meister 1,2). Leipzig 1902

[In 2. Aufl.:]

Max JANSEN/Ludwig SCHMITZ-KALLENBERG, Historiographie und Quellen der deutschen Geschichte bis 1500 (= Grundriß der Geschichtswissenschaft ... Hrsg. v. Aloys Meister 1,7). Leipzig/Berlin 1914

Karl JACOB, Quellenkunde der Deutschen Geschichte im Mittelalter (bis
zur Mitte des 15. Jahrhunderts). Bd. 1–3. Berlin

1. Einleitung. Allgemeiner Teil. Die Zeit der Karolinger. 1906. – 6. A.
   bearb. v. Heinrich Hohenleutner (= Sammlung Göschen 279). 1959
2. Die Kaiserzeit (911–1250). ²1926. – 6. Aufl. v. Heinrich Hohenleutner (= Sammlung Göschen 280). 1968
3. Das Spätmittelalter (vom Interregnum bis 1500). Hrsg. v. Fritz
   Weden (= Sammlung Göschen 284). 1952 [2. Aufl. in Vorber.]

*

Wilhelm WATTENBACH, Deutschlands Geschichtsquellen im Mittelalter bis
zur Mitte des dreizehnten Jahrhunderts. Bd. 1–2. Berlin ⁶1893–94. [Bd. 1
in 7. Aufl. bearb. v. Ernst Dümmler. Stuttgart/Berlin 1904. – 1. Aufl. in
1 Bd. Berlin 1858]

Wilhelm WATTENBACH/Wilhelm LEVISON, Deutschlands Geschichtsquellen
im Mittelalter. Vorzeit und Karolinger. Heft 1–5. Weimar

1: Die Vorzeit von den Anfängen bis zur Herrschaft der Karolinger.
   Bearb. v. Wilhelm Levison. 1952 [Nachdruck 1967]
2: Die Karolinger vom Anfang des 8. Jahrhunderts bis zum Tode Karls
   des Großen. Bearb. v. Wilhelm Levison u. Heinz Löwe. 1953 [Nach-
   druck 1970]
3: Die Karolinger vom Tode Karls des Großen bis zum Vertrag von
   Verdun. Bearb. v. Heinz Löwe. 1957 [Nachdruck 1966]

4: Die Karolinger vom Vertrag von Verdun bis zum Herrschaftsantritt
der Herrscher aus dem sächsischen Hause. Italien und das Papsttum.
Bearb. v. Heinz Löwe. 1963

5: Die Karolinger vom Vertrag von Verdun bis zum Herrschaftsantritt
der Herrscher aus dem sächsischen Hause. Das westfränkische Reich.
Bearb. v. Heinz Löwe. 1973

Beiheft: Rudolf Buchner, Die Rechtsquellen. 1953 [Nachdruck 1960]

Wilhelm WATTENBACH, Deutschlands Geschichtsquellen im Mittelalter.
Deutsche Kaiserzeit. Hrsg. v. Robert Holtzmann. Heft 1–2. Berlin
1938–39. – 2. Aufl. Tübingen 1942–48. – Heft 1 in 3. Aufl. Tübingen
1948. – Heft 3–4. Berlin 1940–43, ²1948

[Unveränderte Neuausgabe:]

Wilhelm WATTENBACH/Robert HOLTZMANN, Deutschlands Geschichtsquellen im Mittelalter. Die Zeit der Sachsen und Salier. Neuausgabe, besorgt v. Franz-Josef Schmale. Teil 1–3. Darmstadt 1967–71

Wilhelm WATTENBACH/Franz-Josef SCHMALE, Deutschlands Geschichtsquellen im Mittelalter. Vom Tode Heinrichs V. bis zum Ende des Inter-
regnums. Bearb. v. Franz-Josef Schmale unter der Mitarbeit v. Irene
Schmale-Ott u. Dieter Berg. Bd. 1–2. Darmstadt 1976

Ottokar LORENZ, Deutschlands Geschichtsquellen im Mittelalter seit der
Mitte des dreizehnten Jahrhunderts. Berlin 1870. – 3. in Verbindung
mit Arthur Goldmann umgearb. Aufl. Bd. 1–2. Berlin 1886–87 [Nach-
druck Graz 1966]

Heinrich VILDHAUT, Handbuch der Quellenkunde zur deutschen Geschichte
vom Falle der Staufer bis zum Auftreten des Humanismus. Bd. 1–2.
Arnsberg 1898–1900. – Bd. 1 (= Quellenkunde zur allgemeinen Geschichte 4). Werl ²1909

*

QUELLENKUNDE ZUR DEUTSCHEN GESCHICHTE DER NEUZEIT von 1500 bis
zur Gegenwart. Hrsg. v. Winfried Baumgart. Bd. 1–6. Darmstadt 1976–

1: Das Zeitalter der Glaubensspaltung (1500–1618). Bearb. v. Paul
Münch. [In Vorb.]

2: Der Dreißigjährige Krieg und das Zeitalter Ludwigs XIV.
(1618–1714). Bearb. v. Winfried Becker. [In Vorb.]

3: Absolutismus, Französische Revolution und Napoleon I. (1714–
1815). Bearb. v. Klaus Müller. [In Vorb.]

4: Restauration, Liberalismus und nationale Bewegung (1815–
1870). Bearb. v. Wolfram Siemann. [In Vorb.]

5,1–2: Imperialismus und Erster Weltkrieg (1871–1918). Bearb. v. Winfried Baumgart. 1977

6,1–2: Zwischenkriegszeit und Zweiter Weltkrieg (1919–1955). Bearb.
v. Hans Günter Hockerts. [In Vorb.]

Gustav Wolf, Quellenkunde der deutschen Reformationsgeschichte. Bd.
   1–3. Gotha [Bd. 3 Stuttg./Gotha. – Nachdruck Nieuwkoop/Hildesheim
   1965]
   1:    Vorreformation und Allgemeine Reformationsgeschichte. 1915
   2,1: Kirchliche Reformationsgeschichte. 1916
   2,2: Kirchliche Reformationsgeschichte. 1922
   3:    Namen- und Sachregister. 1923
Franz Schnabel, Deutschlands geschichtliche Quellen und Darstellungen
   in der Neuzeit. Erster Teil. Das Zeitalter der Reformation. 1500–1550.
   Leipzig/Berlin 1931 [mehr nicht erschienen; Nachdruck Darmstadt 1972]

*

Alfons Lhotsky, Quellenkunde zur mittelalterlichen Geschichte Österreichs (= Mitteilungen des Instituts für Österreichische Geschichtsfor-
   schung. Erg.-Bd. 19). Graz/Köln 1963
Les sources de l'histoire de France depuis les origines jusqu'en 1815.
   Hrsg. v. Auguste Molinier, Henri Hauser, Emile Bourgeois, Louis
   André. 3 Teile. Paris 1901–35
   [Nachdruck New York 1964–74]
   1: Des origines aux guerres d'Italie (1494). Von Auguste Molinier.
      Bd. 1–6. 1901–06
   2: XVIᵉ siècle (1494–1610). Von Henri Hauser. Bd. 1–4. 1906–15
   3: XVIIᵉ siècle (1610–1715). Von Emile Bourgeois u. Louis André.
      Bd. 1–8. 1913–35
[Neuausgabe:]
Les sources de l'histoire de France des origines à la fin du XVᵉ siècle.
   Bd. 1–. Paris 1971–
   1,1–2: La Gaule jusqu'au milieu du Vᵉ siècle. Bearb. v. Paul-Marie
      Duval. 1971
Ugo Balzani, Le chronache italiane nel medio evo. Mailand 1884, ³1909
   [Nachdruck Hildesheim/New York 1973]

XVIII. Quellen zur Geschichte des Mittelalters

1. Quellensammlungen zur Reichsgeschichte

Monumenta Germaniae historica [MGH]. Hrsg. v. Georg Heinrich
   Pertz [ss Bd. 1–12, 16–23; ll Bd. 1–4; dd Bd. 1; andere Bände v. d.

Zentraldirektion der MGH; 1936–45 v. Reichsinstitut für ältere deutsche Geschichtskunde]

I. *Scriptores* [ss] Abt. 1–10
    1. Auctores antiquissimi [AA] Bd. 1–15. Berlin 1877–1919 [Nachdruck 1961]
    2. Scriptores rerum Merovingicarum [Script. rer. Mer./ss rer. Mer(ov).] Bd. 1–7. Hannover [Bd. 4 ff. Hannover/Leipzig] 1884–1920 [Nachdruck Bd. 1,1–2 1965–69, Bd. 2 1956]
    3. Scriptores rerum Langobardicarum et Italicarum saec. VI–IX [Script. rer. Lang.] Bd. 1. Hannover 1878 [Nachdruck 1964]
    4. Gesta pontificum Romanorum [Gesta pont. Rom.] Bd. 1. Berlin 1898
    5. Scriptores [ss] Bd. 1–32. Hannover 1826–1934 [Bd. 32 Hannover/Leipzig; Nachdruck Bd. 1–30 Leipzig 1925 und New York 1963–76; Bd. 32 1963]
    6. Scriptores rerum Germanicarum. Nova Series [Script. rer. Germ., N.S.] Bd. 1–13. Berlin [Bd. 10–11 Weimar] 1922–(67) [Nachdruck Bd. 1–12. 1955–77]
    7. Scriptores rerum Germanicarum in usum scholarum separatim editi [Script. rer. Germ.] Bd. 1–62. Hannover/Leipzig [Bd. 26, 34, 40, 49 Berlin] 1839–1965 [Teilnachdruck 1925–67]
    8. Deutsche Chroniken und andere Geschichtsbücher des Mittelalters. Scriptores qui vernacula lingua usi sunt [Dt. Chron.] Bd. 1–6. Hannover/Leipzig [Bd. 4,2 Berlin] 1876–1909 [Bd. 1,1–2. Nachdruck 1968–74]
    9. Libelli de lite imperatorum et pontificum saec. XI et XII conscripti [Libelli/L.d.l.] Bd. 1–3. Hannover 1891–97 [Nachdruck 1956–57]
    10. Staatsschriften des späteren Mittelalters [Staatsschr.] Bd. 1,1, 2,1, 3,1, 3,2, 3,5, 5,1, 6. Leipzig [Bd. 3,5, 5,1 u. 6 Stuttgart] 1941–(77)

II. *Leges* [LL] Abt. 1–4
    1. Leges in folio [LL/LL in-fol.] Bd. 1–5. Hannover 1835–89 [Nachdrucke Leipzig 1925 und New York 1965]
    2. Leges in Quart
       a) Legum sectio I: Leges nationum Germanicarum [LL in-4°/ Leg. nat. Germ.] Bd. 1–5. Hannover/Leipzig [Bd. 3,2 u. 5 Hannover] 1888–1969 [Nachdruck Bd. 3,2 1966]
       b) Legum sectio II: Capitularia regum Francorum [Capit.] Bd. 1–2. Hannover 1883–97 [Nachdruck 1960]
       c) Legum sectio III: Concilia [Conc.] Bd. 1–2, Erg.-Bd. zu Bd. 1. Hannover [Bd. 2 u. Erg.-Bd. Hannover/Leipzig] 1893–1924 [Nachdruck Bd. 1 1956]

   d) Legum sectio IV: Constitutiones et acta publica impera-
      torum et regum [Const.] Bd. 1–6, 8, 9. Hannover [Bd.
      3–5 Hannover/Leipzig, Bd. 9 Weimar] 1893–1976 [Teil-
      nachdruck 1963]
   e) Legum sectio V: Formulae [Formulae/Form.] Bd. 1.
      Hannover 1882 [Nachdruck 1963]
3. Fontes iuris Germanici antiqui. Nova series [Font. iur. Germ.,
   N.S.] Bd. 1–5. Hannover [Bd. 5 Weimar] 1933–66 [Bd. 1
   Göttingen ²1955–56, Nachdruck 1973; Bd. 4 Hannover ²1974]
4. Fontes iuris Germanici antiqui in usum scholarum separatim
   editi [Font. iur. Germ.] Bd. 1–11. Hannover/Leipzig [Bd.
   6–10 Hannover, Bd. 11 Weimar] 1869–1972

III. *Diplomata* [DD] Abt. 1–5
   1. Diplomata in folio [DD in-fol./Dipl. in-fol.] Bd. 1. Hannover
      1872 [Nachdruck 1965]
   2. Diplomata Karolinorum. Die Urkunden der Karolinger
      [Dipl. Kar.] Bd. 1. Hannover 1906 [Nachdruck 1956]. –
      Bd. 3. Berlin/Zürich 1966
   3. Diplomata regum Germaniae ex stirpe Karolinorum. Die Ur-
      kunden der deutschen Karolinger [Dipl. Kar. Germ.] Bd. 1–4.
      Berlin 1934–60 [Nachdruck 1955–74]
   4. Diplomata regum et imperatorum Germaniae. Die Urkunden
      der deutschen Könige und Kaiser [Dipl. reg. imp. Germ.]
      Bd. 1–6, 8–10 Hannover [Bd. 3–4 Hannover/Leipzig; Bd. 5,
      6,1, 8 Berlin; Bd. 6,2 Weimar; Bd. 9 Wien/Köln/Graz; Bd.
      10 Hannover] 1879–1975 [Teilnachdruck 1957–77]
   5. Laienfürsten- und Dynastenurkunden der Kaiserzeit. Bd. 1.
      Leipzig 1941 [Nachdr. 1957]. – Bd. 2. Weimar 1949 [Nachdr.
      1960]
   6. Regum Burgundiae e stirpe Rudolfina diplomata et acta. Die
      Urkunden der burgundischen Rudolfinger. [München] 1977

IV. *Epistolae* [Epist./Epp./EE] Abt. 1–4
   1. Epistolae in Quart [Epist.] Bd. 1–8. Berlin 1887–1939 [Nach-
      druck 1957–75]
   2. Die Briefe der deutschen Kaiserzeit [Briefe]. Bd. 1–3, 5. Wei-
      mar [Bd. 2 Berlin/Weimar] 1949–66 [Nachdruck Bd. 1, 3 u. 5
      1977]
   3. Epistolae saec. XIII e regestis pontificum Romanorum se-
      lectae per G. H. Pertz, ed. C. Rodenberg [Epist. saec. XIII]
      Bd. 1–3. Berlin 1883–94
   4. Epistolae selectae [Epist. sel.] Bd. 1–5. Berlin [Bd. 5 Wei-
      mar] 1916–52 [Nachdruck 1955–77]

V. *Antiquitates* Abt. 1–3

    1. Poetae Latini Medii Aevi [Bd. 5 u. 6 Die lateinischen Dichter des deutschen Mittelalters. – Poetae/Poet. Lat.] Bd. 1–6. Berlin [Bd. 5,1 Leipzig; Bd. 6,1 Weimar] 1881–1951 [Nachdruck 1964–70]

    2. Necrologia Germaniae [Necr.] Bd. 1–5. Berlin 1888–1920

    3. Libri confraternitatum Sancti Galli, Augiensis, Fabariensis [Libri confr.] Bd. 1. Berlin 1884

VI. *Quellen zur Geistesgeschichte des Mittelalters* [Quell. Geistesgesch.] Bd. 1–10. Weimar 1955–76

VII. *Deutsches Mittelalter.* Kritische Studientexte des Reichsinstituts für ältere deutsche Geschichtskunde [Bd. 4 … der Monumenta Germaniae historica] Bd. 1–4. Leipzig [Bd. 4 Weimar] 1937–49

VIII. *Libri memoriales.* Bd. 1,1–2. (Dublin/Zürich 1970)

Hilfsmittel

Oswald Holder-Egger/Karl Zeumer, Indices eorum quae Monumentorum Germaniae historicorum tomis hucusque editis continentur. Hannover/Berlin 1890

Harry Bresslau, Geschichte der Monumenta Germaniae historica (= Neues Archiv … Bd. 42). Hannover 1921 [Nachdruck 1976]

Repertorium fontium historiae medii aevi Bd. 1 S. 466–479

Herbert Grundmann, Monumenta Germaniae historica 1819–1969. Gedenkschrift zur 150-Jahr-Feier. Köln/Wien/Graz 1969

*

Ausgewählte Quellen zur deutschen Geschichte des Mittelalters [Freiherr-vom-Stein-Gedächtnisausgabe]. Hrsg. v. Rudolf Buchner. Bd. 1–(34). Darmstadt

1a: Altes Germanien. Auszüge über die Germanen aus antiken Quellen (Caesar, Tacitus, Dio Cassius usw.). Hrsg. v. Reinhold Rau. [In Vorber.]

1b: Die Germanen in der Völkerwanderung. Auszüge aus antiken und christlichen Quellen (Ammianus Marcellinus, Augustin, Orosius, Jordanes usw.). Eugippius, Vita Severini. Hrsg. v. Reinhold Rau. [In Vorbereitung]

2: Gregor von Tours. Zehn Bücher Geschichten [Fränkische Geschichte]. Bd. 1, Buch 1–5. Auf Grund der Übers. W. Giesebrechts neubearb. v. Rudolf Buchner. 1955, ⁴1970

3: Gregor von Tours. Zehn Bücher Geschichten [Fränkische Geschichte]. Bd. 2, Buch 6–10. Auf Grund der Übers. W. Giesebrechts neubearb. v. Rudolf Buchner. 1956, [7]1977

4a: Jonas, Leben Columbans (Auswahl). Fredegar Buch 2 ab Kap. 53, Buch 3 u. 4, Fredegar Forts. Liber Historiae Francorum. Leben Liafwins. Hrsg. v. Reinhold Rau. [In Vorbereitung]

4b: Briefe des Bonifatius (vollständig). Willibalds Leben des Bonifatius (desgl.). Nebst einigen zeitgenössischen Dokumenten. Unter Benützung der Übersetzungen v. M. Tangl und Ph. H. Külb neu bearb. v. Reinhold Rau. 1968

5: Quellen zur karolingischen Reichsgeschichte. Die Reichsannalen. Einhard, Leben Karls des Großen. Zwei Leben Ludwigs. Nithard, Geschichten. Erster Teil. Unter Benützung der Übersetzungen v. O. Abel u. J. v. Jasmund neu bearb. v. Reinhold Rau. 1955 [Nachdruck 1974]

6: Quellen zur karolingischen Reichsgeschichte. Zweiter Teil. Jahrbücher von St. Bertin. Jahrbücher von St. Vaast. Xantener Jahrbücher. Unter Benutzung der Übersetzungen v. J. v. Jasmund u. C. Rehdantz neu bearb. v. Reinhold Rau 1958. [Nachdruck 1972]

7: Quellen zur karolingischen Reichsgeschichte. Dritter Teil. Jahrbücher von Fulda. Regino, Chronik. Notker, Taten Karls des Großen. Unter Benutzung der Übersetzungen v. C. Rehdantz, E. Dümmler u. W. Wattenbach neu bearb. v. Reinhold Rau. 1960, [3]1975

8: Quellen zur Geschichte der sächsischen Kaiserzeit. Widukinds Sachsengeschichte. Adalberts Fortsetzung. Die Chronik Reginos. Liudprands Werke. Unter Benützung der Übersetzungen v. P. Hirsch, M. Büdinger u. W. Wattenbach neu bearb. v. Albert Bauer u. Reinhold Rau. 1971, [2]1977

9: Thietmar von Merseburg, Chronik. Neu übertragen u. erl. v. Werner Trillmich. 1957, [5]1974

10: Ekkehard, Casus S. Galli. [In Vorbereitung]

11: Quellen des 9. und 11. Jahrhunderts zur Geschichte der hamburgischen Kirche und des Reiches. Rimbert, Leben Ansgars. Adam von Bremen, Bischofsgeschichte der Hamburger Kirche. Wipo, Taten Kaiser Konrads II. Neu übertragen v. Werner Trillmich. – Hermann von Reichenau, Chronik. Unter Benützung der Übers. v. K. Nobbe neu bearb. v. Rudolf Buchner. 1961, [4]1974

12: Quellen zur Geschichte Kaiser Heinrichs IV. Die Briefe Heinrichs IV. Das Lied vom Sachsenkrieg. Brunos Sachsenkrieg. Neu übers. v. Franz-Josef Schmale. – Das Leben Kaiser Heinrichs IV. Neu übers. v. Irene Schmale-Ott. 1963, [3]1974

12a: Quellen zum Investiturstreit. Erster Teil. Ausgewählte Briefe Papst Gregors VII. Hrsg. u. übers. v. Franz-Josef Schmale. [Im Druck]

12b: Quellen zum Investiturstreit. Zweiter Teil. Streitschriften. Hrsg. u. übers. v. Irene Schmale-Ott. [In Vorb.]

13: Lampert von Hersfeld, Annalen. Neu übers. v. Adolf Schmidt. Erl. v. Wolfgang Dietrich Fritz. 1957 [Nachdruck 1968]

14: Bertholds und Bernolds Chroniken. Hrsg. v. Georgine Tangl. [In Vorbereitung]

15: Frutolfs und Ekkehards Chroniken u. die anonyme Kaiserchronik. Übers. v. Franz-Josef Schmale u. Irene Schmale-Ott. 1972

16: Otto Bischof von Freising, Chronik oder Die Geschichte der zwei Staaten. Übers. v. Adolf Schmidt. Hrsg. v. Walther Lammers. 1960, ³1974

17: Bischof Otto von Freising und Rahewin, Die Taten Friedrichs oder richtiger Cronica. Übers. v. Adolf Schmidt. Hrsg. v. Franz-Josef Schmale. 1965, ²1974

18: Otto von St. Blasien, Historia de expeditione Frederici. Marbacher Annalen. Burchard von Ursberg. Historia Welforum. [In Vorbereitung]

19: Helmold von Bosau, Slawenchronik. Neu übertragen u. erl. v. Heinz Stoob. 1963, ²1973

20: Arnold von Lübeck, Chronik (Fortsetzung Helmolds, bis 1209). Hrsg. v. H. J. Freytag. [In Vorbereitung]

21: Kölner Königschronik. [In Vorbereitung]

22: Lebensbeschreibung einiger Bischöfe des 10.–12. Jahrhunderts [Ulrich von Augsburg, Bruno von Köln, Bernward von Hildesheim, Benno von Osnabrück, Norbert von Magdeburg, Albero von Trier]. Übers. v. Hatto Kallfelz. 1973

23: Heiligen-Leben zur ostdeutsch-slavischen Geschichte. Hrsg. v. M. Hellmann u. R. Wenskus. [In Vorbereitung]

24: Heinrich von Lettland, Livländische Chronik. Neu übers. v. Albert Bauer. 1959, ²1975

25: Peter von Dusberg, Chronik des Ordenslandes Preußen. Hrsg. v. K. Scholz u. D. Woytecki. [In Vorbereitung]

26a–b: Urkunden und erzählende Quellen zur deutschen Ostsiedlung im Mittelalter. Ges. u. hrsg. v. Herbert Helbig u. Lorenz Weinrich. Erster Teil. Mittel- und Norddeutschland. Ostseeküste. 1968, ²1975. – Zweiter Teil: Schlesien, Polen, Böhmen-Mähren, Österreich, Ungarn-Siebenbürgen. 1970

27: Lex Salica. Hrsg. v. Ruth Schmidt. Lex Ribvaria. Hrsg. v. Rudolf Buchner. [In Vorbereitung]

30: Der Sachsenspiegel des Eike von Repgow. Land- und Lehenrecht. Hrsg. u. erl. v. Roderich Schmidt. [In Vorbereitung]

31: Quellen zur Geschichte des deutschen Bauernstandes im Mittelalter. Ges. u. hrsg. v. Günther Franz, 1967, ²1974
32: Quellen zur deutschen Verfassungs-, Wirtschafts- und Sozialgeschichte bis 1250. Hrsg. v. Lorenz Weinrich. 1977
33: Quellen zur Verfassungsgeschichte des Römisch-Deutschen Reiches vom 13. Jahrhundert bis 1495. Hrsg. v. Lorenz Weinrich.
[In Vorb.]
34: Quellen zur Verfassungsgeschichte der deutschen Stadt im Mittelalter. Hrsg. v. Wilfried Ehbrecht. [In Vorb.]

*

FONTES RERUM GERMANICARUM. Geschichtsquellen Deutschlands ⟨12.–14.
Jh.⟩. Hrsg. v. Johann Friedrich Böhmer. Bd. 1–4 [Bd. 4 hrsg. aus dem
Nachlasse Johann Friedrich Böhmer's v. Alfons Huber]. Stuttgart
1843–68 [Nachdruck Aalen 1969]
BIBLIOTHECA RERUM GERMANICARUM. Hrsg. v. Philipp Jaffé [Bd. 6 v. Wilhelm Wattenbach u. Ernst Dümmler]. Bd. 1–6. Berlin 1864–73 [Nach-
druck Aalen 1964]
Johann Friedrich BÖHMER, Acta Imperii selecta. Urkunden deutscher Könige und Kaiser mit einem Anhang von Reichssachen. Hrsg. aus seinem
Nachlasse. Innsbruck 1868 [Neudr. d. Ausg. v. 1870 Aalen 1967]
HISTORIA DIPLOMATICA FRIDERICI SECUNDI... Hrsg. v. Jean-Louis-Al-
phonse Huillard-Bréholles. Bd. 1–6. Paris 1852–61 [Nachdruck Turin
1963]
ACTA IMPERII INEDITA. Hrsg. v. Eduard Winkelmann. Bd. 1–2. Innsbruck
1: Acta Imperii inedita seculi XIII. Urkunden und Briefe zur Geschichte des Kaiserreichs und Königreichs Sicilien in den Jahren
1198–1273. 1880 [Nachdruck Aalen 1964]
2: Acta Imperii inedita seculi XIII et XIV. Urkunden und Briefe...
in den Jahren 1200–1400. 1885 [Nachdruck Aalen 1964]

*

HISTORISCHE TEXTE/MITTELALTER. Hrsg. v. Arno Borst u. Josef Fleckenstein. Heft 1–.
[1:] Politische Propaganda Kaiser Friedrichs II. und seiner Gegner.
Eingel. u. zus.gestellt v. Hans Martin Schaller. Germering (1965)
[2:] Idee und Wirklichkeit der Kreuzzüge. Eingel. u. zus.gestellt v.
Hans Eberhard Mayer. Germering (1965)
3: Politische Verträge des frühen Mittelalters. Eingel. u. zus.-
gestellt v. Peter Classen. (Germering 1966)
4: Die Kaiserkrönung Karls des Großen. Eingel. u. zus.gestellt v.
Kurt Reindel. (Klecken 1966). – 2. Aufl. Göttingen (1970)

5 : Kapitularien. Ausgew. u. eingel. v. Reinhard Schneider. Göttingen (1968)

6 : Cluny im 10. und 11. Jahrhundert. Eingel. u. zus.gestellt v. Joachim Wollasch. Göttingen (1967)

7 : Quellen zur Entstehung des Kirchenstaates. Eingel. u. zus.-gestellt v. Horst Fuhrmann. Göttingen (1968)

8 : Ketzer und Ketzerbekämpfung im Hochmittelalter. Eingel. u. zus.gestellt v. James Fearns. Göttingen (1968)

9–10: Die deutsche Königswahl im 13. Jahrhundert. Eingel. u. ausgew. v. Bernhard Schimmelpfennig. Heft 1–2. Göttingen (1968). – Heft 1. Die Wahlen von 1198 bis 1247. – Heft 2. Die Wahlen von 1256/57 und 1273.

11 : Lehnrecht und Staatsgewalt im deutschen Hochmittelalter. Eingel. u. zus.gestellt v. Werner Goez. Göttingen (1969)

12 : Das Papsttum und die süditalienischen Normannenstaaten 1053–1212. Eingel. u. zus.gestellt v. Josef Deér. Göttingen (1969)

13 : Quellen zur Entstehung der Landesherrschaft. Eingel. u. zus.-gestellt v. Hans Patze. Göttingen (1969)

14–15: Die deutsche Königserhebung im 10.–12. Jahrhundert. Eingel. u. zus.gestellt v. Walter Böhme. Heft 1. Die Erhebungen von 911 bis 1105. Göttingen (1970). – Heft 2. Die Erhebungen von 1123 bis 1198. Göttingen (1970)

16 : Die mittelalterliche Universität. Eingel. u. zus.gestellt v. Heinrich Rüthing. Göttingen (1973)

17 : Juden im Mittelalter. Eingel. u. zus.gestellt v. Dieter Berg u. Horst Steuer. Göttingen (1976)

2. Quellensammlungen zur Kirchengeschichte

ACTA SANCTORUM quotquot toto orbe coluntur . . . [AA SS]. Hrsg. v. Jean Bolland [bis Bd. 5, danach v. den Bollandisten]. Bd. 1–67. Antwerpen [Bd. 50 ff. Brüssel, Bd. 52 Tongerloe] 1643–1940 [noch nicht vollständig, bis 10. November reichend; letzter Band = Propylaeum für Dezember]. – 2. Aufl. Bd. 1–43 [bis 5. September]. Venedig 1734–70. – 3. Aufl. Bd. 1–60 [bis 12. Oktober]. Paris/Rom 1863–70
Wegweiser: Bibliotheca hagiographica Latina . . . Bd. 1–2. Brüssel 1898–1901

ACTA SANCTORUM ORDINIS S. BENEDICTI . . . [Acta SS OSB]. Hrsg. v. Johannes Mabillon. Bd. 1–9. Paris 1668–1701. – 2. Aufl. Venedig 1733–38

Jacques Paul MIGNE, Patrologiae cursus completus, seu bibliotheca universalis . . . omnium ss. patrum, doctorum, scriptorumque ecclesiasticorum, sive Latinorum, sive Graecorum . . . 3 Serien

[A] Series Graeca: in qua prodeunt patres, doctores, scriptoresque ecclesiae Graecae a S. Barnaba ad Bessarionem [Migne, PG]. Bd. 1–167. Paris 1857–76 [häufige Neudrucke]

[B] Series Graeca et orientalis [Migne, PGO]. Bd. 1–81. Paris 1856–67

[C] Series Latina: in qua prodeunt patres, doctores scriptoresque ecclesiae Latinae a Tertulliano ad Innocentium III. [Migne, PL]. Bd. 1–221. Paris 1844–65. – Erg.-Bd. 1–(5). Paris 1958–(74). – Elf Teile:

I.	Scriptores qui in II–IV saec. floruerunt. Bd. 1–19	
II.	Scriptores V saec. Bd. 20–61	
III.	Scriptores VI saec. Bd. 62–79	
IV.	Scriptores qui in VII saec. prima parte floruerunt. Bd. 80–86	
V.	Scriptores qui in VII saec. secunda parte floruerunt. Bd. 87–88	
VI.	Scriptores ecclesiastici VIII saec. Bd. 89–96	
VII.	Scriptores IX saec. Bd. 97–130	
VIII.	Scriptores X saec. Bd. 131–138	
IX.	Scriptores XI saec. Bd. 139–151	
X.	Scriptores XII saec. Bd. 151–191	
XI.	Scriptores XIII saec. Bd. 192–217	
	Bd. 218: Indices generales auctorum, operum et auctorum a patribus memoratorum. – Bd. 219–221: Indices speciales	

Wegweiser

REPERTORIUM FONTIUM historiae medii aevi Bd. 1 S. 420–454

Jacques Paul MIGNE, Index alphabeticus. – B. PEARSON, Conspectus auctorum [Zusammendruck der Ausgaben v. 1865 bzw. 1882]. (Ridgewood/N.J. 1965)

CORPUS SCRIPTORUM ECCLESIASTICORUM LATINORUM [CSEL]. Hrsg. v. d. Kaiserlichen Akademie [1922 ff. v. d. Akademie...] der Wissenschaften zu Wien. Bd. 1–(87). Wien [Bd. 16–35, 37–42 Wien/Prag/Leipzig; Bd. 36, 43, 70 Wien/Leipzig] 1866–(1976)

Verzeichnis

REPERTORIUM FONTIUM historiae medii aevi Bd. 1 S. 197–201

CORPUS CHRISTIANORUM [Corp. Christ.]. Zus.gestellt v. den Benediktinermönchen der Abtei S. Petri in Steenbrugge. Series latina. Bd. 1–. Turnhout 1953–(76). [Geplant 180 Bde., die Bde. 1–96 des Migne (= patristische Periode) entsprechen; bisher erschienen über 80 Bde.]
... Continuatio mediaevalis. Bd. 1–. Turnhout 1966–(75). [Geplant 40 Bde.

oder mehr, bis zur vorscholastischen Zeit reichend; bisher erschienen
20 Bde.]

Giovanni Domenico Mansi, Collectionis conciliorum synopsis amplissima
... [Mansi, Synopsis]. Bd. 1–4. Venedig 1768–98

Giovanni Domenico Mansi, Sacrorum conciliorum nova et amplissima
collectio ⟨–15. Jh.⟩ [Mansi]. Bd. 1–31. Florenz [Bd. 14 ff. Venedig]
1759–98. – 2. Aufl. ⟨–1870 bzw. 1902⟩. Bd. 1–53 [ab Bd. 36A hrsg.
v. Jean Baptiste Martin u. Louis Petit]. Paris [Bd. 49 ff. Arnheim/
Leipzig] 1901–27 [Nachdruck Graz 1960–61]

Bibliographie

Bibliographia Patristica. Internationale patristische Bibliographie.
Hrsg. v. Wilhelm Schneemelcher. 1 (1956) – 14/15 (1969/70). Berlin
1959–(77)

3. *Regestenwerke*

a) *Regesten zur Reichsgeschichte*

Johann Friedrich Böhmer, Regesta chronologico-diplomatica regum atque
imperatorum Romanorum inde a Conrado I. usque ad Heinricum VII.
Die Urkunden der Römischen Könige und Kaiser von Conrad I. bis
Heinrich VII. 911–1313. Frankfurt/M 1831

Johann Friedrich Böhmer, Regesta chronologico-diplomatica Karolorum.
Die Urkunden sämmtlicher Karolinger in kurzen Auszügen ... Frank-
furt/M 1833

Johann Friedrich Böhmer, Regesta Imperii inde ab anno 1314 usque ad
annum 1347. Die Urkunden Kaiser Ludwigs des Baiern, König Friedrich des Schönen und König Johanns von Böhmen in Auszügen. Frank-
furt/M 1839

[Neubearbeitung:]

Johann Friedrich Böhmer, Regesta imperii. [Serie 1–14]

    [I.] Die Regesten des Kaiserreiches unter den Karolingern 751–918.
    Neu bearb. v. Engelbert Mühlbacher. Innsbruck 1889. – 2. Aufl.
    neu bearb. v. Engelbert Mühlbacher, vollendet v. Johann Lechner.
    Innsbruck 1908 [bericht. Neudruck Hildesheim 1966]

    II. Die Regesten des Kaiserreiches unter den Herrschern aus dem
    sächsischen Hause ⟨919–1024⟩ [Abt. 2 u. 3: Sächsisches Haus:
    919–1024; Abt. 5: Sächsische Zeit]. Abt. 1–5

        [1. Heinrich I. und Otto I. ⟨919–973⟩]. Neu bearb. v. Emil von
        Ottenthal. Innsbruck 1893
        [berichtigter Neudruck Hildesheim 1967]

2. Die Regesten des Kaiserreiches unter Otto II. 955(973)–983. Neu bearb. v. Hanns Leo Mikoletzky. Innsbruck 1950
3. Die Regesten des Kaiserreiches unter Otto III. 980(983)–1002. Neu bearb. v. Mathilde Uhlirz. Graz/Köln 1956–57
4. Die Regesten des Kaiserreiches unter Heinrich II. 1002–1024. Neu bearb. v. Theodor Graff. Wien/Köln/Graz 1971
5. Papstregesten 911–1024. Bearb. v. Harald Zimmermann. Wien/Köln/Graz 1969

III. Salisches Haus: 1024–1125. Erster Teil: 1024–1056. Abt. 1
1. Die Regesten des Kaiserreiches unter Konrad II. 1024–1039. Neu bearb. unter Mitwirkung v. Norbert von Bischoff v. Heinrich Appelt. Graz 1951

IV. Ältere Staufer 1125–1197
3. Die Regesten des Kaiserreiches unter Heinrich VI. 1165(1190)–1197. Nach Johann Friedrich Böhmer neu bearb. v. Gerhard Baaken. Köln/Wien 1972

V. Die Regesten des Kaiserreiches unter Philipp, Otto IV., Friedrich II., Heinrich (VII.), Conrad IV., Heinrich Raspe, Wilhelm und Richard. 1198–1272. Abt. 1–5 [in 3, auch in 4 Bänden]. Neu hrsg. u. erg. v. Julius Ficker [Abt. 3–5: u. Eduard Winkelmann]. Innsbruck 1881–1901 [berieht. Neudruck Hildesheim 1969]
1. [Philipp – Friedrich II.]. 1881
2. [Heinrich VII. – Richard]. 1882
3–4. Päpste und Reichssachen. 1892–94
5. Einleitung und Register. 1901

VI. Die Regesten des Kaiserreiches unter Rudolf, Adolf, Albrecht, Heinrich VII. 1273–1313. Abt. 1–(4). Innsbruck
1. [Rudolf v. Habsburg ⟨1273–1291⟩.] Neu hrsg. u. erg. v. Oswald Redlich. 1898 [berieht. Neudruck Hildesheim 1969]
2. [Adolf v. Nassau ⟨1291–1298⟩.] Neu bearb. v. Vincenz Samanek. 1933–48
3. Albrecht I. von Habsburg ⟨1298–1308⟩. [Geplant]
4. Heinrich VII. von Luxemburg ⟨1309–1313⟩. [Geplant]

VII. Ludw. d. Baier ⟨1314–1347⟩ u. Fr. d. Schöne ⟨1314–1330⟩. [Gepl.]

VIII. Die Regesten des Kaiserreiches unter Kaiser Karl IV. 1346–1378. Hrsg. u. erg. v. Alfons Huber. Innsbruck 1877 [berieht. Neudruck Hildesheim 1967]. – Erg.-Heft 1 v. Alfons Huber. Innsbruck 1889

IX. Wenzel ⟨1378–1400⟩. [Geplant]

X. Regesten König Ruprechts ⟨1400–1410⟩. Von L. Graf von Oberndorff (= Regesten der Pfalzgrafen am Rhein 2). Innsbruck 1912–39 [außerhalb der Reihe erschienen]

XI. Die Urkunden Kaiser Sigmunds (1410–1437). Verzeichnet v. Wilhelm Altmann. Bd. 1–2. Innsbruck 1896–1900 [Nachdruck Hildesheim 1967]

XII. Albrecht II. 1438–1439. Bearb. v. Günther Hödl. Wien [u.a.] 1975

XIII.–XIV. Friedrich III. ⟨1440–1493⟩ und Maximilian I. ⟨1493 bis 1519⟩. [In Vorbereitung]

[Für die oben noch fehlenden Bände sind heranzuziehen:]
Karl Friedrich STUMPF-BRENTANO, Die Reichskanzler vornehmlich des X., XI. und XII. Jahrhunderts ... Bd. 1–3. Innsbruck 1865–81 [Nachdruck Aalen 1964]
Joseph CHMEL, Regesta chronologico-diplomatica Friderici IV. Romanorum regis (imperatoris III.) ... ⟨1440–1493⟩. Wien 1838–40 [Nachdruck Hildesheim 1962]

REGESTA HISTORICO-DIPLOMATICA ORDINIS S. MARIAE THEUTONICORUM 1198–1525. Pars I–II. Bearb. v. Erich Joachim. Hrsg. v. Walther Hubatsch. Göttingen
I. Index Tabularii Ordinis S. Mariae Theutonicorum. Regesten zum Ordensbriefarchiv. Bd. 1–3
    1,1–2: 1198–1454. 1948
    2:    1455–1510. 1950
    3:    1511–1525. 1973
II. Regesta Privilegiorum Ordinis S. Mariae Theutonicorum. Regesten der Pergament-Urkunden aus der Zeit des Deutschen Ordens. 1948
Register zu Pars I [ohne I. 3] und Pars II. 1965

b) *Regesten und Register zur Papstgeschichte*
Otto SEECK, Regesten der Kaiser und Päpste für die Jahre 311 bis 476. Vorarbeiten zu einer Prosopographie der Kaiserzeit. Stuttgart 1919 [Nachdruck (Frankfurt 1964)]
REGESTA PONTIFICUM ROMANORUM ab condita ecclesia ad annum post Christum natum 1198. Hrsg. v. Philipp Jaffé. Berlin 1851. – 2. Aufl. Bd. 1–2. Hrsg. v. Samuel Löwenfeld, Ferdinand Kaltenbrunner u. Paul Ewald. Leipzig 1885–88 [Nachdruck Graz 1956]
Julius von PFLUGK-HARTTUNG, Acta pontificum Romanorum 748–1198. Bd. 1–3. Tübingen [Bd. 2–3 Stuttgart] 1881–86 [Nachdruck Graz 1958]
REGESTA PONTIFICUM ROMANORUM inde ab a. post Christum natum 1198 ad a. 1304. Hrsg. v. August Potthast. Bd. 1–2. Berlin 1874–75 [Nachdruck Graz 1957]
REGESTA PONTIFICUM ROMANORUM. Hrsg. v. Paul Kehr. [Abt. I–II.] Berlin
    [I.] Italia pontificia ... Bd. 1–(10). Bearb. v. Paul Kehr. [Bd. 9 v. Walther Holtzmann, Bd. 10 v. Dieter Girgensohn]. 1906–(75)

[II.] Germania pontificia. Bd. 1–3. Berlin 1911–35 [unvollständig] [Nachdruck Berlin 1960–61]

REGISTRES ET LETTRES DES PAPES DU XIIIe siècle (= Bibliothèque des Écoles françaises d'Athènes et de Rome, 2e série). Paris [in der Serie unregelmäßig durchlaufende Bandzählung; Einteilung:]

1,1–4:   Les registres d'Innocent IV (1243–1254). Recueil des bulles . . . 1884–1921

2:   Les registres de Benoît XI (1303–1304). Recueil des bulles . . . 1883–1905

3,1–2:   Le Liber pontificalis. 1886–92 [Nachdruck als 2. Aufl. 1955–57; dazu Bd. 3: Additions et corrections]

4,1–4:   Les registres de Boniface VIII (1294–1303). Recueil des bulles . . . 1884–1939

5,1–2:   Les registres de Nicolas IV (1288–1292). Recueil des bulles . . . 1886–1905

6,1–3:   Le Liber censuum de l'Église romaine. 1889–1952

7:   Les registres d'Honorius IV (1285–1287). 1888

9,1–4:   Les registres de Grégoire IX (1227–1241). Recueil des bulles . . . 1890–1955

11:   Les registres de Clément IV (1265–1268). Recueil des bulles . . . 1893–1945

12:   Les registres de Grégoire X (1272–1276). Recueil des bulles . . . – Les registres de Jean XXI (1276–1277). Recueil des bulles . . . 1892–1960

13,1–4:   Les registres d'Urbain IV (1261–1264). Recueil des bulles . . . 1899–1958

14:   Les registres de Nicolas III (1277–1280). Recueil des bulles . . . 1898–1938

15,1–3:   Les registres d'Alexandre IV (1254–1261). Recueil des bulles . . . 1895–1959

16:   Les registres de Martin IV (1281–1285). Recueil des bulles . . . 1901–1935

*

REGISTRES ET LETTRES DES PAPES DU XIVe siècle (= Bibliothèque des Écoles françaises d'Athènes et de Rome, 3e série). Paris [in der Serie unregelmäßig durchlaufende Bandzählung] [Einteilung:]

1,1–(3):   Lettres secrètes et curiales du pape Jean XXII (1316–1334) relatives à la France. 1900–(67)

1 bis Bd. 1–16:   Jean XXII (1316–1334). Lettres communes. 1904–47

2:   Benoît XII (1334–1342). Lettres closes, patentes et curiales se rapportant à la France. 1899–1920

2 bis Bd. 1–3:   Benoît XII (1334–1342). Lettres communes. 1902–11

[s.nr.]   Lettres des papes d'Avignon. Benoît XII (1334–1342). Lettres closes et patentes intéressant les pays autres que la France. 1935–50

3,1–3:   Clément VI (1342–1352). Lettres closes, patentes et curiales se rapportant à la France. 1901–61

[3 bis:]   Clément VI (1342–1352). Lettres closes, patentes et curiales intéressant les pays autres que la France. 1960–61

4:                   Innocent VI (1352–1362). Lettres closes, patentes et curiales se rapportant à la France. 1909 [unvollständig]

4 [bis] Bd. 1–(3):   Innocent VI (1352–1362). Lettres secrètes et curiales. 1959–(68)

2 [ter] Bd. 1–2:   Les registres d'Urbain V (1362–1363). Recueil des bulles ... 1926

5:                   Lettres secrètes et curiales du pape Urbain V (1362–1370) se rapportant à la France. 1902–55

5 bis Bd. 1–(2):   Urbain V (1362–1370). Lettres communes. Paris 1954–(67)

7:                   Lettres secrètes et curiales du pape Grégoire XI (1370–1378) relatives à la France. 1935–57

[7 bis:]   Innocent VI (1352–1362). Lettres secrètes et curiales du pape Grégoire XI (1370–1378) intéressant les pays autres que la France. Fasz. 1–3. Paris 1962–65

Bibliographie
DW 67/8–41

4. Quellen zur Geschichte des 14.–16. Jahrhunderts

DIE CHRONIKEN DER DEUTSCHEN STÄDTE vom 14. bis ins 16. Jahrhundert. Hrsg. durch die Historische Kommission bei der Bayerischen Akademie der Wissenschaften. Bd. 1–37, Leipzig [u.a.] 1862–1931 [unveränd. Nachdr. als 2. Aufl. Göttingen 1961–69; Gliederung:]

    I: Die Chroniken der schwäbischen Städte. Augsburg ⟨955–1565⟩. Bd. 1–9. 1865–1929, (²1965–67)
    II: Die Chroniken der baierischen Städte. Regensburg ⟨1511–1555⟩, Landshut ⟨1439–1504⟩, Mühldorf ⟨1313–1428⟩, München ⟨1397–1403⟩. Bd. 1. 1878, (²1968)
    III: Die Chroniken der fränkischen Städte. Nürnberg ⟨1349–1516⟩. Bd. 1–5. 1862–74, (²1961)

IV: Die Chroniken der oberrheinischen Städte. Straßburg ⟨1362–1415⟩. Bd. 1–2. 1870–71, (²1962)

V: Die Chroniken der mittelrheinischen Städte. Mainz ⟨1332–1552⟩. Bd. 1–2. 1881–82, (²1968)

VI: Die Chroniken der niederrheinischen Städte. Cöln ⟨1273–1499⟩. Bd. 1–3. 1875–77, (²1968)

VII: Die Chroniken der westfälischen und niederrheinischen Städte. Dortmund ⟨750–1550⟩, Neuß ⟨750–1550⟩, Soest ⟨1400–1532⟩, Duisburg ⟨1474–1517⟩. Bd. 1–3. 1887–95, (²1969)

VIII: Die Chroniken der niedersächsischen Städte. Braunschweig ⟨1279–1514⟩. Bd. 1–3. 1868–1928, (²1962–69)

IX: Die Chroniken der niedersächsischen Städte. Magdeburg ⟨1467–1566⟩. Bd. 1–2. 1869–99, (²1962)

X: Die Chroniken der niedersächsischen Städte. Lübeck ⟨1101–1485⟩. Bd. 1–5. 1884–1914

XI: Die Chroniken der niedersächsischen Städte. Lüneburg ⟨1369–1533⟩. Bd. 1. 1931, (²1968)

XII: Die Chroniken der niedersächsischen Städte. Bremen ⟨787–1430⟩. Bremen 1968

*

DEUTSCHE REICHSTAGSAKTEN. Ältere Reihe ⟨1376–1486⟩. Hrsg. durch die Historische Kommission bei der Bayerischen Akademie der Wissenschaften. Bd. 1–. [Nachdruck Bd. 1–17,1, als 2. Aufl. Göttingen 1956–57]

1–3: Deutsche Reichstagsakten unter König Wenzel. 1.–3. Abth. ⟨1376–1400⟩. Hrsg. v. Julius Weizsäcker. München 1867–77

4–6: Deutsche Reichstagsakten unter König Ruprecht. 1.–3. Abth. ⟨1400–1410⟩. Hrsg. v. Julius Weizsäcker. Gotha 1882–88

7–9: Deutsche Reichstagsakten unter Kaiser Sigmund. 1.–3. Abth. ⟨1410–1431⟩. Hrsg. v. Dietrich Kerler. München [Bd. 8 u. 9 Gotha] 1878–1887

10: Deutsche Reichstagsakten unter Kaiser Sigmund. 4. Abt. 1431–1433. Hrsg. v. Hermann Herre. Gotha 1906

11–12: Deutsche Reichstagsakten unter Kaiser Sigmund. 5.–6. Abt. ⟨1433–1437⟩. Hrsg. v. Gustav Beckmann. Gotha 1898–1901

13: Deutsche Reichstagsakten unter König Albrecht II. 1. Abt. 1438. Hrsg. v. Gustav Beckmann. Stuttgart/Gotha 1925

14: Deutsche Reichstagsakten unter König Albrecht II. 2. Abt. 1439. Hrsg. v. Helmut Weigel. Stuttgart 1935

15: Deutsche Reichstagsakten unter Kaiser Friedrich III. 1. Abt. 1440–1441. Hrsg. v. Hermann Herre. Gotha 1914

16: Deutsche Reichstagsakten unter Kaiser Friedrich III. 2. Abt. 1441–1442. 1. Hälfte hrsg. v. Hermann Herre. – 2. Hälfte

bearb. v. Hermann Herre, hrsg. v. Ludwig Quidde. Stuttgart/
Gotha 1928

17,1–3: Deutsche Reichstagsakten unter Kaiser Friedrich III. 3. Abt.,
1. Hälfte. 1442–1444. Hrsg. v. Walter Kaemmerer. Stuttgart
1939. – 2. Hälfte 1444. Hrsg. v. Walter Kaemmerer. Göttingen
1956. – 3. Hälfte. 1445. Hrsg. v. Walter Kaemmerer. Göttingen
1963

18: [noch nicht erschienen]

19,1: Deutsche Reichstagsakten unter Kaiser Friedrich III. 5. Abt.,
1. Hälfte. 1453–1454. Hrsg. v. Helmut Weigel u. Henny
Grüneisen. Göttingen 1969

22: Deutsche Reichstagsakten unter Kaiser Friedrich III. Hrsg. v.
Ingeborg Most-Kolbe. 8. Abt., 1. Hälfte. 1468–1470. Göttingen
1973

Beiheft. Die Reformation Kaiser Sigmunds. Eine Schrift des 15. Jahrhunderts zur Kirchen- und Reichsreform. Hrsg. v. Karl Beer. Stuttgart
1933. – [Eine weitere Ausg. der Reformatio Sigismundi, hrsg. v. Heinrich
Koller, auch in MGH Staatsschr. Bd. 6. Stuttgart 1964.]

DEUTSCHE REICHSTAGSAKTEN. Mittlere Reihe ⟨1486–1518⟩. Hrsg. durch
die Historische Kommission bei der Bayerischen Akademie der Wissenschaften. Bd. (1–12). Göttingen

1: [Reichstag zu Frankfurt 1486. Noch nicht erschienen.]

2: [Reichstag zu Nürnberg 1487. Noch nicht erschienen.]

3,1–2: Deutsche Reichstagsakten unter Maximilian I. 1488–1490.
[Reichstag zu Frankfurt 1489.] Bearb. v. Ernst Bock. 1972–73

*

HANSEREZESSE. Abt. 1–4 ⟨1256–1560⟩.

1. Abth. Die Recesse und anderen Akten der Hansetage von 1256–1430.
Hrsg. durch die historische Commission bei der königlichen [bayeri-
schen] Akademie der Wissenschaften. Bd. 1–8. Leipzig 1870–97
[Nachdruck Hildesheim 1975]

2. Abth. Hanserecesse von 1431–1476. Hrsg. v. Verein für Hansische
Geschichte. Bd. 1–7. Bearb. v. Goswin Frhr. v. d. Ropp. Leipzig
1876–92 [Nachdruck Hildesheim 1975]

3. Abt. Hanserecesse von 1477–1530. Hrsg. v. Verein für Hansische
Geschichte. Bd. 1–9. Bearb. v. Dietrich Schäfer [ab Bd. 8 v. Dietrich
Schäfer u. Friedrich Techen]. Leipzig [Bd. 9 München] 1881–1913

4. Abt. Hanserezesse von 1531–1560. Hrsg. v. Hansischen Geschichtsverein. Bd. 1–2 [trotz Unvollständigkeit weitere Bde. nicht geplant]
1: ⟨1531–1535 VI⟩. Bearb. v. Gottfried Wentz. Weimar 1941
2: ⟨1535 VII–1537⟩. Bearb. v. Klaus Friedland u. Gottfried Wentz.
Köln/Wien 1970

HANSISCHES URKUNDENBUCH. Hrsg. v. Verein für Hansische Geschichte. Bd. 1–7,1, 8–11, ⟨–1500⟩.

1–3,1–2: Bearb. v. Konstantin Höhlbaum. Halle 1876–86. [Dazu:] Paul Feit, Glossar und Sachregister zu Bd. 1–3. Halle 1886
4: Bearb. v. Karl Kunze. Halle 1896
5–6: Bearb. v. Karl Kunze. Leipzig 1899–1905
7,1: Bearb. v. Hans-Gerd von Rundstedt. Weimar 1939
8–11: Bearb. v. Walther Stein. Leipzig [Bd. 11 München] 1899–1916

XIX. Quellen zur Geschichte der Neuzeit

1. Quellensammlungen zur Geschichte des 16.–20. Jahrhunderts

PUBLICATIONEN AUS DEN PREUSSISCHEN STAATSARCHIVEN. Veranlaßt und unterstützt durch die Archiv-Verwaltung. Bd. 1–94 [mehr nicht erschienen]. Leipzig 1878–1938 [Teilnachdruck Osnabrück 1965–69]

1, 10, 13, 18, 24, 53, 56, 76, 77: Preußen und die Katholische Kirche seit 1640 ⟨1640–1807⟩. Hrsg. v. Max Lehmann [Theil 1–7] u. Herman Granier [Theil 8, 9]. Theil 1–9. 1878–1902

2, 11, 25, 30: Rudolph Stadelmann, Preußens Könige in ihrer Thätigkeit für die Landescultur. Theil 1–4, 1878–87
  1: [Friedrich Wilhelm I.]
  2: Friedrich der Große
  3: Friedrich Wilhelm II.
  4: Friedrich Wilhelm III. (1797–1807)

4: Memoiren der Herzogin Sophie, nachmals Kurfürstin von Hannover Hrsg. v. Adolf Köcher. – Frédéric II., Histoire de mon Temps. (Redaction von 1746.) Hrsg. v. Max Posner. 1879

5, 28, 47: Briefwechsel Landgraf Philipp's des Großmüthigen von Hessen mit Bucer ⟨1529–1547, 1554–1558⟩. Hrsg. u. erl. v. Max Lenz. Theil 1–3. 1880–91

6: Paul Hassel, Geschichte der Preußischen Politik 1807 bis 1815. Erster Theil. (1807, 1808). 1881

8, 29: Preußen und Frankreich von 1795 bis 1807. Diplomatische Correspondenzen. Hrsg. v. Paul Bailleu. Theil 1–2. 1881, 1887

9, 33, 62: Die Gegenreformation in Westfalen und am Niederrhein ⟨1555–1623⟩. Actenstücke und Erläuterungen. Zusammengestellt v. Ludwig Keller. Theil 1–3. 1881–95

12, 14, 15, 23: Preußen im Bundestag 1851 bis 1859. Documente der K. Preuß. Bundestags-Gesandtschaft. Hrsg. v. Heinrich Ritter von

Poschinger. Teil 1–4. Leipzig 1882–84 [Bd. 1–3 ²1882]

20, 63: Adolf Köcher, Geschichte von Hannover und Braunschweig 1648 bis 1714. Theil 1–2 ⟨1648–1674⟩. 1884, 1895

22: Heinrich de Catt, Unterhaltungen mit Friedrich dem Großen. Memoiren und Tagebücher. Hrsg. v. Reinhold Koser. 1884

26: Briefwechsel der Herzogin Sophie von Hannover mit ihrem Bruder, dem Kurfürsten Karl Ludwig von der Pfalz und des Letzteren mit seiner Schwägerin, der Pfalzgräfin Anna ⟨1652–1680⟩. Hrsg. v. Eduard Bodemann. 1885

34, 42: Joseph Hansen, Westfalen und Rheinland im 15. Jahrhundert. Bd. 1–2.
1: Die Soester Fehde. 1888. – 2: Die Münsterische Stiftsfehde. 1890

35, 39, 46: Georg Irmer, Die Verhandlungen Schwedens und seiner Verbündeten mit Wallenstein und dem Kaiser von 1631 bis 1634. Theil 1–3. 1888–91

37: Briefe der Kurfürstin Sophie von Hannover an die Raugräfinnen und Raugrafen zu Pfalz ⟨1680–1712⟩. Hrsg. v. Bodemann. 1888

41, 54, 55, 66, 80, 89, 91: Protokolle und Relationen des Brandenburgischen Geheimen Rates aus der Zeit des Kurfürsten Friedrich Wilhelm. Hrsg. v. Otto Meinardus. Bd. 1–7,1 ⟨1640 X – 1666 XII⟩. 1889–1919

43, 44, 45: Urkundenbuch zur Reformationsgeschichte des Herzogthums Preußen. Hrsg. v. Paul Tschackert. Bd. 1–3. 1890

50, 58, 61: Erich Joachim, Die Politik des letzten Hochmeisters in Preußen, Albrecht von Brandenburg ⟨1510–1525⟩. Theil 1–3. 1892–95

64: Max Bär, Die Politik Pommerns während des Dreißigjährigen Krieges. 1896

68: Politische Correspondenz des Grafen Franz Wilhelm von Wartenberg, Bischofs von Osnabrück aus den Jahren 1621–1631. Hrsg. v. H. Forst. 1897

72: Briefwechsel Friedrichs des Großen mit Grumbkow und Maupertuis (1731–1759). Hrsg. v. Reinhold Koser. 1898

74: Preußische und österreichische Acten zur Vorgeschichte des Siebenjährigen Krieges. Hrsg. v. Gustav Berthold Volz und Georg Küntzel. 1899

75: Briefwechsel König Friedrich Wilhelm's III. und der Königin Luise mit Kaiser Alexander I. Nebst ergänzenden fürstlichen Korrespondenzen. Hrsg. v. Paul Bailleu. 1900

78, 85: Politisches Archiv des Landgrafen Philipp des Großmütigen von Hessen. Inventar der Bestände. Hrsg. v. Friedrich Küch. Bd. 1–2. 1904, 1910

[Fortsetzung des Inventars außerhalb der »Publikationen« erschienen u.d.T.: Politisches Archiv des Landgrafen Philipp des Großmütigen von Hessen. Inventar der Bestände. Hrsg. v. Walter Heinemeyer. Bd. 3–4

(= Veröffentlichungen der Historischen Kommission für Hessen und Waldeck 24,1–2). Marburg 1954, 1959]

79: Briefe der Königin Sophie Charlotte von Preußen und der Kurfürstin Sophie von Hannover an hannoversche Diplomaten. Hrsg. v. Richard Döhner. 1905

81, 82, 86: Briefwechsel Friedrichs des Großen mit Voltaire. Hrsg. v. Reinhold Koser u. Hans Droysen. Teil 1–3. 1908–11

90: Nachträge zu dem Briefwechsel Friedrichs des Großen mit Maupertuis und Voltaire ... Hrsg. v. Hans Droysen, Fernand Caussy u. Gustav Berthold Volz. 1917

83, 84: Max Bär, Westpreußen unter Friedrich dem Großen. Bd. 1–2.
1. [Darstellung] 1909. – 2. [Quellen] 1909

87: Preußens Staatsverträge aus der Regierungszeit König Friedrich Wilhelms I. Hrsg. v. Victor Loewe. 1913

88: Berichte aus der Berliner Franzosenzeit 1807–1809. Hrsg. v. Herman Granier. 1913

92: Preußens Staatsverträge aus der Regierungszeit König Friedrichs I. Hrsg. v. Victor Loewe. 1923

93, 94: Neue Folge. Erste Abteilung. Die Reorganisation des preußischen Staates unter Stein und Hardenberg. Teil 1–2.

   1. Allgemeine Verwaltungs- und Behördenreform. Hrsg. v. Georg Winter. Bd. 1 [mehr nicht erschienen]

     1. Vom Beginn des Kampfes gegen die Kabinettsregierung bis zum Wiedereintritt des Ministers vom Stein. 1931

   2. Das Preußische Heer vom Tilsiter Frieden bis zur Befreiung 1807–1814. Hrsg. v. Rudolf Vaupel. Bd. 1 [mehr nicht erschienen]

     1: ⟨1807 VII – 1808 XII⟩. 1938

*

Ausgewählte Quellen zur deutschen Geschichte der Neuzeit. Freiherr vom Stein-Gedächtnisausgabe. In Verbindung mit vielen Fachgenossen hrsg. v. Rudolf Buchner [1977 ff. u. Winfried Baumgart]. Bd. 1– . Darmstadt

1: Johannes Cochlaeus, Brevis Germaniae descriptio (1512) ... hrsg. v. Karl Langosch. 1960, ³1976

2: Quellen zur Geschichte des Bauernkrieges (1524/25). Ges. u. hrsg. v. Günther Franz. 1963, ²1976

3–10: Otto von Bismarck, Werke in Auswahl. Jahrhundertausgabe zum 23. September 1862. Hrsg. v. Gustav Adolf Rein [u.a.]. Bd. 1–8

   1–2. Das Werden des Staatsmannes 1815–1862. Teil 1. 1815–1854. – Teil 2. 1854–1862 ... hrsg. v. Gustav Adolf Rein. 1962–63

   3–4. Die Reichsgründung. Teil 1. 1862–1866. – Teil 2. 1866–1871. Hrsg. v. Eberhard Scheler. 1965–68

5–7. Reichsgestaltung und europäische Friedensbewahrung. Teil 1. 1871–1876. – Teil 2. 1877–1882. Hrsg. v. Alfred Milatz. 1973–76. – Teil 3. 1883–1890. [In Vorb.]

8a. Erinnerung und Gedanke . . . hrsg. v. Rudolf Buchner. 1975

8b. Reden, Gespräche, Zeitungsaufsätze usw. aus der Zeit nach dem Sturz. Hrsg. v. Rudolf Buchner u. Georg Engel. [In Vorb.]

11: Quellen zur Geschichte des deutschen Bauernstandes in der Neuzeit (1500–1950). Ges. u. hrsg. v. Günther Franz. 1963, ²1976

12: Maria Theresia, Briefe und Aktenstücke in Auswahl. Hrsg. v. Friedrich Walter. 1968

13: Quellen zum Verfassungsorganismus des Heiligen Römischen Reiches Deutscher Nation 1495–1815. Hrsg. u. eingel. v. Hanns Hubert Hofmann. 1976

14: Quellen zur Geschichte Maximilians I. Hrsg. v. Hermann Wiesflecker. [In Vorb.]

15: Quellen zur Geschichte Karls V. Hrsg. v. Alfred Kohler. [In Vorb.]

16: Quellen zur Reformation. Hrsg. v. Rainer Wohlfeil. [In Vorb.]

17: Quellen zur katholischen Reform und zur Gegenreformation im 16. und 17. Jahrhundert. Hrsg. v. Erwin Iserloh u. Klaus Wittstadt. [In Vorb.]

18: Politische Testamente und andere Quellen zum Fürstenethos des 16. bis 18. Jahrhunderts. Hrsg. v. Peter Baumgart. [In Vorb.]

19: Vorgeschichte und Anfänge des Dreißigjährigen Krieges. Hrsg. v. Gottfried Lorenz. [In Vorb.]

20: Quellen zur Geschichte Wallensteins. Hrsg. v. Hellmut Diwald. [In Vorb.]

21: Westfälischer Friede. Hrsg. v. Reinhard Heinisch. [In Vorb.]

22: Friedrich der Große. Hrsg. v. Otto Bardong. [Im Druck]

23: Der Wiener Kongreß. Vorgeschichte und Geschichte einer europäischen Friedensordnung. Hrsg. v. Klaus Müller. [In Vorb.]

24: Quellen zu den deutsch-französischen Beziehungen im 19. und 20. Jahrhundert. Hrsg. v. Beate Gödde-Baumanns. [In Vorb.]

25: Quellen zu den deutsch-englischen Beziehungen vom Beginn der industriellen Revolution bis 1914. Hrsg. v. Günter Hollenberg. [In Vorb.]

26: Quellen zur deutschen Außenpolitik im Zeitalter des Imperialismus 1890–1911. Hrsg. v. Michael Behnen. 1977

27: Quellen zur Entstehung des Ersten Weltkrieges. Internationale Dokumente 1901 bis 1914. Hrsg. v. Erwin Hölzle. [Im Druck]

28: Der Vertrag von Versailles. Quellen zu seiner Entstehung. Hrsg. v. Klaus Schwabe. [In Vorb.]

29: Quellen zur Geschichte der Außenpolitik der Weimarer Republik 1919–1933. Hrsg. v. Detlef Junker. [In Vorb.]

30: Quellen zur Geschichte der Innenpolitik der Weimarer Republik. Hrsg. v. Karl-Egon Lönne. [In Vorb.]
31: Quellen zur Außenpolitik Hitlers 1933–1945. Hrsg. v. Wolfgang Michalka. [In Vorb.]
32: Quellen zur deutschen Sozial- und Wirtschaftsgeschichte im 19. Jahrhundert bis zur Reichsgründung. Hrsg. v. Walter Steitz. [Im Druck]
33: Quellen zur deutschen Sozial- und Wirtschaftsgeschichte von der Reichsgründung bis zum Ersten Weltkrieg. Hrsg. v. Walter Steitz. [In Vorb.]

*

QUELLEN ZUM POLITISCHEN DENKEN DER DEUTSCHEN IM 19. UND 20. JAHRHUNDERT. Freiherr vom Stein-Gedächtnisausgabe. In Verbindung mit vielen Fachgenossen hrsg. v. Rudolf Buchner [1977 ff. und Winfried Baumgart]. Bd. 1– . Darmstadt
1: Deutschland und die Französische Revolution. Quellen zur geistigen Auseinandersetzung 1789–1806. Hrsg. v. Theo Stammen. [In Vorb.]
2: Die Erhebung gegen Napoleon 1806–1814/15. Hrsg. v. Hans-Bernd Spies. [In Vorb.]
3: Restauration und Frühliberalismus 1814/15–1830. Hrsg. v. Hartwig Brandt. [Im Druck]
4: Vormärz und Revolution 1840–1849. Hrsg. v. Hans Fenske. 1976
5: Der Weg zur Reichsgründung. Hrsg. v. Hans Fenske. 1977
6: Im Bismarckschen Reich 1871–1890. Hrsg. v. Hans Fenske. [Im Druck]
7: Unter Wilhelm II. 1890–1918. Hrsg. v. Hans Fenske. [In Vorb.]
8: Die Weimarer Republik 1918–1933. Hrsg. v. Karl-Egon Lönne. [In Vorb.]
9: Die Zeit des Nationalsozialismus 1933–1945. Hrsg. v. Günter Wollstein. [In Vorb.]

*

FONTES RERUM AUSTRIACARUM. Österreichische Geschichtsquellen. Hrsg. v. der Historischen Kommission der Österreichischen [früher: Kaiserlichen] Akademie der Wissenschaften in Wien. Abt. 1–3. Wien [Nachdruck Graz 1964–]
Abt. 1: Scriptores. Bd. 1–(10). 1855–(1966)
Abt. 2: Diplomataria et acta. Bd. 1–(82). 1849–(1977)
Abt. 3: Fontes iuris. Bd. 1–(4). 1953–(75)
GESCHICHTE IN QUELLEN. Unter Beratung v. Helmut Beumann, Fritz Taeger u. Fritz Wagner hrsg. v. Wolfgang Lautemann u. Manfred Schlenke. Bd. 1–5. München
[Bd. 1 Altertum]

2: Mittelalter. Bearb. v. Wolfgang Lautemann. (1970) [Nachdruck 1975]

3: Renaissance – Glaubenskämpfe – Absolutismus. Bearb. v. Fritz Dickmann (1966)

4: [noch nicht erschienen; geplanter Titel: Von der Französischen Revolution bis zum Ausbruch des Ersten Weltkrieges]

5: Weltkriege und Revolutionen 1914–1945. Bearb. v. Günter Schönbrunn. (1961, ²1970) [Nachdruck 1975]

*

HISTORISCHE TEXTE/NEUZEIT. Hrsg. v. Reinhart Koselleck u. Rudolf Vierhaus. Heft 1–.

1: Erscheinungsformen des preußischen Absolutismus. Verfassung und Verwaltung. Eingel. u. zusammengestellt v. Peter Baumgart. (Germering 1966)

2: Die Wendung in d. deutschen Innenpolitik [1878/79]. In Verbindung mit Gisela Stüer eingel. u. hrsg. v. Rudolf Vierhaus. Göttingen (1967)

3: Die deutsche Verfassungsfrage 1812–1815. Eingel. u. zusammengestellt v. Manfred Botzenhart. Göttingen (1968)

4: Das »Ermächtigungsgesetz« vom 24. März 1933. Eingel. u. hrsg. v. Rudolf Morsey. Göttingen (1968)

5: Die Schleswig-Holsteinische Frage (1862–1866). Ausgewählt u. eingel. v. Klaus Malettke. Göttingen (1969)

6: Brest-Litovsk. Ausgewählt u. eingel. v. Winfried Baumgart u. Konrad Repgen. Göttingen (1969)

7: Staat und Erziehung in der preußischen Reform 1807–1819. Ausgewählt u. eingel. v. Karl-Ernst Jeismann. Göttingen (1969)

8: Toleranzedikt und Bartholomäusnacht. Französische Politik u. europäische Diplomatie 1570–1572. . . . hrsg. v. Ilja Mieck. Gött. (1969)

9: Die Säkularisation 1803. Vorbereitung – Diskussion – Durchführung. Eingel. u. zs.gest. v. Rudolfine Freiin von Oer. Göttingen (1970)

10: Der Verfassungskonflikt in Preußen 1862–1866. Ausgew. u. eingel. v. Jürgen Schlumbohm. Göttingen (1970)

11: Sozialökonomische und politische Voraussetzungen der Julirevolution 1830. Eingel. u. zs.gestellt v. Heinz-Gerhard Haupt. Göttingen (1971)

12: Der hannoversche Verfassungskonflikt von 1837/1839. Ausgew. u. eingel. v. Willy Real. Göttingen (1972)

13: Das Nationalitätenproblem in Österreich 1848–1918. Ausgew. u. eingel. v. Hartmut u. Silke Lehmann. Göttingen (1973)

2. Quellen zur Geschichte des Zeitalters der Glaubensspaltung

Martin LUTHER (1483–1546)

Gesamtausgaben

1) Wittenberger Ausgabe. Hrsg. von G. Rörer [u.a.]
   a) deutsche Reihe. Bd. 1–12. 1539–59
   b) lateinische Reihe. Bd. 1–7. 1545–57
2) Jenaer Ausgabe. Hrsg. von G. Rörer, Johannes Stoltz u. Johann Aurifaber.
   a) deutsche Reihe. Bd. 1–8. 1555–58
   b) lateinische Reihe. Bd. 1–4. 1556–58. – Eislebener Ergänzungsbände 1–2 [unvollständig]. Hrsg. von Johann Aurifaber. 1564–65
3) Altenburger Ausgabe. Hrsg. v. Christfried Sagittarius. Bd. 1–10. 1661–64 Hallischer Suppl.-Bd. hrsg. von J. Gottfried Zeidler. 1702
4) Leipziger Ausgabe. Hrsg. von Johann Jakob Greiff. Bd. 1–22. 1728–34 Register und Suppl.-Bd. hrsg. von Johann Jakob Greiff. 1740
5) Hallische Ausgabe. Hrsg. von Johann Georg Walch. Bd. 1–24. 1740–53
6) Erlanger Ausgabe. Hrsg. von Johann Konrad Irmischer und Johann Georg Plochmann.
   a) deutsche Reihe. Bd. 1–67. 1826–57. In 2. Aufl. hrsg. von Ernst Ludwig Enders. Bd. 1–20, 24–26. 1862–85
   b) lateinische Reihe. Bd. 1–38 [unvollständig]. 1829–86.
   c) Briefwechsel. Hrsg. von Ernst Ludwig Enders [u.a.] Bd. 1–19. 1884–1932
7) Weimarer Ausgabe. Kritische Gesamtausg. Abt. 1–4. 1883–. [Nachdruck, außer Rev.nachträge, Graz 1964–72]
   1. Abt.: Bd. 1–58,1 [= Hauptreihe: Schriften, Predigten, Vorlesungen, Disputationen; noch unvollständig] 1883–(1972)
   2. Abt.: Bd. 1–6 [= Tischreden] 1912–21
   3. Abt.: Bd. 1–12 [= Die Deutsche Bibel] 1906–61
   4. Abt: Bd. 1–14 [= Briefwechsel] 1930–70

Studienausgaben

1) Luthers Werke für das christliche Haus. Hrsg. von Georg Buchwaldt [u.a.] Bd. 1–10. Braunschweig 1889–1905
2) Luthers Werke in Auswahl. Hrsg. von Otto Clemen [u.a.] Bd. 1–8. Berlin 1930–35. ²1950–55. ⁶1966–68 [Bd. 1–4; Bd. 5–8 ³1962–63]
3) Ausgewählte Werke. Hrsg. von Hans Heinrich Borcherdt und Georg Merz. Bd. 1–6, Erg.-Bd. 1–7. München ³1948–63 [Erg.-Bd. 2 ⁵1965. – Teilnachdruck 1961–75]
4) Luther Deutsch. Hrsg. v. Kurt Aland. Bd. 1–10, Erg.-Bd. [Luther-Lexikon], Reg.-Bd. Stuttgart 1957–75 [Bd. 4–5, 7–8 ²1963–67; Bd. 9 ³1960; Erg.-Bd. ³1974]

Bibliographie

Josef BENZING, Lutherbibliographie. Verzeichnis der gedruckten Schriften Martin Luthers bis zu dessen Tod. Bearb. in Verbindung mit der Weimarer Ausgabe von Helmut Claus (= Bibliotheca Bibliographica Aureliana 10, 16, 19). Baden-Baden 1966

Philipp MELANCHTHON (1497–1560)

1) Omnium operum ... Bd. 1–4. Wittenberg 1562–77
2) Opera ... (= Corpus Reformatorum [CR] Bd. 1–28) Hrsg. von Carl Gottlieb Bretschneider und Heinrich Ernst Bindseil. Braunschweig 1834–60 [Nachdruck New York/London/Frankfurt/M 1963]
3) Epistolae. Hrsg. von Heinrich Ernst Bindseil. Halle 1874
4) Supplementa Melanchthoniana ... Hrsg. von der Melanchthon-Kommission ... Abt. 1, 2, 5, 6 [unvollständig]. Leipzig 1910–1929
   Abt. 1: Dogmatische Schriften. Hrsg. v. Otto Clemen. Bd. 1. 1910
   Abt. 2: Philologische Schriften. Hrsg. v. Hanns Zwicker. Bd. 1. 1911
   Abt. 5: Schriften zur praktischen Theologie. Hrsg. von Paul Drews und Ferdinand Cohrs. Bd. 1–2. 1915, 1929
   Abt. 6: Melanchthons Briefwechsel. Hrsg. von Otto Clemen. Bd. 1 ⟨1510–1528⟩. 1926 [Nachdruck Frankfurt/M 1968]
5) Werke in Auswahl. Hrsg. von Robert Stupperich. Bd. 1–(10). Gütersloh 1951–(75) [bisher Bd. 1–7,2]

Bibliographie

Wilhelm HAMMER, Die Melanchthonforschung im Wandel der Jahrhunderte. Ein beschreibendes Verzeichnis. Bd. 1–2 (= Quellen und Forschungen zur Reformationsgeschichte 35, 36). Gütersloh
  1. 1519–1799. (1967)
  2. 1800–1965. (1968)

*

Jean CALVIN (1509–1564)

1) Opera omnia ... Bd. 1–9. Amsterdam 1671
2) Opera ... (= Corpus Reformatorum [CR] Bd. 29–87 [Bd. 87: Index]) Hrsg. von Wilhelm Baum, Eduard Cunitz und Eduard Reuß. Braunschweig/Berlin 1863–1900 [Nachdr. New York/London/Frankfurt (M) 1964]
3) Opera selecta. Hrsg. von Petrus Barth, Dora Scheuner und Wilhelm Niesel. Bd. 1–5. München 1926–52
4) Institutio christianae religionis

a) französische Übersetzung (nach der Ausgabe von 1541): Hrsg. von Jacques Pannier. Paris 1936. (Nach der Ausgabe von 1560): Hrsg. von Jean Cadier und Pierre Marcel. Genf 1955–58

b) deutsche Übersetzung (nach der Ausgabe von 1559): Hrsg. von Otto Weber. Neukirchen (²1963)

5) Johann Calvins Lebenswerk in seinen Briefen. Eine Auswahl ... in deutscher Übersetzung v. Rudolf Schwarz. Bd. 1–3 ⟨1531–1564⟩. Neukirchen 1961–62

Bibliographie
Wilhelm NIESEL, Calvin-Bibliographie 1901–1959. München 1961

*

Huldreich ZWINGLI (1484–1531)

1) Opera ... Hrsg. von Rudolf Gwalter. Bd. 1–3. Zürich 1545, ²1581
2) Werke. Hrsg. von Melchior Schuler und Johann Schultheß. Bd. 1–8, Suppl.-Bd. 1. Zürich 1828–42, 1861
3) Sämtliche Werke (= Corpus Reformatorum [CR] Bd. 88–98, 101). Hrsg. von Emil Egli [u.a.]. Berlin/Leipzig 1905–(59) [noch nicht vollständig]
4) Hauptschriften. Bearb. von Fritz Blanke [u.a.] Bd. 1–11 [unvollständig]. Zürich 1940–52

Bibliographie
Georg FINSLER, Zwingli-Bibliographie. Verzeichnis der gedruckten Schriften von und über Ulrich Zwingli. Zürich 1897 [Ndr. Nieuwkoop 1962]

*

Desiderius ERASMUS (1466/69–1536)

1) Opera omnia. Hrsg. von Beatus Rhenanus. Bd. 1–9. Basel 1540
2) Opera omnia. Hrsg. von Johannes Clericus [Jean Le Clerc]. Bd. 1–10. Leiden 1703–06 [Nachdruck Hildesheim 1961–62]
2a) Opera omnia ... Reihe 1. Bd. 1,1–5; 4,1–2. Amsterdam 1969–(77)
3) Opus epistularum. Hrsg. von Percy Stafford Allen [u.a.] Bd. 1–11, Reg.-Bd. 1. Oxford 1906–47, 1958 [Nachdruck 1961–62]
4) Opuscula. A Supplement to the Opera omnia. Hrsg. von Wallace K. Ferguson. Den Haag 1933
5) Ausgewählte Werke. Hrsg. von Hajo Holborn. München 1933, ²1935
6) Ausgewählte Schriften. Ausgabe in 8 Bänden lateinisch und deutsch.

Hrsg. von Werner Welzig. Darmstadt 1967–(75) [erschienen bisher Bd. 1–7]

7) The Poems. Hrsg. von Cornelis Reedijk. Leiden 1956
8) De libero arbitrio diatribe sive collatio. Hrsg. von Johannes von Walter. Leipzig 1910, ²1935

Bibliographie

Ferdinand van der HAEGHEN, Bibliotheca Erasmiana. Bd. 1–7. Gent 1897–1911 [Nachdruck Nieuwkoop 1961]

CORPUS CATHOLICORUM. Werke katholischer Schriftsteller im Zeitalter der Glaubensspaltung. Bd. 1–(32). Münster 1919–(77)

ACTA REFORMATIONIS CATHOLICAE ecclesiam Germaniae concernentia saeculi XVI. Die Reformationsverhandlungen des deutschen Episkopats von 1520 bis 1570. Hrsg. im Auftrag und mit Unterstützung der Gesellschaft zur Herausgabe des Corpus Catholicorum v. Georg Pfeilschifter. Bd. 1–. Regensburg 1959–
1: 1520 bis 1532. 1959
2: 1532 bis 1542. 1960
3: 1538 bis 1548. T. 1. 1968
4: 1538 bis 1548. T. 2. 1971
5–6: 1538 bis 1548. T. 3,1–2. 1973–74

CONCILIUM TRIDENTINUM. Diariorum, actorum, epistularum, tractatuum. Nova collectio. Ed. Societas Goerresiana. Bd. 1–13. Freiburg 1901–76 [Teilnachdruck als 2. Aufl. Freiburg 1963–67]
[Gliederung:
1–3: Diarien
4–9: Acta
10–11: Epistulae
12–13: Traktate]

*

NUNTIATURBERICHTE AUS DEUTSCHLAND. Nebst ergänzenden Aktenstükken. Abteilung 1–4. Tübingen [u.a.] 1892– [Nachdruck Bd. 1–12 Frankfurt/M 1968]
Abt. 1: 1533–1559. Hrsg. vom Deutschen [früher K. Preußischen] Historischen Institut in Rom. Bd. 1–17, Erg.-Bd. 1–2
1: Nuntiaturen des Vergerio 1533–1536. Bearb. von Walter Friedensburg. 1892
2: Nuntiatur des Morone 1536–1538. Bearb. von Walter Friedensburg. 1892
3–4: Legation Aleanders 1538–1539. Hälfte 1–2. Bearb. von Walter Friedensburg. 1893

5: Nuntiaturen Morones und Poggios. Legationen Farneses u. Cervinis 1539–1540. Bearb. v. Ludwig Cardauns. 1909

6: Gesandtschaft Campeggios. Nuntiaturen Morones und Poggios (1540–1541). Bearb. von Ludwig Cardauns. 1910

7: Berichte vom Regensburger und Speierer Reichstag 1541, 1542. Nuntiaturen Verallos und Poggios. Sendungen Farneses und Sfondratos 1541–1544. Bearb. von Ludwig Cardauns. 1912

8: Nuntiatur des Verallo 1545–1546. Bearb. von Walter Friedensburg. 1898

9: Nuntiatur des Verallo 1546–1547. Bearb. von Walter Friedensburg. 1899

10: Legation des Kardinals Sfondrato 1547–1548. Bearb. von Walter Friedensburg. 1907

11: Nuntiatur des Bischofs Pietro Bertano von Fano 1548–1549. Bearb. von Walter Friedensburg. 1910

12: Nuntiaturen des Pietro Bertano und Pietro Camaiani 1550–1552. Bearb. von Georg Kupke. 1901

13: Nuntiaturen des Pietro Camaiani und Achille de Grassi. Legation des Girolamo Dandino (1552–1553). Bearb. von Heinrich Lutz. 1959

14: Nuntiatur des Girolamo Muzzarelli. Sendung des Antonio Agustin. Legation des Scipione Rebiba (1554–1556). Bearb. v. Heinrich Lutz. 1971

15: Friedenslegation des Kardinals Reginald Pole 1553–1556. Bearb. von Heinrich Lutz [in Vorbereitung]

16: Nuntiatur des Girolamo Martinengo (1550–1554). Bearb. von Helmut Goetz. 1965

17: Nuntiatur Delfinos, Legation Morones, Sendung Lippomanos 1554–1559. . . . bearb. von Helmut Goetz. 1970

Erg.-Bd. 1: Legation Lorenzo Campeggios 1530–1531 und Nuntiatur Girolamo Aleandros 1531. Bearb. von Gerhard Müller. 1963

Erg.-Bd. 2: Legation Lorenzo Campeggios 1532 und Nuntiatur Girolamo Aleandros 1532. Bearb. v. Gerhard Müller. 1969

Abt. 2: 1560–1572. Hrsg. von der Historischen Commission der Kaiserlichen Akademie der Wissenschaften [Wien] Bd. 1–8. Wien

1: Die Nuntien Hosius und Delfino 1560–1561. Bearb. von Samuel Steinherz. 1897

2: Nuntius Commendone 1560 (Dezember) – 1562 (März). Bearb. von Adam Wandruszka. 1953

3: Nuntius Delfino 1562–1563. Bearb. v. Samuel Steinherz. 1903

4: Nuntius Delfino 1564–1565. Bearb. v. Samuel Steinherz. 1914

5: Nuntius Biglia 1565–1566 (Juni). Commendone als Legat auf dem Reichstag zu Augsburg 1566. Bearb. von Ignaz Philipp Dengel. 1926

6: Nuntius Biglia 1566 (Juni) – 1569 (Dezember). Commendone als Legat bei Kaiser Maximilian II. 1568 (Oktober) – 1569 (Jänner). Bearb. von Ignaz Philipp Dengel. 1939

7: Nuntius Biglia 1570 (Jänner) – 1571 (April). Aus dem Nachlasse von Ignaz Philipp Dengel. Hrsg. und eingeleitet von Hans Kramer. 1952

8: Nuntius G. Delfino und Kardinallegat G. F. Commendone 1571–1572. Bearb. von Johann Rainer. 1967

Abt. 3: 1572–1585. Hrsg. durch das K. Preußische Historische Institut in Rom. Bd. 1–5

1: Der Kampf um Köln 1576–1584. Bearb. von Joseph Hansen. 1892

2: Der Reichstag zu Regensburg 1576. Der Pacificationstag zu Köln 1579. Der Reichstag zu Augsburg 1582. Bearb. von Joseph Hansen. 1894

3: Die süddeutsche Nuntiatur des Grafen Bartholomäus von Portia. Erstes Jahr 1573/74. Bearb. v. Karl Schellhass. 1896

4: Die süddeutsche Nuntiatur des Grafen Bartholomäus von Portia. Zweites Jahr 1574/75. Bearb. von Karl Schellhass. 1903

5: Die süddeutsche Nuntiatur des Grafen Bartholomäus von Portia. Schlußjahre 1575, 1576. Bearb. von Karl Schellhass. 1909

[Nicht in die Abteilungszählung eingereiht; ohne Bandzählung] 1585–1604. Hrsg. von der Görres-Gesellschaft. Paderborn 1895– [Nachdruck Paderborn 1969–]

[1]: Nuntiaturberichte aus Deutschland nebst ergänzenden Aktenstücken 1585 (1584)–1590. Erste Abteilung: Die Kölner Nuntiatur. Erste Hälfte. Bonomi in Köln, Santonio in der Schweiz, die Straßburger Wirren. Hrsg. von Stephan Ehses und Aloys Meister (= Quellen und Forschungen aus dem Gebiete der Geschichte 4). 1895

[2]: Nuntiaturberichte ... Zweite Hälfte. Ottavio Mirto Frangipani in Köln 1587–1590. Hrsg. ... von Stephan Ehses (= Quellen und Forschungen ... 7). 1899

[3]: Nuntiaturberichte ... Zweite Abteilung: Die Nuntiatur am Kaiserhofe. Erste Hälfte. Germanico Malaspina und Filippo Sega (Giovanni Andrea Caligari in Graz). Bearb. u. hrsg. von Robert Reichenberger (= Quellen u. Forschungen ... 10). 1905

[4]: Nuntiaturberichte ... Zweite Abteilung: Die Nuntiatur am Kaiserhofe. Zweite Hälfte. Antonio Puteo in Prag 1587–1589. Bearb. u. hrsg. v. Josef Schweizer (= Quellen und Forschungen ... 14). 1912

[5]: Nuntiaturberichte ... 1589–92. Zweite Abteilung: Die Nuntiatur am Kaiserhofe. Dritter Band. Die Nuntien in Prag: Alfonso Visconte 1589–1591, Camillo Caetano 1591–1592. Bearb. u. hrsg. v. Josef Schweizer (= Quellen und Forschungen ... 18). 1919

[6]: Nuntiaturberichte ... Die Kölner Nuntiatur. Bd. II,2. Nuntius Ottavio Mirto Frangipani (1590 August – 1592 Juni). Im Auftrage der Görres-Gesellschaft bearb. v. Burkhard Roberg. München/Paderborn/Wien 1969
[Die unter (1) und (2) aufgeführten Nuntiaturberichte haben im Nachdruck die Bandbezeichnung I bzw. II,1.]

[7]: Nuntiaturberichte ... Die Kölner Nuntiatur. Bd. II,3. Nuntius Ottavio Mirto Frangipani (1592 Juli – 1593 Dezember) ... Bearb. v. Burkhard Roberg. München [u.a.] 1971

[8]: Nuntiaturberichte ... Die Kölner Nuntiatur. Bd. III: Nuntius Coriolano Garzodoro (1596–1606. [In Vorbereitung]

[9]: Nuntiaturberichte ... Die Kölner Nuntiatur. Bd. IV,1: Nuntius Atilio Amaltea (1606 September – 1607 September) ... Bearb. v. Klaus Wittstadt. München [u.a.] 1975

[10]: Nuntiaturberichte ... Die Kölner Nuntiatur. Bd. V,1: Nuntius Antonio Albergati (1610 Mai – 1614 Mai) ... Bearb. v. Wolfgang Reinhard. München [u.a.] 1972

[11]: Nuntiaturberichte ... Die Kölner Nuntiatur. Bd. VI: Nuntius Pietro Francesco Montoro (1621–1624). Bearb. v. Klaus Jaitner. [Für 1977 angekündigt.]

Abt. 4: Siebzehntes Jahrhundert. Hrsg. v. Deutschen [früher K. Preuß.] Historischen Institut in Rom [ohne Bandzählung]

[1]: Die Prager Nuntiatur des Giovanni Stefano Ferreri und die Wiener Nuntiatur des Giacomo Serra (1603–1606). Bearb. v. Arnold Oskar Meyer. 1911

[2]: Nuntiaturen des Pallotto 1628–1630. Erster Band. 1628. Bearb. v. Hans Kiewning. 1895

[3]: Nuntiaturen des Pallotto 1628–1630. Zweiter Band. 1629. Bearb. v. Hans Kiewning. 1897

[4]: Nuntiaturen Pallottos [Fortsetzung] und Roccis 1630 ff. Bearb. v. Georg Lutz [in Vorbereitung]

[5]: Nuntiaturen Roccis [Forts.] und Bagliones 1634–1635. Bearb. v. Rotraud Becker [in Vorbereitung]

Ergänzungen

A. Nuntiatureditionen der Görresgesellschaft, die außerhalb der Reihe »Nuntiaturberichte aus Deutschland« erschienen sind

[1]: Nuntiaturberichte Giovanni Morones vom deutschen Königshofe 1539, 1540. Bearb. von Franz Dittrich (= Quellen und Forschungen aus dem Gebiete der Geschichte 1,1). Paderb. 1892

[2]: Die Nuntiatur-Korrespondenz Kaspar Groppers nebst verwandten Aktenstücken (1573–1576). Ges. u. hrsg. v. W. E. Schwarz (= Quellen und Forschungen ... 5). Paderborn 1898

B. Epistulae et acta nuntiorum apostolicorum apud imperatorem 1592–1628 curis Instituti historici Bohemoslovenici Romae et Pragae. Bd. 3, 4. Prag 1932– [mehr nicht erschienen]

3: Epistulae et acta Johannis Stephani Ferrerii 1604–1607. Pars I, Sectio I. Hrsg. von Zdeněk Kristen. 1944

4: Epistulae et acta Antonii Caetani 1607–1611. Pars I–III, 1–2. Hrsg. von Malena Linhartová. 1932–46

C. Giovanni INCISA DELLA ROCCHETTA/Vlastimil KYBAL, La Nunziatura di Fabio Chigi (1640–1651) Bd. 1.1–2 (= Miscellanea della R. deputazione Romana di storia patria). Rom 1943–46

D. La nunziatura di Praga di Cesare Speciano (1592–1598) nelle carte inedite vaticane e ambrosiane. Bearb. v. Natale Mosconi. Bd. 1– (= Studi e documenti di storia religiosi). (Cremona 1966–)

E. Publikationen des Österreich. Kulturinstituts in Rom. Hrsg. in Verb. m. d. Österr. Ak. d. Wiss. v. Leo Santifaller u. Heinrich Schmidinger. II. Abt. Quellen. II. Reihe. Nuntiaturberichte. Bd. 1–. Wien/Köln/Graz

1: Der Schriftverkehr zw. d. päpstl. Staatssekretariat u. dem Nuntius am Kaiserhof Antonio Eugenio Visconti 1767–1774. Bearb. v. Andreas Cornaro [u.a.]. 1970

3. *Quellen zur Reichsgeschichte des 16.–18. Jahrhunderts*

Karl ZEUMER, Quellensammlung zur Geschichte der deutschen Reichsverfassung in Mittelalter und Neuzeit (= Quellensammlung zum Staats-, Verwaltungs- und Völkerrecht 2). Tübingen [2]1913

QUELLEN ZUM VERFASSUNGSORGANISMUS DES HEILIGEN RÖMISCHEN REICHES DEUTSCHER NATION 1495–1815. Hrsg. u. eingel. v. Hanns Hubert Hofmann (= Ausgewählte Quellen z. dt. Gesch. d. Neuzeit). Darmstadt 1976

*

Reichsabschiede

Johann Joachim MÜLLER, Des Heil. Römischen Reiches Teutscher Nation Reichs-Tagstheatrum, wie selbiges unter Keyser Friedrichs V. allerhöchsten Regierung von anno 1440 bis 1493 gestanden ... Jena 1713

Johann Joachim MÜLLER, Des Heil. Römischen Reichs Teutscher Nation Reichs-Tags-Theatrum, wie selbiges unter Keyser Maximilian I. allerhöchsten Regierung gestanden ... ⟨1486–1500⟩. Jena 1718–1719

Johann Joachim MÜLLER, Des Heil. Römischen Reichs Teutscher Nation Reichs-Tags-Staat ... ⟨1500–1508⟩. Jena 1709

NEUE UND VOLLSTÄNDIGERE SAMMLUNG DER REICHS-ABSCHIEDE, Welche von den Zeiten Kayser Conrads des II. bis jetzo, auf den Teutschen Reichs-Tägen abgefasset worden ... Hrsg. von Johann Jakob Schmauss u. Heinrich Christian von Senckenberg. Bd. 1–4. Frankfurt 1747 [Nachdruck Osnabrück 1967]

    1: ⟨990–1494⟩. – 2: ⟨1495–1551⟩. – 3: ⟨1552–1654⟩. – 4: ⟨1663–1736⟩

Johann Christian LÜNIG, Das Teutsche Reichs-Archiv. Bd. 1–23, Reg.-Bd. 1. Leipzig 1713–22

1–4:	Pars generalis [= Corpus iuris publici]
5–14:	Pars specialis [= Allianzen, Verträge etc.]
15–21:	Spicilegium ecclesiasticum [= Germania Sacra (Urkunden, Statute etc.)]
22–23:	Spicilegium seculare [= Vereinigungen, Abschiede etc. der Grafen und Herren]

Reg.-Bd.: Hauptregister [mit Zitieranweisung auf S. 3]

Friedrich HORTLEDER, Der Römischen Keyser und Königlichen Maiestete ... Handlungen und Außschreiben ... Von den Ursachen des Teutschen Kriegs Kaiser Carls des Fünfften, wider die Schmalkaldische Bundts-Oberste ... ⟨1546–47⟩ Teil 1–2. Frankfurt/M 1617. – 2. Aufl. ⟨1546–58⟩ Gotha 1645–46

    1: [= 1. Aufl. Bd. 1–2] 1645
    2: [= 1. Aufl. Teil von Bd. 3 mit Zusätzen] 1646

Christoph LEHENMANN, De pace religionis acta publica, das ist Reichshandlungen, Schrifften und Protocollen über die Constitution des Religions-Friedens. Frankfurt/M 1631, ²1702

Michael Caspar LONDORP, Der Römischen Kayserlichen Majestät und des Heiligen Römischen Reichs Geist- und Weltlicher Reichsstände ... acta publica und Schrifftliche Handlungen ... ⟨1617–1741⟩ [Wechselnde Titel; insgesamt 5 Auflagen-Reihen]

    1. Auflage Frankfurt/M 1621 ff.
    2. Auflage Frankfurt/M 1627 ff.
    3. Auflage Frankfurt/M 1640 ff.
    4. Auflage. Bd. 1–18. Frankfurt/M 1668–1721
    5. Auflage Tübingen 1739–1741

LONDORPIUS SUPPLETUS et continuatus ... ⟨1546–1641⟩ Bd. 1–4. Hrsg. von

Martin Meyern. Frankfurt/M 1665–67. – 2. Auflage Frankfurt/M/
Leipzig 1739–44

Johann Gottfried von MEIERN, Acta pacis Westphalicae publica oder
Westphälische Friedens-Handlungen und Geschichte . . . Bd. 1–6. Hannover
1: ⟨1643–1645 X⟩ 1734
2: ⟨1645 X–1646 III⟩ 1734
3: ⟨1646 IV–1646 XII⟩ 1735
4: ⟨1647 I–1647 XII⟩ 1735
5: ⟨1647 XII–1648 VI⟩ 1735
6: ⟨1648 VI–1649⟩ 1736
[Nachdruck Osnabrück 1969]
NEGOCIATIONS SECRÈTES touchant la paix de Munster et d'Osnabrug . . .
⟨1642–1648⟩ Bd. 1–4. Den Haag 1724–26
Johann Gottfried von MEIERN, Acta Pacis Executionis Publica oder
Nürnbergische Friedens-Executions-Handlungen und Geschichte . . . Bd.
1–2. Hannover [u.a.] 1736–37 [Nachdr. Osnabrück 1969]
UNIVERSAL-REGISTER über die Sechs Theile der Westphälischen Friedens-
Handlungen und Geschichte, inngleichen über die Zween Theile der
Nürnbergischen Friedens-Executions-Handlungen und Geschichte. Hrsg.
von Johann Ludolf Walther. Göttingen 1740 [Nachdruck Osnabrück
1969]
Johann Gottfried von MEIERN, Acta comitialia Ratisbonensia publica oder
Regensburgische Reichstagshandlungen und Geschichte. Bd. 1–2. Leipzig/
Göttingen 1738–40

THEATRUM EUROPAEUM, Oder Ausführliche . . . Beschreibung aller . . . Ge-
schichten, so sich . . . in d. Welt . . . zugetragen haben . . . Bd. 1–21
⟨1617–1718⟩. Frankfurt/M 1662–1738
Anton FABER [= Christian Leonhard Leucht] Europäische Staats-Cantz-
ley. Bd. 1–115, Reg.-Bd. 1–9 ⟨1697–1759⟩. Frankfurt/Leipzig 1697–1760
Anton FABER [= Christian Leonhard Leucht] Neue europäische Staats-
canzley. Bd. 1–55 [ab Bd. 31 u.d.T.: Fortgesetzte neue etc.] Ulm/
Frankfurt/M/Leipzig 1761–82
Johann August REUSS, Teutsche Staatskanzley. Bd. 1–39. Ulm 1783–1800
Franz Dominicus HÄBERLIN, Umständliche Teutsche Reichshistorie. Bd.
1–12. Halle 1767–73
Franz Dominicus HÄBERLIN, Neueste teutsche Reichs-Geschichte, vom An-
fange des Schmalkaldischen Krieges bis auf unsere Zeiten . . . Bd. 1–18
[ab Bd. 21 fortgesetzt von Renatus Karl Freiherr von Senkenberg].
Halle 1774–1804

*

DEUTSCHE REICHSTAGSAKTEN. Jüngere Reihe. Hrsg. durch die Historische Kommission bei der Bayerischen [früher: Königlichen] Akademie der Wissenschaften. Bd. 1–4, 7, 8. 1893–1971. – 2. Aufl. [= photomech. Nachdruck der 1. Aufl.] Göttingen 1962–63

1 :   Deutsche Reichstagsakten unter Kaiser Karl V. 〈1519 I–VII〉. Bearb. v. August Kluckhohn. Gotha 1893 [= 1962]

2 :   Deutsche Reichstagsakten unter Kaiser Karl V. [Der Reichstag zu Worms 1521.] Bearb. v. Adolf Wrede. Gotha 1896 [= 1962]

3 :   Deutsche Reichstagsakten unter Kaiser Karl V. [Reichstag zu Nürnberg 1522–23.] Bearb. v. Adolf Wrede. Gotha 1901 [= 1963]

4 :   Deutsche Reichstagsakten unter Kaiser Karl V. [Reichstag zu Nürnberg 1524.] Bearb. v. Adolf Wrede. Gotha 1905 [= 1963]

5–6 :   [noch nicht erschienen]

7,1–2 : Deutsche Reichstagsakten unter Kaiser Karl V. Bearb. v. Johannes Kühn. Stuttgart 1935 [= 1963]
        1 : [Reichstag zu Regensburg 1527. 2. Reichstag zu Speyer 1529]
        2 : Beilagen. Aktenstücke … 〈1527 I–1529 IV〉

8,1 :   [Die protestierenden Reichsstände und Reichsstädte zwischen den Reichstagen zu Speyer und Augsburg 1530]. Bearb. v. Wolfgang Steglich. Göttingen 1970

8,2 :   [Die schwäbischen Bundestage zwischen den Reichstagen zu Speyer 1529 und Augsburg 1530. Die Bereitstellung der Reichshilfe zum Türkenkrieg und zur Rettung Wiens 1529.] Bearb. v. Wolfgang Steglich. Göttingen 1971

*

[Die Wittelsbachischen Korrespondenzen:]
ÄLTERE PFÄLZISCHE KORRESPONDENZEN. Hrsg. durch die Historische Commission bei der Königl. Academie der Wissenschaften. [Bd. 1–6] 1867–1903

[1–3:] Briefe Friedrich des Frommen Kurfürsten von der Pfalz mit verwandten Schriftstücken. Gesammelt u. bearb. v. August Kluckhohn. Bd. 1–2. Braunschweig
        1 :   〈1559–1566〉. 1867
        2,1 : 〈1567–1572〉. 1870
        2,2 : 〈1572–1576〉. 1872

[4–6:] Briefe des Pfalzgrafen Johann Casimir mit verwandten Schriftstücken. Gesammelt u. bearb. v. Friedrich von Bezold. Bd. 1–3. München 1882–1903
        1 :   〈1576–1582〉. 1882
        2 :   〈1582–1586〉. 1884
        3 :   〈1587–1592〉. 1903

BRIEFE UND AKTEN ZUR GESCHICHTE DES 16. JAHRHUNDERTS mit besonderer Rücksicht auf Bayerns Fürstenhaus. Hrsg. durch die Historische
Kommission bei der Königlichen Akademie der Wissenschaften. Bd. 1–6.
1873–1913
1–4: Beiträge zur Reichsgeschichte ⟨1546–1555⟩. Bearb. v. August von
Druffel [Bd. 4 ergänzt v. Karl Brandi]. München 1873–1896
5: Beiträge zur Geschichte Herzog Albrechts V. und des Landsberger
Bundes 1556–1598. Bearb. v. Walter Goetz. München 1898
6: Beiträge zur Geschichte Herzog Albrechts V. und der sog. Adels-
verschwörung von 1563. Bearb. v. Walter Goetz u. Leonhard
Theobald. Leipzig 1913

BRIEFE UND AKTEN ZUR GESCHICHTE DES DREISSIGJÄHRIGEN KRIEGES in
den Zeiten des vorwaltenden Einflusses der Wittelsbacher. Hrsg. durch
die Historische Commission bei der Königl. Academie der Wissenschaften. Bd. 1–11. München 1870–1909
1: Die Gründung der Union 1598–1608. Bearb. v. Moriz Ritter. 1870
2: Die Union und Heinrich IV. 1607–1609. Bearb. v. Moriz Ritter.
1874
3: Der Jülicher Erbfolgekrieg ⟨1609 XII – 1610 VII⟩. Bearb. v.
Moriz Ritter. 1877
4,5: Die Politik Bayerns 1591–1607. I. und II. Hälfte. Bearb. von Felix
Stieve. 1878, 1883
6: Vom Reichstag 1608 bis zur Gründung der Liga. Bearb. v. Felix
Stieve. 1895
7: Von der Abreise Erzherzog Leopolds nach Jülich bis zu den Wer-
bungen Herzog Maximilians von Bayern im März 1610. Von
Felix Stieve. Bearb. v. Karl Mayr. 1905
8: Von den Rüstungen Herzog Maximilians von Bayern bis zum
Aufbruch der Passauer ⟨1610 III–XII⟩. Von Felix Stieve. Bearb.
v. Karl Mayr. 1908
9: Vom Einfall des Passauer Kriegsvolks bis zum Nürnberger Kur-
fürstentag ⟨1611 I–X⟩. Bearb. v. Anton Chroust. 1903
10: Der Ausgang der Regierung Rudolfs II. u. d. Anfänge des Kaisers
Matthias. ⟨1611 X – 1612 XII⟩. Bearb. v. Anton Chroust. 1906.
11: Der Reichstag von 1613. Bearb. v. Anton Chroust. 1909
12: Die Reichspolitik Maximilians I. (1613–1618). Bearb. v. Hugo Altmann. [Für 1977 angekündigt.]

BRIEFE UND AKTEN ZUR GESCHICHTE DES DREISSIGJÄHRIGEN KRIEGES.
Neue Folge. Die Politik Maximilians I. von Bayern und seiner Ver-
bündeten. 1618–1651. Hrsg. v. der Historischen Kommission bei der
Bayerischen Akademie der Wissenschaften. Teil 1–2.
Teil 1 Bd. 1–2

1: ⟨1618 I – 1620 XII⟩. Auf Grund des Nachlasses von Karl Mayr-Deisinger bearb. u. ergänzt v. Georg Franz. München/Wien 1966
2: ⟨1621 I – 1622 XII⟩. Bearb. v. Arno Duch. München/Wien 1970
Teil 2 Bd. 1–
1: ⟨1623–1624⟩. Bearb. v. Walter Goetz. Leipzig 1907
2: ⟨1625⟩. Bearb. v. Walter Goetz. Leipzig 1918
3: ⟨1626–1627⟩. Bearb. v. Walter Goetz. Leipzig 1942
4: ⟨1628–1629 VI⟩. Bearb. v. Walter Goetz. München 1948
5: ⟨1629 VII – 1630 XII⟩. Bearb. v. Dieter Albrecht. München/Wien 1964

*

ACTA PACIS WESTPHALICAE [APW]. Im Auftrage der Vereinigung zur Erforschung der Neueren Geschichte hrsg. v. Max Braubach u. Konrad Repgen. Münster 1962–
[Einteilung und Planung:
Serie I: Instruktionen. Bd. 1–3.
             1: Frankreich – Schweden – Kaiser. Bearb. v. Fritz Dickmann, Kriemhild Goronzy, Emil Schieche, Hans Wagner u. Ernst Manfred Wermter. 1962
             2: (Dänemark?) – Niederlande – Papst – (Polen?) – Spanien – Venedig (in Vorbereitung)
             3: Bedeutende Reichsstände (geplant)
Serie II: Korrespondenzen. Abt. A–F
             Abt. A: Die kaiserlichen Korrespondenzen. Bd. 1– (geplant 8 Bde.)
             1: 1643–1644. Bearb. v. Wilhelm Engels unter Mithilfe v. E(lfriede) Merla. (1969)
             2: 1644–1645. Bearb. v. Wilhelm Engels ... (1976)
             Abt. B: Frankreich. Bd. 1– (geplant 4 Bde.)
             1: ⟨1644 III 18 – 1644 XII 31⟩ (im Druck)
             Abt. C: Die schwedischen Korrespondenzen. Bd. 1– (geplant 4 Bde.)
             1: 1643–1645. Bearb. v. Ernst Manfred Wermter. 1965
             2: 1645–1646. Bearb. v. Wilhelm Kohl. 1971
             3: 1646–1647. Bearb. v. Gottfried Lorenz. 1975
             Abt. D: Spanien (geplant 4 Bde.)
             1: 1643–1645 (in Vorbereitung)
             Abt. E: Venedig (geplant 2 Bde.)
             1: 1643–1646 (in Vorbereitung)
             Abt. F: Niederlande (geplant 2 Bde.)
Serie III: Protokolle, Verhandlungsakten, Diarien, Varia. Abt. A–D
             Abt. A: Protokolle. Bd. 1–
             1, 1–2: Die Beratungen der Kurfürstlichen Kurie.

1. 1645–1647. Bearb. v. Winfried Becker. (1975)
2. 1648–1649 (in Vorbereitung)
2: Fürstenrat Münster
3: Fürstenrat Osnabrück
4, 1–2: Die Beratungen der katholischen Stände.
1. 1645–1647. Bearb. v. Fritz Wolff unter Mitwirkung v. Hildburg Schmidt-von Essen. (1970)
2. 1647–1648 (in Vorbereitung)
5, 1–2: Evangelische Sonderberatungen
6: Die ständischen Beratungen 1648
Abt. B: Verhandlungsakten (geplant 2 Bde.)
1: 1643–1646 (in Vorbereitung)
2: 1646–1649
Abt. C: Diarien (geplant 5 Bde.)
1, 1–2: Diarium Chigi ⟨1639–1651⟩ (im Druck)
2, 1–2: Diarium Volmar ⟨1643–1649⟩
3: Diarium Goebel (1 oder 2 Teile)
4: Diarium Lamberg
5: Diarium Wartenberg (3 Teile)
Abt. D: Varia. Bd. 1–
1: Stadtmünsterische Akten und Vermischtes. Bearb. v. Helmut Lahrkamp. 1964]

*

URKUNDEN UND ACTENSTÜCKE ZUR GESCHICHTE DES KURFÜRSTEN FRIEDRICH WILHELM VON BRANDENBURG. Hrsg. v. der Preußischen Kommission bei der Preußischen Akademie der Wissenschaften. Bd. 1–23. Berlin/Leipzig 1864–1930
[3 Abteilungen ohne Abteilungszählung, jedoch mit jeweils durchgehender Bandzählung:
Politische Verhandlungen,
Auswärtige Acten,
Ständische Verhandlungen.]
1, 4, 6–9, 11–13, 17–19, 21, 22: Politische Verhandlungen ⟨1640–1688⟩ Bd. 1–14 [1–5 hrsg. v. Bernhard Erdmannsdörffer; 6 hrsg. v. Theodor Hirsch; 7, 8, 11–13 hrsg. v. Ferdinand Hirsch; 9, 10 hrsg. v. Reinhold Brode; 14 hrsg. v. Max Hein] 1864–1926
2, 3,1–2, 14,1–2, 20,1–2, 23,1–2: Auswärtige Acten. Bd. 1–5. 1865 bis 1930
1: (Frankreich) ⟨1640–1667⟩. Hrsg. v. B. Ed. Simson. 1865
2: (Niederlande). Hrsg. v. Heinrich Peter. 1866
3,1–2: (Österreich). Hrsg. v. Alfred Francis Pribram. 1890, 1891
4,1–2: (Frankreich) 1667–1688. Hrsg. v. Ferdinand Fehling. 1911

5,1–2: (Schweden). Hrsg. v. Max Hein. 1929, 1930
5, 10, 15, 16,1–2: Ständische Verhandlungen. Bd. 1–3. 1869–99
  1:   (Cleve-Mark). Hrsg. v. August v. Haeften. 1869
  2:   (Mark Brandenburg). Hrsg. v. Siegfried Isaacsohn. 1880
  3,1:   (Preußen). Hrsg. v. Kurt Breysig. 1894
  3,2:   (Preußen). Erster Theil. Hrsg. v. Kurt Breysig. 1899
  3,2:   (Preußen). Zweiter Theil. Hrsg. v. Martin Spahn. 1899

URKUNDEN UND AKTENSTÜCKE ZUR GESCHICHTE DER INNEREN POLITIK DES
KURFÜRSTEN FRIEDRICH WILHELM VON BRANDENBURG. Bd. 1–2.
  1,1:   Kurt Breysig, Geschichte der brandenburgischen Finanzen in der
      Zeit von 1640 bis 1697. Darstellung und Akten. Die Centralstellen
      der Kammerverwaltung. Die Amtskammer, das Kassenwesen und
      die Domänen der Kurmark. Leipzig 1895
  1,2:   Friedrich Wolters, Geschichte der brandenburgischen Finanzen in
      der Zeit von 1640–1697. Darstellung und Akten. Die Zentralver-
      waltung des Heeres und der Steuern. München/Leipzig 1915
  2:   Otto Hötzsch, Stände und Verwaltung von Cleve und Mark in der
      Zeit von 1666–1697. Leipzig 1908

4. Quellen zur Geschichte des 17. Jahrhunderts

Hugo GROTIUS [Huigh de Groot] (1583–1645)

  1)   Opera omnia theologica. Bd. 1–3. Amsterdam 1679
  2)   Briefwisseling van Hugo Grotius. Hrsg. v. Philip Christiaan Mol-
      huysen [u.a.]. Bd. 1–(10) (= Rijks geschiedkundige Publicatiën ...
      Grote Ser.) 's-Gravenhage 1928–(76)
  3)   a) H. Grotii De jure belli ac pacis libri tres ... Paris 1625, Amster-
         dam [2]1631
      b) Hugonis Grotii De jure belli ac pacis libri tres ... Hrsg. v.
         Philip Christiaan Molhuysen. Leiden 1919
      c) Hugo Grotius, De jure belli ac pacis libri 3 [dt.] ... Hrsg. v.
         Walter Schätzel (= Klassiker des Völkerrechts 1). Tübingen 1950
  4)   a) Mare liberum ... Leiden 1609
      b) Von der Freiheit des Meeres. Übersetzt ... v. Richard Boschan
         (= Philosophische Bibliothek. Neue Ausgabe 97). Leipzig 1919

Bibliographien
Jacob TER MEULEN / Pieter Johan Jurriaan DIERMANSE, Bibliographie des
écrits de Hugo Grotius. Den Haag 1950

Jacob TER MEULEN / Pieter Johan Jurriaan DIERMANSE, Bibliographie des écrits sur Hugo Grotius imprimés au XVIIe siècle. Den Haag 1961

*

Gottfried Wilhelm LEIBNIZ (1646–1716)

1) Opera omnia ... Bd. 1–6. Genf 1768
2) Leibnizens gesammelte Werke. Aus den Handschriften der königlichen Bibliothek zu Hannover ... Folge 1–3 [unvollständig] 1843–63
    Folge 1 Bd. 1–4 [Geschichte]. Hrsg. v. Georg Heinrich Pertz. Hannover 1843–47 [Nachdruck Hildesheim 1966]
    Folge 2 Bd. 1 [Philosophie]. Hrsg. v. Carl Ludwig Grotefend. Hannover 1846
    Folge 3 Bd. 1–7 [Mathematische Schriften]. Hrsg. v. Carl Immanuel Gerhardt. Berlin [Bd. 1], Halle 1849–63 [Nachdruck Hildesheim 1962]
3) Oeuvres de Leibniz ... Hrsg. v. Alexandre Foucher de Careil. Bd. 1–7. Paris 1859–75 [Nachdruck Hildesheim 1969]
4) Die Werke von Leibniz ... Hrsg. v. Onno Klopp. Reihe 1 Bd. 1–11. Hannover 1864–84 [unvollständig; Nachdruck der Bde. 7–9, 11 Hildesheim 1970–73]
    Reihe 1: Historisch-politische und staatswissenschaftliche Schriften
5) Sämtliche Schriften und Briefe. Hrsg. v. der Preußischen Akademie der Wissenschaften [u.a.] Reihe 1– [noch nicht vollständig]. 1923–
    Reihe 1. Allgemeiner politischer und historischer Briefwechsel. Bd. 1–(9) ⟨1668–1693⟩. Darmstadt [Bd. 3 Leipzig; Bd. 4 Berlin/Leipzig; Bd. 5 ff. Berlin] 1923–(75)
    Reihe 2. Philosophischer Briefwechsel. Bd. 1 ⟨1663–1685⟩. Darmstadt 1926 [Nachdruck Berlin 1972]
    Reihe 3: Mathematischer, naturwissenschaftlicher und technischer Briefwechsel. Bd. 1– ⟨1672–1676⟩. Berlin 1976
    Reihe 4. Politische Schriften. Bd. 1–(2) ⟨1667–1687⟩. Darmstadt [Bd. 2 Berlin] 1931–(63)
    Reihe 6. Philosophische Schriften Bd. 1–2, 6 ⟨1663–1672⟩. Darmstadt [Bd. 2 u. 6 Berlin] 1930–(66)

Bibliographien

ÉMILE RAVIER, Bibliographie des oeuvres de Leibniz. Paris 1937 [Nachdruck Hildesheim 1966]
LEIBNIZ-BIBLIOGRAPHIE. Die Literatur über Leibniz. Bearb. v. Kurt Müller (= Veröff. d. Leibniz-Archivs 1). Frankfurt/M (1967)

5. Staatsrechtsliteratur des 18. Jahrhunderts

Johann Jakob SCHMAUSS, Corpus juris publici S. R. imperii academicum, Enthaltend des Heil. Röm. Reichs Grund-Gesetze ... Leipzig 1722 [zuletzt hrsg. von R. v. Hommel 1794; Nachdruck Hildesheim 1976]

Johann Jakob MOSER, Teutsches Staatsrecht. Bd. 1–50, Reg.-Bd. 1, Erg.-Bd. 1–2. Nürnberg [u.a.] 1737–54 [Nachdruck Osnabrück 1968]

Johann Jakob MOSER, Neues Teutsches Staatsrecht. Bd. 1–20 [jeder Band mit anderem Haupttitel], Reg.-Bd. 1, Erg.-Bd. 1–3. Frankfurt/M/Leipzig 1766–82 [Nachdruck Osnabrück 1967–68]

Johann Stephan PÜTTER, Litteratur des Teutschen Staatsrechts [ab Bd. 4: Neue Literatur etc.] Bd. 1–4. Göttingen/Erlangen 1776–91 [Nachdruck Frankfurt/M 1965]

Johann Stephan PÜTTER, Historische Entwicklung der heutigen Staatsverfassung des Teutschen Reiches. Bd. 1–3. Göttingen 1786–87, ²1798 bis 99

Bibliographien
DW 39/886–891, 1996–2004

ALTHUSIUS-BIBLIOGRAPHIE. Bibliographie zur politischen Ideengeschichte und Staatslehre, zum Staatsrecht und zur Verfassungsgeschichte des 16. bis 18. Jahrhunderts. Hrsg. v. Hans Ulrich Scupin u. Ulrich Scheuner. Bearb. v. Dieter Wyduckel. Bd. 1–2. Berlin (1973)

6. Quellen zur Geschichte des 18. Jahrhunderts

FRIEDRICH DER GROSSE (1712–1786)

1) Oeuvres de Frédéric le Grand. Hrsg. von J. D. E. Preuß. Bd. 1–30. Berlin 1846–56
   1–7:   Oeuvres historiques. 1846–47
           [darin u.a.: Mémoires pour servir à l'histoire de la Maison de Brandebourg (Bd. 1); Histoire de mon temps (Bd. 2–3); Histoire de la guerre de sept ans (Bd. 4–5)]
   8–9:   Oeuvres philosophiques. 1848
           [darin u.a.: Considérations sur l'état présent du corps politique de l'Europe (Bd. 8); L'Antimachiavel, ou Examen du Prince de Machiavel, et Réfutation du Prince de Machiavel (Bd. 8)]
   10–15: Oeuvres poétiques. 1849–50
   16–27: Correspondance ⟨1717 VII 27 – 1786 I 23⟩. 1850–56
           [Table générale des matières und table alphabétique für die 12 Korrespondenz-Bände in Bd. 27]

28–30: Oeuvres militaires. 1856

[ohne Bandzählung]: Table chronologique générale des ouvrages de Frédéric le Grand et catalogue raisonné des écrits qui lui sont attribués. 1857

2) Die Werke Friedrichs des Großen. In deutscher Übersetzung. Bd. 1–10. Hrsg. von Gustav Berthold Volz. Berlin 1912–14

3) Politische Correspondenz Friedrichs des Großen. Hrsg. von der Preußischen Akademie der Wissenschaften. Bd. 1–46. Berlin 1879–1939 [Bd. 35 Weimar 1912]

    1–10: ⟨1740–1754⟩. Bearb. v. Reinhold Koser. 1879–83

11–18: ⟨1755–1759⟩. Bearb. v. Albert Naudé. 1883–91

    19: ⟨1760⟩. Bearb. v. Albert Naudé u. Kurt Treusch v. Buttlar. 1892

20–22: ⟨1760–1763 III⟩. Bearb. von Kurt Treusch von Buttlar und Otto Herrmann. 1893–95

23–24: ⟨1763 IV–1765 XII⟩. Bearb. v. Kurt Treusch von Buttlar und Gustav Berthold Volz. 1896–97

25–46: ⟨1766–1782⟩. Bearb. von Gustav Berthold Volz. 1899–1939

[Erg.-Bd. o. Bd.zählung:]

Die politischen Testamente Friedrichs des Großen. Rev. v. Gustav Berthold Volz. Berlin 1920

[Übersetzung:]

Die politischen Testamente. Übers. v. Friedrich v. Oppeln-Bronikowski. Mit einer Einführung v. Gustav Berthold Volz (= Klassiker der Politik 5). Berlin 1922. – 2. Aufl. München 1936

*

ACTA BORUSSICA. Denkmäler der Preußischen Staatsverwaltung im 18. Jahrhundert. Hrsg. von der Preußischen [früher Königlichen] Akademie der Wissenschaften. Berlin [außer (A) 16,1] 1892–1970

[2 Abteilungen ohne Abteilungszählung:

    (A) Behördenorganisation und allgemeine Staatsverwaltung.

    (B) Die einzelnen Gebiete der Verwaltung. (Davon folgende Unterabteilungen:)

        (a) Münzwesen

        (b) Wollindustrie

        (c) Seidenindustrie

        (d) Getreidehandelspolitik

        (e) Handels-, Zoll- und Akzisepolitik

        (Mehr nicht erschienen.)]

[A] Die Behördenorganisation und die allgemeine Staatsverwaltung Preußens im 18. Jahrhundert. Bd. 1–16,1. 1894–1970

1: ⟨1701–1714 VI⟩. Bearb. v. Gustav Schmoller u. O. Krauske. 1894

2: ⟨1714 VII–1717 XII⟩. Bearb. v. Gustav Schmoller, O. Krauske u. Victor Loewe. 1898

3: ⟨1718 I–1723 I⟩. Bearb. v. Gustav Schmoller, O. Krauske u. Victor Loewe. 1901

4,1–2: Bearb. v. Gustav Schmoller u. W. Stolze
  1. ⟨1723 I–1725 XII⟩. 1908
  2. ⟨1726 I–1729 XII⟩. 1908

5,1–2: Bearb. v. Gustav Schmoller u. W. Stolze
  1. ⟨1730 I–1735 XII⟩. 1910
  2. ⟨1736 I–1740 V⟩. 1912

6,1–2: 1. Einleitende Darstellung der Behördenorganisation und allgemeinen Verwaltung in Preußen beim Regierungsantritt Friedrichs II. von Otto Hintze. 1901
  2. ⟨1740 V–1745 XII⟩. Bearb. v. Gustav Schmoller u. Otto Hintze. 1901

7: ⟨1746 I–1748 V⟩. Bearb. v. Gust. Schmoller u. Otto Hintze. 1904

8: ⟨1748 V–1750 VIII⟩. Bearb. v. Gustav Schmoller und Otto Hintze. 1906

9: ⟨1750 VIII–1753 XII⟩. B. v. G. Schmoller u. O. Hintze. 1907

10: ⟨1754 I–1756 VIII⟩. Bearb. v. Gustav Schmoller u. Otto Hintze. 1910

11: ⟨1756 VIII–1757 XII⟩. Bearb. v. Martin Haß u. Wolfgang Peters. 1922

12: ⟨1759 I–1763 II⟩. Bearb. v. Martin Haß, Wolfgang Peters u. Ernst Posner. 1926

13–15: ⟨1763 II–1772 IX⟩. Bearb. v. Ernst Posner. 1932–36

16,1: ⟨1772 IX–1777 XII⟩. Bearb. v. Ernst Posner, Stephan Skalweit, Peter Baumgart, Gerd Heinrich (= Einzelveröff. d. Hist. Komm. zu Berlin b. Friedr.-Meinecke-Inst. d. Freien Univ. Berlin 5. Quellenwerke 5). Hamburg/Berlin 1970

Erg.-Bd.: Die Briefe König Friedrich Wilhelms I. an den Fürsten Leopold zu Anhalt-Dessau. 1704–1740. Bearb. v. O. Krauske. 1905

[B] Die einzelnen Gebiete der Verwaltung
  [a] Das Preußische Münzwesen im 18. Jahrhundert. Münzgeschichtlicher Teil. Bd. 1–4. 1904–1913
    1: Die Münzverwaltung der Könige Friedrich I. und Friedrich Wilhelm I. 1701–1740. Darstellung v. Friedrich Frhr. von Schrötter. Akten bearb. v. Gustav Schmoller u. Friedrich Frhr. von Schrötter. 1904

2: Die Begründung des preußischen Münzsystems durch Friedrich d. Gr. und Grauman. 1740–1755. Darstellung v. Friedrich Frhr. von Schrötter. Akten bearb. v. Gustav Schmoller u. Friedrich Frhr. von Schrötter. 1908

3: Das Geld des siebenjährigen Krieges und die Münzreform nach dem Frieden. 1755–1765. Darstellung von Friedrich Frhr. von Schrötter. Akten bearb. von Gustav Schmoller und Friedrich Frhr. von Schrötter. 1910

4: Die letzten vierzig Jahre. 1765–1806. Darstellung von Friedrich Frhr. von Schrötter. Akten bearb. v. Gustav Schmoller u. Friedrich Frhr. von Schrötter. 1913

[Fortsetzung für das 19. Jahrhundert:]
Das Preußische Münzwesen 1806 bis 1873. Im Auftrage der Preußischen Akademie der Wissenschaften bearb. v. Friedrich Frhr. von Schrötter. Münzgeschichtl. Teil. Bd. 1–2. – 1: [Darstellg. ⟨1807–1857⟩]. 1926. 2: [Darstellg. ⟨1829–1868⟩]. 1926

[b] Wollindustrie. [Bd. 1]

[1:] Die Wollindustrie in Preußen unter Friedrich Wilhelm I. Darstellung mit Aktenbeilagen v. Carl Hinrichs. 1933

[c] Die Preußische Seidenindustrie im 18. Jahrhundert und ihre Begründung durch Friedrich den Großen. Bd. 1–3.

1: ⟨1686–1768⟩. Bearb. v. Gust. Schmoller u. O. Hintze. 1892
2: ⟨1769–1806⟩. Bearb. v. Gust. Schmoller u. O. Hintze. 1892
3: [Darstellung v. Otto Hintze.] 1892

[d] Getreidehandelspolitik. Bd. 1–4

1: Die Getreidehandelspolitik der europäischen Staaten vom 13. bis 18. Jahrhundert. Als Einleitung in die preußische Getreidehandelspolitik. Darstellung v. W. Naudé. 1896

2: Die Getreidehandelspolitik und Kriegsmagazinverwaltung Brandenburg-Preußens bis 1740. Darstellung und statistische Beilagen v. W. Naudé. Acten bearb. von Gustav Schmoller u. W. Naudé ⟨1714–1740⟩. 1901

3: Die Getreidehandelspolitik und Kriegsmagazinverwaltung Preußens 1740–1756. Darstellung und Getreidepreisstatistik v. W. Naudé u. A. Skalweit. Acten bearb. v. Gustav Schmoller, W. Naudé u. A. Skalweit. 1910

4: Die Getreidehandelspolitik und Kriegsmagazinverwaltung Preußens 1756–1806. Darstellung mit Aktenbeilagen und Preisstatistik v. August Skalweit. 1931

[e] Handels-, Zoll- und Akzisepolitik. Bd. 1–3

1: Die Handels-, Zoll- und Akzisepolitik Brandenburg-Preußens bis 1713. Darstellung v. Hugo Rachel. 1911

2,1–2: Die Handels-, Zoll- und Akzisepolitik Preußens 1713–1740

1: Darstellung v. Hugo Rachel. 1922
2: Aktenstücke und Beilagen. Bearb. v. Hugo Rachel. 1922
3,1–2: Die Handels-, Zoll- und Akzisepolitik Preußens 1740–
1786. I. und II. Hälfte. Bearb. v. Hugo Rachel. 1928

7. *Quellen zur Geschichte des 19. Jahrhunderts*

Freiherr vom STEIN (1757–1831)

1) Briefwechsel. Denkschriften und Aufzeichnungen [Alte Ausgabe]. Im
Auftrag der Reichsregierung, der Preußischen Staatsregierung und des
Deutschen und Preußischen Städtetages bearb. v. Erich Botzenhart.
Bd. 1–7. Berlin (1931–37)

2) Briefe und amtliche Schriften. Bearb. v. Erich Botzenhart. Neu hrsg.
von Walther Hubatsch. Bd. 1–8. (Stuttgart [u.a.] 1957–1974)
   1: Studienzeit. Eintritt in den preußischen Staatsdienst. Stein in
   Westfalen ⟨1773 X–1804 XI⟩. Neu bearb. von Erich Botzenhart
   (1957)
   2,1: Minister im Generaldirektorium. Konflikt und Entlassung. Stein
   in Nassau – Die Nassauer Denkschrift. Wiederberufung ⟨1804
   XII bis 1807 IX⟩. Neu bearb. v. Peter G. Thielen (1959)
   2,2: Das Reformministerium ⟨1807 X –1808 XII⟩. Neu bearb. von
   Peter G. Thielen (1960)
   3: In Brünn und Prag. Die Krise des Jahres 1811. In Moskau und
   Petersburg. Die große Wendung ⟨1808 XII–1812 XII⟩. Neu bearb. v. Walther Hubatsch (1961)
   4: Preußens Erhebung. Stein als Chef der Zentralverwaltung. Napoleons Sturz ⟨1813 I–1814 VI⟩. Neu bearb. von Walther Hubatsch
   (1963)
   5: Der Wiener Kongreß. Rücktritt in das Privatleben. Stein und die
   ständischen Bestrebungen des westfälischen Adels ⟨1814 VI bis
   1818 XII⟩. Neu bearb. von Manfred Botzenhart (1964)
   6: Stein in Westfalen. Monumenta Germaniae Historica. Verfas-
   sungsfragen ⟨1819 I–1826 V⟩. Neu bearb. v. Alfred Hartlieb von
   Wallthor (1965)
   7: Stein als Marschall des 1.–3. Westfälischen Provinziallandtags.
   Revision der Städteordnung. Revolution in Frankreich u. Belgien
   ⟨1826 V–1831 VI⟩. Neu bearb. v. A. Hartlieb v. Wallthor (1969)
   8: Ergänzungen und Nachträge. I. Nachträge zu den Briefen Steins
   1766–1831. II. Kartographische Dokumentation. Bearb. v. Walther Hubatsch. (1970)

9: Historische und politische Schriften ⟨1816–1827⟩. Bearb. v. Walther Hubatsch. 1972

10: Register mit Nachlese, Zusätzen und Berichtigungen. Neu bearb. v. Werner John u. Gertrud Hedler-Stieper. 1974

*

ACTEN DES WIENER CONGRESSES IN DEN JAHREN 1814 UND 1815. Hrsg. v. Johann Ludwig Klüber. Bd. 1–8, Suppl.-Bd. mit Register. Erlangen 1815–18, 1835 [Nachdruck Osnabrück 1966]; dazu:

Johann Ludwig KLÜBER, Uebersicht der diplomatischen Verhandlungen des Wiener Congresses überhaupt, und insonderheit über wichtige Angelegenheiten des teutschen Bundes. Abtheilung 1–3 [in 1 Bd.]. Frankfurt/M 1816 [Nachdruck Osnabrück 1966]

*

DEUTSCHE GESCHICHTSQUELLEN DES 19. [ab Bd. 37: UND DES 20.] JAHRHUNDERTS. Hrsg. v. der Historischen Kommission bei der Bayerischen Akademie der Wissenschaften. Bd. 1–
[Nachdruck Bd. 1–36 Osnabrück 1966–67]

1, 36: Rheinische Briefe und Akten zur Geschichte der politischen Bewegung 1830–1850. Ges. u. hrsg. v. Joseph Hansen. Bd. 1–2. – 1: ⟨1830–1845⟩. Essen 1919. – 2,1: ⟨1846 I–1848 IV⟩. Bonn 1942

2: Die Tagebücher des Freiherrn Reinhard v. Dalwigk zu Lichtenfels aus den Jahren 1860–71. Hrsg. v. Wilhelm Schüßler. Stuttgart/Berlin 1920

3: Denkwürdigkeiten aus dem Dienstleben des Hessen-Darmstädtischen Staatsministers Freiherrn du Thil 1803–1848. Hrsg. v. Heinrich Ulmann. Stuttgart/Berlin 1921

4–8, 17: Ferdinand Lassalle, Nachgelassene Briefe und Schriften. Hrsg. v. Gustav Mayer. Bd. 1–6. Stuttgart/Berlin 1921–25

1: Briefe von und an Lassalle bis 1848. 1921

2: Lassalles Briefwechsel von der Revolution von 1848 bis zum Beginn seiner Arbeiteragitation ⟨1848–1862⟩. 1923

3: Der Briefwechsel zwischen Lassalle und Marx. Nebst Briefen von Friedrich Engels und Jenny Marx an Lassalle und von Karl Marx an Gräfin Sophie von Hatzfeld ⟨1848 bis 1846⟩. 1922

4: Der Briefwechsel mit Gräfin Sophie von Hatzfeld ⟨1848 bis 1864⟩. 1924

5: Lassalles Briefwechsel aus den Jahren seiner Arbeiteragitation 1862–1864. 1925

6: Die Schriften des Nachlasses und der Briefwechsel mit Karl Rodbertus. 1925

9, 10, 13: Denkwürdigkeiten des General-Feldmarschalls Alfred Grafen v. Waldersee. Bearb. u. hrsg. v. Heinrich Otto Meisner. Bd. 1–3. Stuttgart/Berlin
1: 1832–1888. 1922
2: 1888–1900. 1922
3: 1900–1904. 1923

11: Josef von Radowitz, Nachgelassene Briefe und Aufzeichnungen zur Geschichte der Jahre 1848–1853. Hrsg. v. Walter Möring. Stuttgart/Berlin 1922

12: Max Duncker, Politischer Briefwechsel aus seinem Nachlaß. Hrsg. v. Johannes Schultze. Stuttgart/Berlin 1923

14: Aktenstücke und Aufzeichnungen zur Geschichte der Frankfurter Nationalversammlung aus dem Nachlaß von Johann Gustav Droysen. Hrsg. v. Rudolf Hübner. Stuttgart/Berlin/Leipzig 1924

15, 16: Aufzeichnungen und Erinnerungen aus dem Leben des Botschafters Joseph Maria von Radowitz. Hrsg. v. Hajo Holborn. Bd. 1–2. Stuttgart/Berlin 1925
1: 1839–1877.
2: 1878–1890.

18, 24: Deutscher Liberalismus im Zeitalter Bismarcks. Eine politische Briefsammlung. Hrsg. v. Paul Wentzcke u. Julius Heyderhoff. Bd. 1–2 ⟨1859–1890⟩. Bonn 1925–26

19–21: Hermann Oncken, Die Rheinpolitik Kaiser Napoleons III. von 1863 bis 1870 und der Ursprung des Krieges von 1870/71. Nach den Staatsakten von Österreich, Preußen und den süddeutschen Mittelstaaten. Bd. 1–3. Stuttgart/Berlin 1926
1: ⟨1863–1866 VII⟩
2: ⟨1866 VII–1868 VII⟩
3: ⟨1868 VII–1870 VIII⟩

22, 23: Großherzog Friedrich I. von Baden und die deutsche Politik von 1854–1871. Briefwechsel, Denkschriften, Tagebücher. Hrsg. von der Badischen Historischen Kommission. Bearb. v. Hermann Oncken. Bd. 1–2. Stuttgart/Berlin 1927

25, 26: Johann Gustav Droysen, Briefwechsel. Hrsg. v. Rudolf Hübner. Bd. 1–2. Stuttgart/Berlin/Leipzig 1929
1: 1829–1851 2: 1851–1884

27: Ausgewählter Briefwechsel Rudolf Hayms. Hrsg. v. Hans Rosenberg. Stuttgart/Berlin/Leipzig 1930

28: Fürst Chlodwig zu Hohenlohe-Schillingsfürst. Denkwürdigkeiten der Reichskanzlerzeit. Hrsg. v. Karl Alexander von Müller. Stuttgart/Berlin/Leipzig 1931

29–33: Quellen zur deutschen Politik Österreichs 1859–1866. Unter Mitwirkung von Oskar Schmid hrsg. v. Heinrich Ritter von Srbik. Bd. 1–5. Oldenburg i.O./Berlin 1934–38
  1: ⟨1859 VII–1861 XI⟩ 1934
  2: ⟨1861 XI–1863 I⟩ 1935
  3: ⟨1863 I–1864 III⟩ 1936
  4: ⟨1864 III–1865 VIII⟩ 1937
  5,1: ⟨1865 VIII–1866 V⟩ 1938
  5,2: ⟨1866 V–VIII⟩ 1938

34: Otto Graf zu Stolberg-Wernigerode, Robert Heinrich von der Goltz. Botschafter in Paris 1863–1869. Oldenburg i. O. 1941, [2]1942

35: Im Ring der Gegner Bismarcks. Denkschriften und politischer Briefwechsel Franz v. Roggenbachs mit Kaiserin Augusta und Albrecht v. Stosch 1865–1896. Bearb. u. hrsg. v. Julius Heyderhoff. Leipzig (1943)

37–39: Politischer Briefwechsel des Herzogs und Großherzogs Carl August von Weimar. Hrsg. v. Willy Andreas. Bearb. v. Hans Tümmler. Bd. 1–2. Stuttgart
  1: Von den Anfängen der Regierung bis zum Ende des Fürstenbundes 1778–1790. 1954
  2: Vom Beginn der Revolutionskriege bis in die Rheinbundzeit 1791–1807. 1958
  3: Von der Rheinbundzeit bis zum Ende der Regierung 1808–1828. Bearb. u. hrsg. v. Hans Tümmler. Göttingen 1973

40: Geheimes Kriegstagebuch 1870–1871 von Paul Bronsart von Schellendorff, Chef der Operations-Abteilung im Großen Generalstab. Unter Mitwirkung von Theodor Michaux hrsg. v. Peter Rassow. Bonn 1954

41: Wilhelm Groener, Lebenserinnerungen. Jugend, Generalstab, Weltkrieg. Hrsg. v. Friedrich Frhr. Hiller von Gaertringen. Mit einem Vorwort v. Peter Rassow. Göttingen 1957

42: Lebenserinnerungen des Königs Johann von Sachsen. Eigene Aufzeichnungen des Königs über die Jahre 1801 bis 1854. Hrsg. v. Hellmut Kretzschmar. Göttingen 1958

43: Das Tagebuch der Baronin Spitzemberg geb. Freiin v. Varnbüler. Aufzeichnungen aus der Hofgesellschaft des Hohenzollernreiches. Ausgew. u. hrsg. v. Rudolf Vierhaus. Göttingen (1960), ([4]1976)

44: Staatssekretär Graf Herbert von Bismarck. Aus seiner politischen Privatkorrespondenz. Hrsg. u. eingel. v. Walter Bußmann unter Mitwirkung v. Klaus-Peter Hoepke. Göttingen (1964)

45: Carl von Clausewitz. Schriften, Aufsätze, Studien, Briefe.

Dokumente aus dem Clausewitz-, Scharnhorst- und Gneisenau-Nachlaß sowie aus öffentlichen und privaten Sammlungen. Hrsg. v. Werner Hahlweg mit einem Vorwort von Karl Dietrich Erdmann. Bd. 1. Göttingen (1966)

46,1–2: Von der Revolution zum Norddeutschen Bund. Politik und Ideengut der preußischen Hochkonservativen 1848–1866. Aus dem Nachlaß von Ernst Ludwig von Gerlach. Teil 1–2. Hrsg. u. eingel. v. Hellmut Diwald. (1970)

47: Von Brest-Litovsk zur deutschen Novemberrevolution. Aus den Tagebüchern, Briefen und Aufzeichnungen von Alfons Paquet, Wilhelm Groener und Albert Hopman März bis November 1918. Hrsg. v. Winfried Baumgart. Mit einem Vorwort v. Hans Herzfeld. Göttingen (1971)

48: Kurt Riezler. Tagebücher, Aufsätze, Dokumente. Eingel. u. hrsg. v. Karl Dietrich Erdmann. Göttingen (1972)

50,1–2: Briefwechsel Hertling-Lerchenfeld 1912–1917. Dienstliche Privatkorrespondenz zwischen dem bayerischen Ministerpräsidenten Georg Graf von Hertling und dem bayerischen Gesandten in Berlin Hugo Graf von und zu Lerchenfeld. Teil 1–2. Hrsg. u. eingel. v. Ernst Deuerlein. Boppard/Rh. (1973)

51,1–2: Botschafter Paul Graf von Hatzfeldt. Nachgelassene Papiere. Teil 1–2. Hrsg. u. eingel. v. Gerhard Ebel in Verb. m. Michael Behnen. Boppard a. Rh. (1976)

52,1–3: Philipp Eulenburgs politische Korrespondenz. Hrsg. v. John C. G. Röhl. Boppard a. Rh.

1. Von der Reichsgründung bis zum Neuen Kurs 1866–1891. (1976)

2. [Noch nicht erschienen]

3. [Noch nicht erschienen]

*

DIE AUSWÄRTIGE POLITIK PREUSSENS 1858–1871 [APP]. Diplomatische Aktenstücke. Abt. I–III [= Bd. 1–12]. Hrsg. von der Historischen Reichskommission unter Leitung von Erich Brandenburg, Otto Hoetzsch und Hermann Oncken [1935–36 unter kommissar. Leitung von Willy Hoppe; danach hrsg. vom Reichsinstitut für Geschichte des neuen Deutschlands unter Leitung von Arnold Oskar Meyer]. Oldenburg i. O. [später Oldenburg i. O./Berlin]

Abt. I   [= Bd. 1–2]: Vom Beginn der Neuen Ära bis zur Berufung Bismarcks

Abt. II [= Bd. 3–7]: Vom Amtsantritt Bismarcks bis zum Prager Frieden

Abt. III [= Bd. 8–12]: Die auswärtige Politik Preußens und des

Norddeutschen Bundes vom Prager Frieden bis zur Begründung des Reiches und zum Friedensschluß mit Frankreich

1: ⟨1858 XI–1859 XII⟩ Bearb. v. Christian Friese. 1933
2,1: ⟨1860 I–XII⟩ Bearb. v. Christian Friese. 1938
2,2: ⟨1860 XII–1862 X⟩ Bearb. v. Christian Friese. 1945
3: ⟨1862 X–1863 IX⟩ Bearb. v. Rudolf Ibbeken. 1932
4: ⟨1863 X–1864 IV⟩ Bearb. v. Rudolf Ibbeken. 1933
5: ⟨1864 IV–1865 IV⟩ Bearb. v. Rudolf Ibbeken. 1935
6: ⟨1865 IV–1866 III⟩ Bearb. v. Rudolf Ibbeken. 1939
7: [nicht erschienen]
8: ⟨1866 VIII–1867 V⟩ Bearb. v. Herbert Michaelis. 1934
9: ⟨1867 V–1868 IV⟩ Bearb. v. Herbert Michaelis. 1936
10: ⟨1868 IV–1869 IV⟩ Bearb. v. Herbert Michaelis. 1939
11: [nicht erschienen]
12: [nicht erschienen]

QUELLEN ZUR DEUTSCHEN POLITIK ÖSTERREICHS 1859–1866. Unter Mitwirkung von Oskar Schmid hrsg. v. Heinrich Ritter von Srbik (= Deutsche Geschichtsquellen des 19. Jahrhunderts. Hrsg. durch die Historische Kommission bei der Bayerischen Akademie der Wissenschaften. Bd. 29 bis 33). Oldenburg i. O./Berlin 1934–38 [Nachdruck Osnabrück 1967]

1: ⟨1859 VII–1861 XI⟩ 1934
2: ⟨1861 XI–1863 I⟩ 1935
3: ⟨1863 I–1864 III⟩ 1936
4: ⟨1864 III–1865 VIII⟩ 1937
5,1: ⟨1865 VIII–1866 V⟩ 1938
5,2: ⟨1866 V–VIII⟩ 1938

*

Otto Fürst von BISMARCK (1815–1898)

1) Die gesammelten Werke. Bd. 1–15. Berlin (1924–35) [= Friedrichsruher Ausgabe]

[Gliederung: Bd. 1–6c. Politische Schriften
Bd. 7–9. Gespräche
Bd. 10–13. Reden
Bd. 14,1–2. Briefe
Bd. 15. Erinnerung und Gedanke]

1: ⟨1848 VIII–1854 XII 31⟩. Bearb. v. Herman von Petersdorff. (1924)
2: ⟨1855 I 1–1859 III 1⟩. Bearb. v. Herman von Petersdorff. (1924)

3: ⟨1859 III 29–1862 IX 12⟩. Bearb. v. Herman von Petersdorff. (1925)

4: ⟨1862 X 23 – 1864 XI 1⟩. Bearb. v. Friedrich Thimme. (1927)

5: ⟨1864 XI 9 – 1866 VI 16⟩. Bearb. v. Friedrich Thimme. (1928)

6: ⟨1866 VI 16 – 1867 VII 9⟩. Bearb. v. Friedrich Thimme. (1929)

6a: ⟨1867 VII 21 – 1869 II 22⟩. Bearb. v. Friedrich Thimme. (1930)

6b: ⟨1869 II 26 – 1871 III 2⟩. Bearb. v. Friedrich Thimme. (1931)

6c: ⟨1871 III 29 – 1890 III 18⟩. Bearb. v. Werner Frauendienst. (1935)

7: ⟨1845–1871⟩. Hrsg. u. bearb. v. Willy Andreas. (1924)

8: ⟨1871 V 13 – 1890 III 29⟩. Hrsg. u. bearb. v. Willy Andreas. (1926)

9: ⟨1890 III 31 – 1898 V 7⟩. Hrsg. u. bearb. v. Willy Andreas. (1926)

10: ⟨1847 V 17 – 1869 I 9⟩. Bearb. v. Wilhelm Schüßler. (1928)

11: ⟨1869 I 28 – 1878 IX 17⟩. Bearb. v. Wilhelm Schüßler. (1929)

12: ⟨1878 X 9 – 1885 II 16⟩. Bearb. v. Wilhelm Schüßler. (1929)

13: ⟨1885 III 2 – 1897 V 10⟩. Bearb. v. Wilhelm Schüßler. (1930)

14,1: ⟨1822 IV 27 – 1862 IV 19⟩. Hrsg. v. Wolfgang Windelband u. Werner Frauendienst. (1933)

14,2: ⟨1862 V 13 – 1898 VII 10⟩. Hrsg. v. Wolfgang Windelband u. Werner Frauendienst. (1933)

15: Erinnerung und Gedanke. Kritische Neuausgabe auf Grund des gesamten schriftlichen Nachlasses. Hrsg. v. Gerhard Ritter u. Rudolf Stadelmann. (1932)

2) Die politischen Reden des Fürsten Bismarck. Historisch-kritische Gesamtausgabe besorgt v. Horst Kohl. Bd. 1–14 ⟨1847–1897⟩ [nebst Register]. Stuttgart 1892–1905 [Nachdruck Aalen 1969–70]

[Vgl. auch oben S. 135–136]

Bibliographie

BISMARCK-BIBLIOGRAPHIE. Quellen und Literatur zur Geschichte Bismarcks und seiner Zeit. Hrsg. v. Karl Erich Born. Bearb. v. Willy Hertel unter Mitarbeit v. Hansjoachim Henning. (Köln/Berlin 1966)

DIE MINISTERRATSPROTOKOLLE ÖSTERREICHS und der Österreichisch-Ungarischen Monarchie 1848–1918. Serie 1–2

Serie 1. Die Protokolle des österreichischen Ministerrates 1848–1867. Hrsg. v. Österreichischen Komitee für die Veröffentlichung der Ministerratsprotokolle. Red. Helmut Rumpler. Abt. I–VI. Wien (1970–)

[Bisher erschienen:]

Helmut Rumpler, Einleitungsband. Ministerrat und Ministerratsprotokolle 1848–1867. Behördengeschichtliche und aktenkundliche Analyse. (1970)

Abt. III. Das Ministerium Buol-Schauenstein

    1: ⟨1852 IV 14 – 1853 III 13⟩. Bearb. v. Waltraud Heindl. (1975)

Abt. VI. Das Ministerium Belcredi

    1: ⟨1865 VII 29 – 1866 III 26⟩. Bearb. v. Horst Brettner-Messler. (1971)

    2: ⟨1866 IV 8 – 1867 II 6⟩. Bearb. v. Horst Brettner-Messler. (1973)

Serie 2. [1 Bd. der geplanten 2. Serie war außerhalb dieser Reihe erschienen u.d.T.:]

Protokolle des Gemeinsamen Ministerrates der Österreichisch-Ungarischen Monarchie (1914–1918). Eingel. u. zus.gestellt v. Miklós Komjáthy (= Publikationen des Ungarischen Staatsarchivs II. Quellenpublikationen 10). Budapest 1966

8. Quellen zur Vorgeschichte des Ersten Weltkrieges

DIE GROSSE POLITIK DER EUROPÄISCHEN KABINETTE 1871–1914. Sammlung der Diplomatischen Akten des Auswärtigen Amtes. Im Auftrage des Auswärtigen Amtes hrsg. v. Johannes Lepsius, Albrecht Mendelssohn-Bartholdy, Friedrich Thimme. [Nebentitel: Die Diplomatischen Akten des Auswärtigen Amtes 1871–1914.] Bd. 1–40 [nebst Kommentar]. Reihe 1–5. Berlin 1922–27, [2]1924–27

Reihe 1 Bd. 1–6: Die Bismarckzeit ⟨1871–1890⟩
Reihe 2 Bd. 7–12: Der neue Kurs ⟨1890–1899⟩
Reihe 3 Bd. 13–18: Die Politik der freien Hand ⟨1897–1904⟩
Reihe 4 Bd. 19–25: Die Isolierung der Mittelmächte ⟨1904–08⟩
Reihe 5 Abt. 1 Bd. 26–29: Weltpolitische Komplikationen ⟨1908–1911⟩
Reihe 5 Abt. 2 Bd. 30–33: Weltpolitische Komplikationen ⟨1911–1914⟩
Reihe 5 Abt. 3 Bd. 34–39: Europa vor der Katastrophe ⟨1912–1914⟩

    1: Der Frankfurter Friede und seine Nachwirkungen 1871–1877. 1922
    2: Der Berliner Kongreß und seine Vorgeschichte. 1922
    3: Das Bismarck'sche Bündnissystem ⟨1879–1885⟩. 1922
    4: Die Dreibundmächte und England ⟨1879–1889⟩. 1922
    5: Neue Verwickelungen im Osten ⟨1885–1887⟩. 1922
    6: Kriegsgefahr in Ost und West. Ausklang der Bismarckzeit ⟨1887 bis 1890⟩. 1922

7, 8: Die Anfänge des Neuen Kurses. I. II. 1923
    1. Der Russische Draht ⟨1890–1894⟩
    2. Die Stellung Englands zwischen den Mächten ⟨1890–1895⟩
9: Der nahe und der ferne Osten ⟨1890–1895⟩. 1923
10: Das türkische Problem 1895. 1923
11: Die Krügerdepesche und das europäische Bündnissystem 1896. 1923
12,1–2: Alte und neue Balkanhändel 1896–1899. 1923
13: Die Europäischen Mächte untereinander 1897–1899. 1924
14,1–2: Weltpolitische Rivalitäten ⟨1890–1899⟩. 1924
15: Rings um die Erste Haager Friedenskonferenz ⟨1898–1900⟩. 1924
16: Die Chinawirren und die Mächte 1900–1902. 1924
17: Die Wendung im Deutsch-Englischen Verhältnis ⟨1901–1904⟩. 1924
18,1–2: Zweibund und Dreibund 1900–1904. 1924
19,1–2: Der Russisch-Japanische Krieg. 1925
20,1–2: Entente cordiale und Erste Marokkokrise 1904–1905. 1925
21,1–2: Die Konferenz von Algeciras und ihre Auswirkung ⟨1906–1907⟩. 1925
22: Die Österreichisch-Russische Entente und der Balkan 1904–1907. 1925
23,1–2: Die Zweite Haager Friedenskonferenz. Nordsee- und Ostsee-Abkommen. ⟨1905–1908⟩. 1925
24: Deutschland und die Westmächte 1907–1908. 1925
25,1–2: Die Englisch-Russische Entente und der Osten ⟨1905–1908⟩. 1925
26,1–2: Die Bosnische Krise 1908–1909. 1925
27,1–2: Zwischen den Balkankrisen 1909–1911. 1925
28: England und die Deutsche Flotte 1908–1911. 1925
29: Die Zweite Marokkokrise 1911. 1925
30,1–2: Der Italienisch-Türkische Krieg 1911–1912. 1926
31: Das Scheitern der Haldane-Mission und ihre Rückwirkung auf die Tripelentente 1911–1912. 1926
32: Die Mächte und Ostasien 1909–1914. 1926
33: Der Erste Balkankrieg 1912. 1926
34,1–2: Die Londoner Botschafterreunion und der Zweite Balkankrieg 1912–1913. 1926
35: Der Dritte Balkankrieg 1913. 1926
36, 1–2: Die Liquidierung der Balkankriege 1913–1914. 1926
37, 1–2: Entspannungen unter den Mächten 1912–1913. 1926
38: Neue Gefahrenzonen im Orient 1913–1914. 1926
39: Das Nahen des Weltkrieges 1912–1914. 1926
40: Namenregister zu Bd. XXVI bis XXXIX. 1927

[Kommentar zu Die Große Politik ...:]
Bernhard SCHWERTFEGER, Die Diplomatischen Akten des Auswärtigen

Amtes 1871–1914. Ein Wegweiser durch das große Aktenwerk der
Deutschen Regierung. Teil 1–5 [= Bd. 1–8]. Berlin 1923–27

1:     Die Bismarck-Epoche 1871–1890 [= Wegweiser z. Bd. 1–6]. 1923
2:     Der neue Kurs 1890–1899 [= Wegweiser zu Bd. 7–12]. 1924
3:     Die Politik der Freien Hand 1899–1904 [= Wegweiser zu Bd.
    13–18]. 1925
4,1–2: [= Bd. 4 u. 5 des Gesamtkommentars]: Die Isolierung der Mit-
    telmächte 1904–1908.
    1. [= Wegweiser zu Bd. 19–21]. 1925
    2. [= Wegweiser zu Bd. 22–25]. 1926
5,1–2: [= Bd. 6 u. 7 des Gesamtkommentars]: Weltpolitische Kompli-
    kationen 1908–1914. Abt. 1–2.
    1. [= Wegweiser zu Bd. 26–29]. 1926
    2. [= Wegweiser zu Bd. 30–33]. 1927
5,3:   [= Bd. 8 des Gesamtkommentars]: Europa vor der Katastrophe
    1912–1914. Abt. 3 [= Wegweiser zu Bd. 34–39]. 1927

DIE AUSWÄRTIGE POLITIK DES DEUTSCHEN REICHES 1871–1914. [Gekürzte
Ausgabe der »Großen Politik«. Nebentitel: Das Amtliche Deutsche
Aktenmaterial zur Auswärtigen Politik 1871–1914]. Unter Leitung von
Albrecht Mendelssohn-Bartholdy u. Friedrich Thimme hrsg. v. Institut
für auswärtige Politik in Hamburg. Bd. 1–4. Berlin 1928
[Als Erg.-Bde. unter Beibehaltung des Nebentitels u. Fortsetzung der
Bandzählung:]
  [5:] Bernhard Schwertfeger, Der Weltkrieg der Dokumente. Zehn
    Jahre Kriegsschuldforschung und ihr Ergebnis. Berlin 1929
  [6:] Dokumentarium zur Vorgeschichte des Weltkrieges 1871–1914.
    Hrsg. v. Bernhard Schwertfeger. Berlin 1929
ZEITKALENDER DER DIPLOMATISCHEN AKTEN DES AUSWÄRTIGEN AMTES
1871–1914. Synchronistische Zusammenstellung der Dokumente der
Großen Aktenpublikation des Auswärtigen Amtes nach ihren Absen-
dungsdaten. Von Bernhard Schwertfeger. Berlin 1928

ÖSTERREICH-UNGARNS AUSSENPOLITIK von der Bosnischen Krise 1908 bis
zum Kriegsausbruch 1914. Diplomatische Aktenstücke des österreichisch-
ungarischen Ministeriums des Äußern. Ausgewählt von Ludwig Bittner,
Alfred Francis Pribram, Heinrich Srbik und Hans Uebersberger. Bearb.
von Ludwig Bittner und Hans Uebersberger. Bd. 1–9 (= Veröffentlichungen der Kommission für neuere Geschichte Österreichs 19–27).
Wien/Leipzig 1930
  1: ⟨1908 III 13 – 1909 II 26⟩
  2: ⟨1909 II 27 – 1910 VIII 31⟩
  3: ⟨1910 IX 5 – 1912 II 18⟩
  4: ⟨1912 II 19 – 1912 XI 30⟩

5: ⟨1912 XII 1 – 1913 III 31⟩
6: ⟨1913 IV 1 – 1913 VII 31⟩
7: ⟨1913 VIII 1 – 1914 IV 30⟩
8: ⟨1914 V 1 – 1914 VIII 1⟩
9: Personenregister

JULIKRISE UND KRIEGSAUSBRUCH 1914. Bearb. u. eingel. v. Imanuel Geiss.
Bd. 1–2. Hannover
1: ⟨1914 VI 28 – VII 25⟩. (1963, ²1976)
2: ⟨1914 VII 26 – VIII 4⟩. (1964)

9. Quellensammlungen zur Geschichte des 20. Jahrhunderts

DOKUMENTE DER DEUTSCHEN POLITIK UND GESCHICHTE von 1848 bis zur
Gegenwart. Ein Quellenwerk für die politische Bildung und staatsbür-
gerliche Erziehung. Hrsg. v. Johannes Hohlfeld. Bd. 1–8. Erg.-Bd. 1
[ab Bd. 4 bearb. v. Klaus Hohlfeld]. Berlin/München [1951–56]
1: Die Reichsgründung und das Zeitalter Bismarcks 1848–1890. [1951]
2: Das Zeitalter Wilhelms II. 1890–1918. [1951]
3: Die Weimarer Republik 1919–1933. [1951]
4: Die Zeit der nationalsozialistischen Diktatur 1933–1945. Aufbau
und Entwicklung 1933–1938. [1953]
5: Die Zeit der nationalsozialistischen Diktatur 1933–1945. Deutschland im zweiten Weltkrieg 1939–1945. [1953]
6: Deutschland nach dem Zusammenbruch 1945 ... (1952)
7, 8: Das Ringen um Deutschlands Wiederaufstieg. 1–2. [1955]
   1. 1951–1952
   2. 1953–1954
[o. Bd.zählung:]
Hrsg. v. Johannes u. Klaus Hohlfeld. Kommentar. Erläuterungen und
Erklärungen zu Bd. I bis VI ... Bearb. v. Herbert Michaelis. [1956]

*

URSACHEN UND FOLGEN. Vom deutschen Zusammenbruch 1918 und 1945
bis zur staatlichen Neuordnung Deutschlands in der Gegenwart. Eine
Urkunden- und Dokumentensammlung zur Zeitgeschichte. Hrsg. u. bearb. v. Herbert Michaelis und Ernst Schraepler unter Mitwirkung von
Günter Scheel. Bd. 1–. Berlin [1958–]
1: Die Wende des ersten Weltkrieges und der Beginn der innerpoliti-
schen Wandlung 1916/1917. [1958]
2: Der militärische Zusammenbruch u. d. Ende des Kaiserreiches. [1958]

3 :   Der Weg in die Weimarer Republik. [1958]
4 :   Die Weimarer Republik. Vertragserfüllung und innere Bedrohung
      1919/1922. [1960]
5 :   Die Weimarer Republik. Das kritische Jahr 1923. [1960]
6 :   Die Weimarer Republik. Die Wende der Nachkriegspolitik 1924–
      1928. Rapallo – Dawesplan – Genf. [1961]
7 :   Die Weimarer Republik. Vom Kellogg-Pakt zur Weltwirtschafts-
      krise 1928–30. Die innerpolitische Entwicklung. [1962]
8 :   Die Weimarer Republik. Das Ende des parlamentarischen Systems.
      Brüning – Papen – Schleicher. 1930–1933. [1963?] [o. Bd.zählung:]
Registerband: Die Weimarer Republik. Namen- und Personenregister
zu Bd. IV–VIII. [1963?]
9 :   Das Dritte Reich. Die Zertrümmerung des Parteienstaates und die
      Grundlegung der Diktatur. [1964]
10 : Das Dritte Reich. Die Errichtung des Führerstaates. Die Abwen-
      dung von dem System der kollektiven Sicherheit. [1965]
11 : Das Dritte Reich. Innere Gleichschaltung. Der Staat und die Kir-
      chen. Antikominternpakt. Achse Rom – Berlin. Der Weg ins Groß-
      deutsche Reich. [1966?]
12 : Das Dritte Reich. Das sudetendeutsche Problem. Das Abkommen
      von München und die Haltung der Großmächte. [1967]
13 : Das Dritte Reich. Auf dem Weg zum Zweiten Weltkrieg. Von der
      Besetzung Prags bis zum Angriff auf Polen. [1968?]
14 : ... Der Angriff auf Polen. Die Ereign. i. Winter 1939–1940. [1969]
15 : ... Die Kriegführung gegen die Westmächte 1940. Das Norwegen-
      unternehmen. Der Frankreichfeldzug. Der Luftkrieg gegen Eng-
      land. [1970]
16 : ... Versuche einer festländischen Koalitionsbildung gegen England.
      Der Dreimächtepakt. Die Vorgänge in Südosteuropa und auf dem
      Balkan. Der Kriegsschauplatz in Nordafrika. [1971]
17 : Das Dritte Reich. Vom europäischen zum globalen Krieg. Der An-
      griff auf die Sowjetunion. Der Kriegsausbruch zwischen Japan und
      den USA. [1972]
18 : ... Die Wende des Krieges. Stalingrad – Nordafrika. Die deutsche
      Besatzungspolitik. Wirtschaft und Rüstung. I. [1973]
19 : ... Auf dem Weg in die Niederlage. Wirtschaft und Rüstung. II.
      Die Radikalisierung der inneren Kriegführung. Rückzug im Osten.
      [1973]
20 : ... Der Sturm auf die Festung Europa. I. Der Krieg zur See. Der
      Luftkrieg. Der Sturz Mussolinis und der Zusammenbruch Italiens.
      Die Erschütterung des Hitlerschen Bündnissystems. Alliierte Frie-
      denspläne. Die Konferenz von Teheran. [1974]
21 : ... Der Sturm auf die Festung Europa. II. Emigration und Wider-
      stand. Die Invasion der Anglo-Amerikaner. Der 20. Juli 1944. Der

Zusammenbruch der Mittelfront im Osten. Das polnische Problem. Der totale Kriegseinsatz. [1975]

22: ... Der Angriff auf die deutschen Grenzen. Der Abfall der Bundesgenossen. Die Ardennen-Offensive. Die Konferenz von Jalta. Der Einbruch der Gegner in das Reich. [1975]

23: ... Der militärische Zusammenbruch und das Ende des Dritten Reiches. Der Selbstmord Hitlers. Das Kabinett Dönitz. Die Kapitulation. Die Anfänge der Besatzungspolitik. Die Potsdamer Konferenz. Die Niederlage Japans. [1976]

24: Deutschland unter dem Besatzungsregime. Die Viermächteverwaltung – Schuld und Sühne: Die Kriegsverbrecherprozesse – Die Vertreibung aus den Ostgebieten. [1977]

25: Der Zerfall der alliierten Koalition. Die Errichtung der Bizone – Diskussionen über die Frage der deutschen Einheit – Französische Saarpolitik – Die Stabilisierung des SED-Regimes in der sowjetischen Besatzungszone – Der Fehlschlag der Vier-Mächte-Verwaltung. [1977]

*

DOKUMENTE DER DEUTSCHEN POLITIK. Hrsg. v. Paul Meier-Benneckenstein [Bd. 7 u. 8 v. Franz Alfred Six]. Bd. 1–9,1. Berlin 1935–44

1: Die nationalsozialistische Revolution 1933. Bearb. v. Axel Friedrichs. 1935, [2]1937

2: Der Aufbau des deutschen Führerstaates. Das Jahr 1934. Bearb. v. Axel Friedrichs. 1936, [2]1937

3: Deutschlands Weg zur Freiheit 1935. Bearb. v. A. Friedrichs. 1937

4: Deutschlands Aufstieg zur Großmacht. Bearb. v. Axel Friedrichs. 1937, [2]1938, [3]1939

5: Von der Großmacht zur Weltmacht 1937. Bearb. v. Hans Volz. 1938, [2]1939, [3]1939, [5]1942

6,1–2: Großdeutschland 1938. Bearb. v. Hans Volz. 1939, [4]1942

7,1–2: Das Werden des Reiches 1939. Bearb. v. Hans Volz. 1940, [2]1942

8,1–2: Der Kampf gegen den Westen 1940. Bearb. v. Hans Volz. 1943

9,1: Der Kampf gegen den Osten 1941. Bearb. v. Hans Volz. 1944

[Mehr nicht erschienen. Geplant waren auch rückgreifende Bände u.d.T.: Die Zeit des Weltkrieges und der Weimarer Republik; davon erschien nur Bd. 3 in 2 Teilen: Novembersturz und Versailles 1918 bis 1919. Bearb. v. Hans Volz. 1942]

Gerd RÜHLE. Das Dritte Reich. Dokumentarische Darstellung des Aufbaues der Nation mit Unterstützung des Deutschen Reichsarchivs. [Bd. 1–6] Berlin

[1:] Das erste Jahr. 1933. [1934]
[2:] Das zweite Jahr. 1934 [1935, ²1935]
[3:] Das dritte Jahr. 1935. [1936]
[4:] Das vierte Jahr. 1936. [1937]
[5:] Das fünfte Jahr. 1937. [1938]
[6:] Das sechste Jahr. 1938. [1939]
[Erg.-Bd.:] Die Kampfjahre 1918–1933. [1936] [Fortsetzung:]
Gerd RÜHLE, Das Großdeutsche Reich (früher: Das Dritte Reich). Dokumentarische Darstellung des Aufbaus der Nation.
[Erg.-Bd.:] Die österreichischen Kampfjahre. 1918–1938. Berlin [1940]

WELTGESCHICHTE DER GEGENWART IN DOKUMENTEN. Hrsg. v. Michael
Freund [Bd. 1 u. 2; und] Werner Frauendienst [Bd. 3–5]. Bd. 1–5.
1936–44
[1:] 1934/35. Teil 1. Internationale Politik. Bearb. v. Michael Freund.
Essen 1936, ³1944
[2:] 1934/35. Teil 2. Staatsform und Wirtschaft der Nationen. Bearb.
v. Michael Freund. Berlin/Essen/Leipzig 1937, ³1944
3: 1935/36. Internationale Politik. Hrsg. v. Werner Frauendienst.
Berlin/Essen/Leipzig 1937, ³1944
4: 1936/37. Internationale Politik. Hrsg. v. Werner Frauendienst.
(Essen) 1938, ⁴1944
5: 1937/38. Internationale Politik. Hrsg. v. Werner Frauendienst.
(Essen) 1940, ³1944
[Für 1938–1939 fortgesetzt unter dem Titel:]
WELTGESCHICHTE DER GEGENWART. Geschichte des Zweiten Weltkrieges in
Dokumenten. Hrsg. v. Michael Freund. Freiburg/München 1953–56
1: Geschichte des Zweiten Weltkrieges in Dokumenten. Der Weg zum
Kriege 1938–1939. 1953
2: Geschichte ... An der Schwelle des Krieges 1939. 1955, ²1958
3: Geschichte ... Der Ausbruch des Krieges 1939. 1956, ²1958

10. *Quellen und amtliche Darstellungen zur Geschichte des Ersten
Weltkriegs*

DAS WERK DES UNTERSUCHUNGSAUSSCHUSSES [WUA] der Verfassunggebenden Deutschen Nationalversammlung und des Deutschen Reichstags
1919–1930. Verhandlungen, Gutachten, Urkunden. Im Auftrage des
Reichstages unter Mitwirkung v. Eugen Fischer, Berthold Widmann,
Walther Bloch hrsg. v. Walter Schücking, Johannes Bell, Georg Gradnauer, Rudolf Breitscheid, Albrecht Philipp. Reihe 1–4. Berlin

Reihe 1. Die Vorgeschichte des Weltkrieges. Im Auftrage des Ersten Untersuchungsausschusses unter Mitwirkung v. Eugen Fischer hrsg. v. Georg Gradnauer u. Rudolf Breitscheid [Bd. 10, 11 hrsg. v. Clara Bohm-Schuch]. Bd. 5, 10, 11 [mehr nicht erschienen]

[1:] Stenographische Berichte über die öffentlichen Verhandlungen des Untersuchungsausschusses. 15. Ausschuß. [Hrsg. v.] Die deutsche Nationalversammlung im Jahre 1919. 1919
[Beilagen 1–2:] Beilagen zu den Stenographischen Berichten über die öffentlichen Verhandlungen des Untersuchungsausschusses. 1. Unterausschuß. Beilage: Zur Vorgeschichte des Weltkrieges [Heft 1]. Schriftliche Auskünfte deutscher Staatsmänner. [Hrsg. v.] Die Deutsche Nationalversammlung im Jahre 1919/20. 1920. – Beilagen ... 1. Unterausschuß. Zur Vorgeschichte des Weltkrieges. Heft 2: Militärische Rüstungen und Mobilmachungen. [Hrsg. v. der Deutschen Nationalversammlung.] 1921

5,1–2: Deutschland auf den Haager Friedenskonferenzen. 1929
1. Entschließung und Verhandlungsbericht.
2. Gutachten der Sachverständigen Wehberg, Graf Montgelas, Zorn, Kriege, Thimme.

10: Gutachten des Sachverständigen Dr. Roderich Gooß – Das österreichisch-serbische Problem bis zur Kriegserklärung Österreich-Ungarns an Serbien, 28. Juli 1914 – und des Sachverständigen Hermann Wendel – Die Habsburger und die Südslawenfrage. 1930

11: Gutachten des Sachverständigen Hermann Lutz – Die europäische Politik in der Julikrise 1914. 1930

[Nachträglich außerhalb der Reihe erschienen: Hermann Kantorowicz, Gutachten zur Kriegsschuldfrage. Aus dem Nachlaß hrsg. u. eingel. v. Imanuel Geiss. (Frankfurt 1967)]

Reihe 2. Friedensmöglichkeiten während des Weltkrieges.
[Davon nur erschienen:]
[Sonderband:] Beilagen zu den Stenographischen Berichten über die öffentlichen Verhandlungen des Untersuchungsausschusses. Bericht des zweiten Unterausschusses des Untersuchungsausschusses über die Friedensaktion Wilsons 1916/17. [Hrsg. v.] Die Deutsche Nationalversammlung im Jahre 1919/20. 1920
[Außerhalb der Reihe erschienen:]

[1:] Die Verhandlungen des 2. Unterausschusses des Parlamentarischen Untersuchungsausschusses über die päpstliche Friedensaktion von 1917. Aufzeichnungen und Vernehmungsprotokolle. Bearb. u. hrsg. v. Wolfgang Steglich. Wiesbaden 1974

Quellen zur Geschichte des Parlamentarismus und der politischen Parteien. Erste Reihe. Bd. 8: Der Friede von Brest-Litowsk. Ein unveröffentlichter Band aus dem Werk des Untersuchungsausschusses der Deutschen Verfassunggebenden Nationalversammlung und des Deutschen Reichstages. Bearb. v. Werner Hahlweg. Düsseldorf (1971) [dort S. 707–714 Nachweis der unveröffentlichten Bände dieser Reihe]

Reihe 3. Das Völkerrecht im Weltkrieg. Im Auftrage des Dritten Untersuchungsausschusses unter Mitwirkung v. Eugen Fischer u. Berthold Widmann hrsg. v. Johannes Bell. Bd. 1–4. 1927

   1:   Einleitung. Tafeln. Die Einführung der Haager Landkriegsordnung beim deutschen Heer. Die Zerstörungen in Nordfrankreich anläßlich der Rückzüge des deutschen Heeres in den Jahren 1917 und 1918. Die Verschleppung von Bewohnern Elsaß-Lothringens nach Frankreich. Die Zwangsüberführung belgischer Arbeiter nach Deutschland.

   2:   Die Verletzung der Neutralität Griechenlands. Der belgische Volkskrieg. Verletzungen des Genfer Abkommens. Verletzungen des X. Haager Abkommens.

   3,1–2:   Verletzungen des Kriegsgefangenenrechts

   4:   Der Gaskrieg. Der Luftkrieg. Der Unterseebootkrieg. Der Wirtschaftskrieg

Reihe 4. Die Ursachen des deutschen Zusammenbruchs im Jahre 1918. Vierte Reihe im Werk des Untersuchungsausschusses. Unter Mitwirkung v. Eugen Fischer, Walter Bloch im Auftrage des Vierten Unterausschusses hrsg. v. Albrecht Philipp. Bd. 1–12. 1925–29

[1. Abteilung. Der militärische Zusammenbruch. Bd. 1–3]

   1:   Entschließungen des 4. Unterausschusses und Verhandlungsbericht. 1925

   2:   Gutachten des Sachverständigen Oberst a. D. Bernhard Schwertfeger. 1925

   3:   Gutachten der Sachverständigen General d. Inf. a. D. von Kuhl u. Geheimrat Prof. Dr. H. Delbrück. 1925

[2. Abteilung. Der innere Zusammenbruch. Bd. 4–12]

   4:   Entschließung und Verhandlungsbericht: Die allgemeinen Ursachen und Hergänge des inneren Zusammenbruchs. 1. Teil. 1928

5: Verhandlungsbericht: Die allgemeinen Ursachen und Hergänge des inneren Zusammenbruchs. 2. Teil. 1928

6: Gutachten der Sachverständigen von Kuhl, Schwertfeger, Delbrück, Katzenstein, Herz, Volkmann zur »Dolchstoß«-Frage. 1928

7,1: Entschließung und Verhandlungsbericht: »Der Deutsche Reichstag im Weltkrieg«. 1928

7,2: Verhandlungsbericht: »Der Deutsche Reichstag im Weltkrieg«. 1928

8: Gutachten des Sachverständigen Prof. D. Dr. Dr. [Joh. Viktor] Bredt, M.d.R. Der Deutsche Reichstag im Weltkrieg. 1926

9,1: Entschließung und Verhandlungsbericht: Marine und Zusammenbruch. 1928

9,2: Verhandlungsbericht: Marine und Zusammenbruch. 1928

10,1: Gutachten der Sachverständigen Alboldt, Stumpf, v. Trotha zu den Marinevorgängen 1917 und 1918. 1928

10,2: Tagebuch des Matrosen Richard Stumpf. 1928

11,1: Gutachten des Sachverständigen Dr. Hobohm: Soziale Heeresmißstände als Teilursache des deutschen Zusammenbruchs von 1918. 1929

11,2: Gutachten des Sachverständigen Volkmann: Soziale Heeresmißstände als Mitursache des deutschen Zusammenbruchs von 1918. 1929

12,1: Gutachten des Sachverständigen Volkmann: Die Annexionsfragen des Weltkrieges. 1929

[12,2 nicht mehr erschienen; sollte Hobohms Annexionsgutachten (gegen die Alldeutschen) bringen.]

[Schema der Reihe:
1. Militärischer Zusammenbruch: = 1–3
2. Innerer Zusammenbruch = 4–12
    4–6: Allgemeine Ursachen und Hergänge
    7–8: Reichstag
    9–10: Marine
    11: Soziale Heeresmißstände
    12: Annexionsfragen]

*

L'ALLEMAGNE ET LES PROBLÈMES DE LA PAIX pendant la première guerre mondiale. Documents extraits des archives de l'Office allemand des Affaires étrangères. Hrsg. v. André Scherer u. Jacques Grunewald. Bd. 1–4 (= Publications de la Faculté des Lettres et Sciences Humaines de Paris. Série »Textes et Documents« 3, 14, 26). Paris 1962–

1: Des origines à la déclaration de la guerre sous-marine à outrance ⟨1914 VIII – 1917 I 31⟩. 1962

2: De la guerre sous-marine à outrance à la révolution soviétique ⟨1917 I 2 – XI 7⟩. 1966

3: De la révolution soviétique à la paix de Brest-Litovsk ⟨1917 XI 9 – 1918 III 3⟩. 1976

4: [noch nicht erschienen]

[Vgl. auch unten besonders S. 194]

DER WELTKRIEG 1914 bis 1918. Bearb. im Reichsarchiv [Bd. 10: Im Auftrage des Reichskriegsministeriums bearb. u. hrsg. v. d. Forschungsanstalt f. Kriegs- und Heeresgeschichte. – Bd. 11: Im Auftrage des Reichskriegsministeriums bearb. u. hrsg. v. d. Kriegsgeschichtlichen Forschungsanstalt des Heeres. – Bd. 12–14 nebst Beilagen zum 14. Bd.: Im Auftrage des Oberkommandos des Heeres bearb. v. d. Kriegsgeschichtlichen Forschungsanstalt des Heeres]. Die militärischen Operationen zu Lande. Bd. 1–14. Berlin 1925–44

1: Die Grenzschlachten im Westen. 1925

2: Die Befreiung Ostpreußens. 1925

3: Der Marne-Feldzug. Von der Sambre zur Marne. 1926

4: Der Marne-Feldzug. Die Schlacht. 1926

5: Der Herbst-Feldzug 1914. Im Westen bis zum Stellungskrieg. Im Osten bis zum Rückzug. 1929

6: Der Herbst-Feldzug 1914. Der Abschluß der Operationen im Westen und Osten. 1929

7: Die Operationen des Jahres 1915. Die Ereignisse im Winter und Frühjahr. 1931

8: Die Operationen des Jahres 1915. Die Ereignisse im Westen im Frühjahr und Sommer, im Osten vom Frühjahr bis zum Jahresschluß. 1932

9: Die Operationen des Jahres 1915. Die Ereignisse im Westen und auf dem Balkan vom Sommer bis zum Jahresschluß. 1933

10: Die Operationen des Jahres 1916 bis zum Wechsel in der Obersten Heeresleitung. 1936

11: Die Kriegführung im Herbst und im Winter 1916/17. Vom Wechsel in der Obersten Heeresleitung bis zum Entschluß zum Rückzug in die Siegfried-Stellung. 1938

12: Die Kriegführung im Frühjahr 1917. 1939

13: Die Kriegführung im Sommer und Herbst 1917. Die Ereignisse außerhalb der Westfront bis November 1918. 1944 [Neudr. m. Einleitung v. Bundesarchiv. Koblenz 1956. – Karten nur im Schwarz-weiß-Druck]

14: Die Kriegführung an der Westfront im Jahre 1918. 1944 [Neudr. m. Einleitung v. Bundesarchiv. Koblenz 1956. – Karten nur im Schwarz-weiß-Druck]

Beilagen zum 14. Bande. 1944 [Neudr. v. Bundesarchiv. Koblenz 1956. – Karten nur im Schwarz-weiß-Druck]

[Nebenbände]

Das deutsche Feldeisenbahnwesen. Bd. 1: Die Eisenbahnen zu Kriegsbeginn. 1928 [mehr nicht erschienen]

Kriegsrüstung und Kriegswirtschaft. Bd. 1: Die militärische, wirtschaftliche und finanzielle Rüstung Deutschlands von der Reichsgründung bis zum Ausbruch des Weltkrieges. 1930

Anlagen zum 1. Bd. 1930 [mehr nicht erschienen]

DER KRIEG ZUR SEE 1914–1918. [Abt. I–VII.] Hrsg. v. Marine-Archiv [I 6., IV 3., V 2. Hrsg. v. d. Kriegswissenschaftl. Abt. (zugleich Forschungsanstalt) der Marine. – I 7., II 3. Hrsg. in Verb. mit dem Bundesarchiv/Militärarchiv v. Arbeitskreis für Wehrforschung. – III 5. Hrsg. in Verb. mit dem Bundesarchiv/Militärarchiv v. Arbeitskreis für Wehrforschung durch Walther Hubatsch]. Verantwortlicher Leiter der Bearbeitung: E. v. Mantey [I 6., III 3., IV 3., V 2., VI: Kurt Aßmann]

[I]   Der Krieg in der Nordsee. Bd. 1–7. Bearb. v. O. Groos [Bd. 6 u. 7 v. Walter Gladisch]

    1: Von Kriegsbeginn bis Anfang September 1914. Berlin 1920

    2: Von Anfang September bis November 1914. Berlin 1922

    3: Von Ende November 1914 bis Anf. Februar 1915. Berlin 1923

    4: Von Anfang Februar bis Ende Dezember 1915. Berlin 1924

    5: Von Januar bis Juni 1916. Textbd. u. Kartenbd. Berlin 1925

    6: Von Juni 1916 bis Frühjahr 1917. Berlin 1937

    7: Vom Sommer 1917 bis zum Kriegsende 1918. Frankfurt/M 1965

[II]   Der Krieg in der Ostsee. Bd. 1–3

    1: Von Kriegsbeginn bis Mitte März 1915. Bearb. v. Rudolph Firle. Berlin 1921

    2: Das Kriegsjahr 1915. Bearb. v. Heinrich Rollmann. Berlin 1929

    3: Von Anfang 1916 bis zum Kriegsende. Bearb. v. Ernst Frhr. v. Gagern. Frankfurt/M 1964

[III]   Der Handelskrieg mit U-Booten. Bd. 1–5. Bearb. v. Arno Spindler

    1: Vorgeschichte. Berlin 1932

    2: Februar bis September 1915. Berlin 1933

3: Oktober 1915 bis Januar 1917. Berlin 1934

4: Februar bis Dezember 1917. Berlin 1941 [Neudr. mit Vorwort v. E. Wildhagen. (Frankfurt/M 1964)]

5: Januar bis November 1918. Frankfurt/M 1966

[IV] Der Kreuzerkrieg in den ausländischen Gewässern. Bd. 1–3. Bearb. v. Erich Raeder [Bd. 3 v. E. v. Mantey]

1: Das Kreuzergeschwader. Berlin 1922, ²1927

2: Die Tätigkeit der Kleinen Kreuzer »Emden«, »Königsberg« und »Karlsruhe«. Mit einem Anhang: Die Kriegsfahrt des Kleinen Kreuzers »Geier«. Berlin 1923

3: Die deutschen Hilfskreuzer. Berlin 1937

[V] Der Krieg in den türkischen Gewässern. Bd. 1–2. Bearb. v. Hermann Lorey

1: Die Mittelmeer-Division. Berlin 1928

2: Der Kampf um die Meerengen. Berlin 1938

[VI] Die Kämpfe der Kaiserlichen Marine in den Deutschen Kolonien. Erster Teil: Tsingtau. Zweiter Teil: Deutsch-Ostafrika. Berlin 1935

[VII] Die Überwasserstreitkräfte und ihre Technik. Bearb. v. Paul Köppen. Berlin 1930

Bibliographie
DW 394/1–1084

11. Quellen zur Geschichte der Zwischenkriegszeit

AKTEN ZUR DEUTSCHEN AUSWÄRTIGEN POLITIK 1918–1945 [ADAP] SERIE A–E. 1950–

Serie A: ⟨1918–1925 XI 30⟩

Serie B: ⟨1925 XII 1 – 1933 I 29⟩

Serie C: ⟨1933 I 30 – 1937 VIII 31⟩

Serie D: ⟨1937 IX 1 – 1941 I XII 11⟩

Serie E: ⟨1942 XII 12 – 1945⟩

Serie A [noch nichts erschienen]

Serie B:

1,1: Deutschlands Beziehungen zu Frankreich, Großbritannien, Belgien sowie deutsche Entwaffnung, Reparationen, Völkerbund und internationale Abrüstung ⟨1925 XII 1 – 1926 VII 31⟩. Göttingen 1966

1,2: [Dass.] ⟨1926 VIII – XII⟩. Göttingen 1968

2,1: Deutschlands Beziehungen zur Sowjet-Union, zu Polen, Danzig und den baltischen Staaten ⟨1925 XII 3 – 1926 VI 5⟩. Göttingen 1967

2,2: [Dass.] ⟨1926 VI 8 – XII 31⟩. Göttingen 1967

3: Deutschlands Beziehungen zu Süd- und Südosteuropa, Skandinavien, den Niederlanden und zu den außereuropäischen Staaten ⟨1925 XII 2 – 1926 XII 29⟩. Göttingen 1968

4: ⟨1927 I 1 – III 16⟩. Göttingen 1970

5: ⟨1927 III 17 – VI 30⟩. Göttingen 1972

6: ⟨1927 VII 1 – IX 30⟩. 1974

7: ⟨1927 X 1 – XII 31⟩. 1974

8: ⟨1928 I 1 – IV 30⟩. 1976

9: ⟨1928 V 1 – VIII 30⟩. 1976   10:   ⟨1928 IX 1 – XII 31⟩. 1977

Serie C:

[bisher nur in englischer Übersetzung erschienen u.d.T.:] Documents on German Foreign Policy [DGFP] 1918–1945. The Third Reich. First Phase. Bd. 1–. London 1957– [zugleich auch Washington]

1: ⟨1933 I 30 – X 14⟩. 1957

2: ⟨1933 X 14 – 1934 VI 13⟩. 1959

3: ⟨1934 VI 14 – 1935 III 31⟩. 1959

4: ⟨1935 IV 1 – 1936 III 4⟩. 1962

5: ⟨1935 III 5 – 1936 X 31⟩. 1966

[jetzt auch in deutscher Übersetzung:] Das Dritte Reich: Die ersten Jahre. Bd. 1–. Göttingen

1,1: ⟨1933 I 30 – V 15⟩. 1971

1,2: ⟨1933 V 16 – X 14⟩. 1971

2,1: ⟨1933 X 14 – 1934 I 31⟩. 1973

2,2: ⟨1934 II 1 – VI 13⟩. 1973

3,1: ⟨1934 VI 14 – X 31⟩. 1973

3,2: ⟨1934 XI 1 – 1935 III 30⟩. 1973

4,1: ⟨1935 IV 1 – IX 13⟩. 1975

4,2: ⟨1935 IX 16 – 1936 III 4⟩. 1975

Serie D:

1: Von Neurath zu Ribbentrop ⟨1937 IX – 1938 IX⟩. Baden-Baden (1950)

2: Deutschland und die Tschechoslowakei (1937–1938). Baden-Baden (1950)

3: Deutschland und der spanische Bürgerkrieg (1936–1939). Baden-Baden (1951)

4: Die Nachwirkungen von München ⟨1938 X – 1939 III⟩. Baden-Baden (1951)

5: Polen, Südosteuropa, Lateinamerika, Klein- und Mittelstaaten ⟨1937 VI – 1939 III⟩. Baden-Baden (1953)

6: Die letzten Monate vor Kriegsausbruch ⟨1939 III – VIII⟩. Baden-Baden (1956)

7: Die letzten Wochen vor Kriegsausbruch ⟨1939 VIII 9 – IX 3⟩. Baden-Baden (1956)

8: Die Kriegsjahre. Bd. 1–6
   1. ⟨1939 IX 4 – 1940 III 18⟩. Frankfurt/M 1961

9: Die Kriegsjahre.
   2. ⟨1940 III 18 – VI 22⟩. Frankfurt/M 1962

10: Die Kriegsjahre.
   3. ⟨1940 VI 23 – VIII 31⟩. Frankfurt/M 1963

11: Die Kriegsjahre.
   4,1. ⟨1940 IX 1 – XI 13⟩. Bonn 1964
   4,2. ⟨1940 XI 13 – 1941 I 31⟩. Bonn 1964

12: Die Kriegsjahre.
   5,1. ⟨1941 II 1 – IV 5⟩. Göttingen 1969
   5,2. ⟨1941 IV 6 – VI 22⟩. Göttingen 1969

13: Die Kriegsjahre.
   6,1. ⟨1941 VI 23 – IX 14⟩. Göttingen 1970
   6,2. ⟨1941 IX 15 – XII 11⟩. Göttingen 1970

[Auch in englischer Übersetzung erschienen:]
Serie D: Documents on German Foreign Policy [DGFP] 1918–1945 ...
Series D (1937–1945). Bd. 1–13. London [zugleich auch Washington] 1949–64

Serie E:
   1: ⟨1941 XII 12 – 1942 II 28⟩. Göttingen 1969
   2: ⟨1942 III 1 – VI 15⟩. Göttingen 1972
   3: ⟨1942 VI 16 – IX 30⟩. Göttingen 1974
   4: ⟨1942 X 1 – XII 31⟩. Göttingen 1975

*

QUELLEN ZUR GESCHICHTE DER RÄTEBEWEGUNG IN DEUTSCHLAND 1918/19. Hrsg. vom Internationaal Instituut voor Sociale Geschiedenis Amsterdam und von der Kommission für Geschichte des Parlamentarismus und der politischen Parteien Bonn. Bd. 1–.

1: Der Zentralrat der deutschen sozialistischen Republik ⟨1918 XII 12 – 1919 IV 8⟩. Vom ersten zum zweiten Rätekongreß. Bearb. v. Eberhard Kolb unter Mitwirkung von Reinhard Rürup. Leiden 1968

2: Regionale und lokale Räteorganisation in Württemberg. Bearb. v. Eberhard Kolb u. Klaus Schönhoven. Düsseldorf (1976)

AKTEN DER REICHSKANZLEI. Weimarer Republik. Hrsg. für die Historische Kommission bei der Bayerischen Akademie der Wissenschaften v. Karl Dietrich Erdmann, für das Bundesarchiv v. Wolfgang Mommsen unter Mitwirkung v. Walter Vogel. [Ohne Band- oder Abteilungszählung; geplant 20 Bde.] Boppard (1968–)

Das Kabinett Scheidemann ⟨1919 II 13 – VI 20⟩. Bearb. v. Hagen Schulze. (1971)

Das Kabinett Müller I ⟨1920 III 27 – VI 21⟩. Bearb. v. Martin Vogt. (1971)

Das Kabinett Fehrenbach ⟨1920 VI 25 – 1921 V 4⟩. Bearb. v. Peter Wulf. (1972)

Die Kabinette Wirth I und II ⟨1921 V 10 – X 26; 1921 X 26 – 1922 XI 22⟩. Bearb. v. Ingrid Schulze-Bidlingmaier. Bd. 1–2. (1973)

Das Kabinett Cuno ⟨1922 XI 22 – 1923 VIII 12⟩. Bearb. v. Karl-Heinz Harbeck. (1968)

Die Kabinette Marx I und II ⟨1923 XI 30 – 1924 VI 3; 1924 VI 3 – 1925 I 15⟩. Bearb. v. Günter Abramowski. Bd. 1–2. (1973)

Die Kabinette Luther I und II ⟨1925 I 15 – 1926 I 20; 1926 I 20 – V 17⟩. Bearb. v. Karl-Heinz Minuth. Bd. 1–2. (1977)

Das Kabinett Müller II ⟨1928 VI 28 – 1930 III 27⟩. Bearb. v. Martin Vogt. (1970)

Bibliographie
DW 395/1–920 [Weimar]; DW 397/1–498 [Nat.soz. 1933–39]

12. *Quellen und Darstellungen zur Geschichte der Kirche 1933–45*

VERÖFFENTLICHUNGEN DER KOMMISSION FÜR ZEITGESCHICHTE bei der Katholischen Akademie in Bayern. In Verbindung mit Dieter Albrecht, Andreas Kraus, Rudolf Morsey hrsg. von Konrad Repgen. Reihe A: Quellen. Bd. 1–. Mainz (1965–)

1: Der Notenwechsel zwischen dem Heiligen Stuhl und der Deutschen Reichsregierung. I. Von der Ratifizierung des Reichskonkordats bis zur Enzyklika »Mit brennender Sorge«. Bearb. von Dieter Albrecht. (1965, ²1974)

2: Staatliche Akten über die Reichskonkordatsverhandlungen 1933. Bearb. v. Alfons Kupper (1969)

3: Die kirchliche Lage in Bayern nach den Regierungspräsidentenberichten 1933–1943. I. Regierungsbezirk Oberbayern. Bearb. v. Helmut Witetschek. (1966)

4: Die Briefe Pius' XII. an die deutschen Bischöfe 1939–1944. Hrsg.

von Burkhart Schneider in Zusammenarbeit mit Pierre Blet und Angelo Martini. (1966)

5: Akten deutscher Bischöfe über die Lage der Kirche. I. 1933–1934. Hrsg. v. Bernhard Stasiewski. (1968)

6, 7: Deutsche Briefe 1934–1938. Ein Blatt der katholischen Emigration. I. 1934–1935. II. 1936–1938. Bearb. von Heinz Hürten. (1969)

8: Die kirchliche Lage in Bayern nach den Regierungspräsidentenberichten 1933–1943. II. Regierungsbezirk Ober- und Mittelfranken. Bearb. von Helmut Witetschek. (1967)

9: Die Protokolle der Reichstagsfraktion und des Fraktionsvorstands der Deutschen Zentrumspartei 1926–1933. Bearb. v. Rudolf Morsey. (1969)

10: Der Notenwechsel zwischen dem Heiligen Stuhl und der Deutschen Reichsregierung. II. 1937–1945. Bearb. v. Dieter Albrecht. (1969)

11: Kirchliche Akten über die Reichskonkordatsverhandlungen 1933. Bearb. v. Ludwig Volk. (1969)

12: Berichte des SD und der Gestapo über Kirchen und Kirchenvolk in Deutschland 1934–1944. Bearb. v. Heinz Boberach. (1971)

13: Die Vertreibung von Bischof Joannes Baptista Sproll von Rottenburg 1938–1945. Dokumente zur Geschichte des kirchlichen Widerstands. Hrsg. v. Paul Kopf u. Max Miller. (1971)

14: Die kirchliche Lage in Bayern nach den Regierungspräsidentenberichten 1933–1943. III. Regierungsbezirk Schwaben. Bearb. v. Helmut Witetschek. (1971)

15: Friedrich Muckermann, Im Kampf zwischen zwei Epochen. Lebenserinnerungen. Bearb. u. eingel. v. Nikolaus Junk. (1973)

16: Die kirchliche Lage in Bayern nach den Regierungspräsidentenberichten 1933–1943. IV. Regierungsbezirk Niederbayern und Oberpfalz 1933–1945. Bearb. v. Walter Ziegler. (1973)

17: Akten Kardinal Michael von Faulhabers 1917–1945. I. 1917–1934. Bearb. v. Ludwig Volk. (1975)

18: Johannes Schauff, Das Wahlverhalten der deutschen Katholiken im Kaiserreich und in der Weimarer Republik. Untersuchungen aus dem Jahre 1928. Hrsg. u. eingel. v. Rudolf Morsey. (1975)

19: Heinrich Brauns, Katholische Sozialpolitik im 20. Jahrhundert. Ausgewählte Aufsätze und Reden. Bearb. v. Hubert Mockenhaupt. (1976)

20: Akten deutscher Bischöfe über die Lage der Kirche 1933–1945. II. 1934–1935. Bearb. v. Bernhard Stasiewski. (1976)

21: Akten zur preußischen Kirchenpolitik in den Bistümern Gnesen-Posen, Kulm und Ermland 1885–1914. Aus dem Politischen Archiv des Auswärtigen Amtes. Bearb. v. Erwin Gatz. (1977)

22: Akten der Fuldaer Bischofskonferenz. I. 1871–1887. Bearb. v. Erwin Gatz. (1977)

23: Josef Hofmann, Journalist in Republik, Diktatur und Besatzungs-
zeit. Erinnerungen 1916–1947. Bearb. u. eingel. v. Rudolf Morsey.
(1977)

ACTES ET DOCUMENTS DU SAINT SIÈGE RELATIFS À LA SECONDE GUERRE
MONDIALE. Hrsg. v. Pierre Blet, Angelo Martini, Robert A. Graham,
Burkhart Schneider. Bd. 1–. Vatikanstadt 1965–

1: Le Saint Siège et la guerre en Europe. Mars 1939 – août 1940.
1965

2: Lettres de Pie XII aux évêques allemands. 1939–1944. 1966

3,1–2: Le Saint Siège et la situation religieuse en Pologne et dans les
Pays Baltes. 1939–1945. – Première partie: 1939–1941. –
Deuxième partie: 1942–1945. 1967

4: Le Saint Siège et la guerre en Europe. Juin 1940 – juin 1941.
1967

5: Le Saint Siège et la guerre mondiale. Juillet 1941 – octobre
1942. 1969

6: Le Saint Siège et les victimes de la guerre. Mars 1939 – décembre
1940. 1972

7: Le Saint Siège et la guerre mondiale. Novembre 1942 – décembre
1943. 1973

8: Le Saint Siège et les victimes de la guerre. Janvier 1941 – décembre 1942. 1974

9: Le Saint Siège et les victimes de la guerre. Janvier – Décembre
1943. 1975

ARBEITEN ZUR GESCHICHTE DES KIRCHENKAMPFES. Im Auftrage der »Kommission der Evangelischen Kirche in Deutschland für die Geschichte des
Kirchenkampfes« in Verbindung mit Heinz Brunotte und Ernst Wolf
hrsg. v. Kurt Dietrich Schmidt. Bd. 1–29, Erg.-Bd. 1–10 [Bd. 1: Biblio-
graphie]. Göttingen 1958–77

Bibliographie
DW 397/171–216 u. 318–324

13. *Quellen zur Geschichte des Zweiten Weltkriegs*

KRIEGSTAGEBUCH DES OBERKOMMANDOS DER WEHRMACHT (Wehrmacht-
führungsstab) 1940–1945. Geführt von Helmut Greiner und Percy
Ernst Schramm. Im Auftrag des Arbeitskreises für Wehrforschung hrsg.
v. Percy Ernst Schramm. Bd. 1–4, Nachtrag. Frankfurt/M 1961–69

1 :   ⟨1940 VIII 1 – 1941 XII 31⟩. Zusammengestellt u. erläutert v
        Hans-Adolf Jacobsen. 1965
2,1–2: Zusammengestellt u. erläutert v. Andreas Hillgruber
        1. ⟨1942 I 1 – IX 30⟩. 1963
        2. ⟨1942 X 1 – XII 31⟩. 1963
3,1–2: Zusammengestellt u. erläutert v. Walther Hubatsch
        1. ⟨1943 I 1 – VI 30⟩. 1963
        2. ⟨1943 VII 1 – XII 31⟩. 1963
4,1–2: Eingeleitet u. erläutert v. Percy Ernst Schramm
        1. ⟨1944 I 1 – XII 31⟩. 1961
        2. ⟨1945 I 1 – V 25⟩. 1961
Nachtrag zu ... Bd. 4,1: Der Krieg in Finnland, Norwegen und Däne-
mark ⟨1944 I 1 – III 31⟩. Zus.gest. u. erl. v. Andreas Hillgruber. 1969

Franz HALDER, Kriegstagebuch. Tägliche Aufzeichnungen des Chefs des
Generalstabes des Heeres 1939–1942. Hrsg. v. Arbeitskreis für Wehrforschung Stuttgart. Bd. 1–3. Stuttgart (1962–64)
    1 : Vom Polenfeldzug bis zum Ende der Westoffensive ⟨1939 VIII 14 –
        1940 VI 30⟩. Bearb. v. Hans-Adolf Jacobsen in Verbindung mit
        Alfred Philippi. (1962)
    2 : Von der geplanten Landung in England bis zum Beginn des Ost-
        feldzuges ⟨1940 VII 1 – 1941 VI 21⟩. Bearb. v. Hans-Adolf Jacob-
        sen. (1963)
    3 : Der Rußlandfeldzug bis zum Marsch auf Stalingrad ⟨1941 VI 22 –
        1942 IX 24⟩. Bearb. v. Hans-Adolf Jacobsen. (1964)

HITLERS WEISUNGEN FÜR DIE KRIEGFÜHRUNG 1939–1945. Dokumente des
Oberkommandos der Wehrmacht. Hrsg. v. Walther Hubatsch. Frank-
furt/M 1962
    [Als Taschenbuch: dtv-Dokumente 278/79. (München 1965)]
Henry PICKER, Hitlers Tischgespräche im Führerhauptquartier 1941–1942.
Im Auftrage des Deutschen Instituts für Geschichte der Nationalsozia-
listischen Zeit geordnet, eingeleitet u. veröffentlicht v. Gerhard Ritter.
Bonn 1951
[Neuauflage:]
... Im Auftrag des Verlags neu hrsg. v. Percy Ernst Schramm ... in Zu-
sammenarbeit mit Andreas Hillgruber ... u. Martin Vogt ... Stuttgart
(1963)
    [Als Taschenbuch: dtv-Dokumente 524. (München 1968)]
[Neuauflage:]
... Vollständ. überarb. u. erweit. Neuausg. mit bisher unbekannten Selbst-
zeugnissen Adolf Hitlers, Abbildungen, Augenzeugenberichten und Er-
läuterungen des Autors: Hitler, wie er wirklich war. Stuttgart (1976)
[Studienausgabe 1977]

HITLERS LAGEBESPRECHUNGEN. Die Protokollfragmente seiner militärischen Konferenzen 1942–45. Hrsg. v. Helmut Heiber (= Quellen und Darstellungen zur Zeitgeschichte 10). Stuttgart 1962
[Als Taschenbuch: dtv-Dokumente 120/21 (München 1963)]

EUROPA-FÖDERATIONSPLÄNE DER WIDERSTANDSBEWEGUNGEN 1940–1945. Eine Dokumentation. Ges. u. eingel. v. Walter Lipgens (= Schriften des Forschungsinstituts der Deutschen Gesellschaft für auswärtige Politik 26). München 1968

Bibliographie
DW 397/499–899 [Zw. Weltkrieg]; 397/243–375, 759–766 [Widerstand]

14. *Quellen zur Geschichte der Nachkriegszeit*

Nürnberger Prozesse

[Übersicht über die wichtigsten Prozesse:

Fall	Prozeß-Name	Tag des Urteils	Ankläger
–	Internationales Militärtribunal	⟨1946 X 1⟩	Engl., Frankr., UdSSR, USA
1	»Ärzteprozeß«	⟨1947 VIII 20⟩	USA
2	»Milch-Prozeß«	⟨1947 IV 17⟩	USA
3	»Juristenprozeß«	⟨1947 XII 4⟩	USA
4	»Konzentrationslagerprozeß«	⟨1947 XI 3⟩	USA
5	»Flick-Prozeß«	⟨1947 XII 22⟩	USA
6	»I.G.-Farben-Prozeß«	⟨1948 VII 30⟩	USA
7	»Geiselprozeß«	⟨1948 II 19⟩	USA
8	»Rasse- und Siedlungs-Hauptamt-Prozeß«	⟨1948 III 10⟩	USA
9	»Einsatzgruppen-Prozeß«	⟨1948 IV 10⟩	USA
10	»Krupp-Prozeß«	⟨1948 VII 31⟩	USA
11	»Wilhelmstraßen-Prozeß«	⟨1949 IV 11⟩	USA
12	»OKW-Prozeß«	⟨1948 X 27/28⟩	USA]

[*»Blaue Reihe«:*]
DER PROZESS GEGEN DIE HAUPTKRIEGSVERBRECHER VOR DEM INTERNATIONALEN MILITÄRGERICHTSHOF [IMG] Nürnberg 14. November 1945 – 1. Oktober 1946. Bd. 1–42. Nürnberg 1947–49

1: Einführungsband [Vorprozeßdokumente, Urteil des Gerichts-
hofes]. 1947
2–22: Sitzungsprotokolle. 1947–48
23–24: Sach-Index, Personen-Index, Dokumenten-Index. Errata-Liste.
1949
25–42: Urkunden und anderes Beweismaterial. 1947–49

[Englische Ausgabe:]

TRIAL OF THE MAJOR WAR CRIMINALS BEFORE THE INTERNATIONAL MILI-
TARY TRIBUNAL [IMT]. Nuremberg 14 November 1945 – 1 October
1946. Bd. 1–42. Nürnberg 1947–49

[Französische Ausgabe:]

PROCÈS DES GRANDS CRIMINELS DE GUERRE devant le Tribunal Militaire
International. Nuremberg 14 novembre 1945 – 1er octobre 1946. Bd.
1–42. Nürnberg 1947–49

[»Rote Reihe«:]

NAZI CONSPIRACY AND AGGRESSION ... Hrsg. v. Office of United States
Chief of Counsel for Prosecution of Axis Criminality. Bd. 1–9, Suppl.-
Bd. A u. B. Washington 1946–48

[»Grüne Reihe«:]

TRIALS OF WAR CRIMINALS BEFORE THE NUERNBERG MILITARY TRIBUNALS
under Control Council Law No. 10 ⟨1946 X – 1949 IV⟩ [NMT]. Bd.
1–15. Washington 1950–53

1: [Fall 1: »The Medical Case«. USA gegen Karl Brandt u. a.]
[1950]
2: [Fall 1: »The Medical Case«. USA gegen Karl Brandt u.a. –
Fall 2: »The Milch Case«. USA gegen Erhard Milch.] [1950]
3: [Fall 3: »The Justice Case«. USA gegen Josef Altstoetter u.a.] 1951
4: [Fall 9: »The Einsatzgruppen Case«. USA gegen Otto Ohlen-
dorff u.a. – Fall 8: »The RuSHA Case«. USA gegen Ulrich
Greifelt u.a.] [1950]
5: [Fall 8: »The RuSHA Case«. USA gegen Ulrich Greifelt u.a. –
Fall 4: »The Pohl Case«. USA gegen Oswald Pohl u.a.] 1950
6: [Fall 5: »The Flick Case«. USA gegen Friedrich Flick u.a.] 1952
7: [Fall 6: »The I. G. Farben Case«. USA gg. C. Krauch u.a.] 1953
8: [Dsgl.] 1952
9: [Fall 10: »The Krupp Case«. USA gegen Alfried Felix Alwyn
Krupp von Bohlen und Halbach u.a.] 1950
10: [Fall 12: »The High Command Case«. USA gegen Wilhelm Leeb
u.a.] 1951
11: [Fall 12: »The High Command Case«. USA gegen Wilhelm Leeb
u.a. – Fall 7: »The Hostage Case«. USA gegen Wilhelm List
u.a.] 1950

12–14: [Fall 11: »The Ministries Case«. USA gegen Ernst von Weizsäcker u.a.] [Bd. 12 o.J., Bd. 13, 14 1952]
15:    [Procedure, Practice and Administration] [1953]

[Übersicht über die NMT-Reihe:

a) nach Fall-Nummern

Fall	Angeklagter	Prozeß-Name	Bd. der NMT
1	Karl Brandt u.a.	Medical Case	1 u. 2
2	Erhard Milch	Milch Case	2
3	Josef Altstoetter u.a.	Justice Case	3
4	Oswald Pohl u.a.	Pohl Case	5
5	Friedrich Flick u.a.	Flick Case	6
6	Carl Krauch u.a.	I. G. Farben Case	7 u. 8
7	Wilhelm List u.a.	Hostage Case	11
8	Ulrich Greifelt u.a.	RuSHA Case	4 u. 5
9	Otto Ohlendorff u.a.	Einsatzgruppen Case	4
10	Alfried Krupp u.a.	Krupp Case	9
11	Ernst v. Weizsäcker u.a.	Ministries Case	12–14
12	Wilhelm v. Leeb u.a.	High Command Case	10 u. 11
		Procedure	15

b) nach Sachgruppen

		Ärzte	
1	Karl Brandt u.a.	Medical Case	1 u. 2
		Recht	
3	Josef Altstoetter u.a.	Justice Case	3
		Procedure	15
		Rassenpolitik	
9	Otto Ohlendorff u.a.	Einsatzgruppen Case	4
8	Ulrich Greifelt u.a.	RuSHA Case	4 u. 5
4	Oswald Pohl u.a.	Pohl Case	5
		Wirtschaft	
5	Friedrich Flick u.a.	Flick Case	6
6	Carl Krauch u.a.	I. G. Farben Case	7 u. 8
10	Alfried Krupp u.a.	Krupp Case	9
		Wehrmacht	
2	Erhard Milch	Milch Case	2
7	Wilhelm List u.a.	Hostage Case	11
12	Wilhelm v. Leeb u.a.	High Command Case	10 u. 11
		Politik und Regierung	
11	Ernst v. Weizsäcker u.a.	Ministries Case	12–14]

[Deutsche Ausgabe über den Fall 11:]

DAS URTEIL IM WILHELMSTRASSEN-PROZESS. Der amtliche Wortlaut der Entscheidung im Fall Nr. 11 des Nürnberger Militärtribunals gegen von Weizsäcker und andere ... Von Robert M. W. Kempner u. Carl Haensel. Hrsg. unter Mitwirkung v. C. H. Tuerck. (Schwäbisch Gmünd 1950)

INDICES zu den zwölf Nürnberger US-Militärgerichtsprozessen. Hrsg. v. Institut für Völkerrecht an der Universität Göttingen. Bd. 1–4. [Göttingen] 1950–56 [hektographiert]

1:      Sachindex zu den Urteilen. 1950

2:      Sachindex zum Verfahren gegen Ernst v. Weizsäcker u.a. (Fall XI, sogenannter »Wilhelmstraßen-Prozeß«). Bearb. v. Hans-Günther Seraphim. 1952

3A: Sachindex zum Verfahren gegen Wilhelm v. Leeb u.a. (Fall XII, sogenannter »OKW-Prozeß«). Bearb. v. Hans-Günther Seraphim. 1953

3B,C: Personenindex [3C Dokumentenindex] zum Verfahren gegen Wilhelm v. Leeb ... Bearb. v. Hans-G. Seraphim. 1953

4A: Personenindex zum Verfahren gegen Friedrich Flick u.a. (Fall V.) Bearb. v. Hans-Günther Seraphim. 1956

4B: Sachindex zum Verfahren gegen Friedrich Flick u.a. ... Bearb. v. Hans-Günther Seraphim. 1956

LAW REPORTS OF TRIALS OF WAR CRIMINALS. Selected and prepared by the United Nations War Crimes Commission. Bd. 1–15. London 1947–49

JUSTIZ UND NS-VERBRECHEN. Sammlung deutscher Strafurteile wegen nationalsozialistischer Tötungsverbrechen 1945–1966. Red. Fritz Bauer, Karl Dietrich Bracher [u.a.] Bd. 1–(16). Amsterdam 1968–(76)

Bibliographie
DW 397/863–872

*

DOKUMENTATION DER VERTREIBUNG DER DEUTSCHEN AUS OST-MITTEL-EUROPA. In Verbindung mit Adolf Diestelkamp, Rudolf Laun, Peter Rassow u. Hans Rothfels bearb. v. Theodor Schieder. Hrsg. v. Bundesministerium für Vertriebene, Flüchtlinge und Kriegsgeschädigte. Bd. 1–5. [o.O.] (1954–61)

DOKUMENTATION DER VERTREIBUNG DER DEUTSCHEN AUS OST-MITTEL-EUROPA. ... Beiheft 1–3. [o.O.] (1955–60)

DOKUMENTE DEUTSCHER KRIEGSSCHÄDEN. Evakuierte. Kriegssachgeschädigte. Währungsgeschädigte. Die geschichtliche und rechtliche Entwicklung. Hrsg. vom Bundesminister für Vertriebene, Flüchtlinge und Kriegsgeschädigte. Bd. 1–5. Bonn 1958–71

DOKUMENTE DEUTSCHER KRIEGSSCHÄDEN. ... Beiheft 1–2. Bonn 1960, 1962

Bibliographie
DW 397/859 a–862

*

DOKUMENTE ZUR DEUTSCHLANDPOLITIK. Hrsg. v. Bundesministerium für Gesamtdeutsche Fragen Bonn/Berlin [1971 ff. für Innerdeutsche Beziehungen]. Reihe I–V. Berlin 1961–
   I. Reihe ⟨1941 VI – 1945 V 8⟩ [noch nichts erschienen]
  II. Reihe ⟨1945 V 9 – 1955 V 4⟩ [noch nichts erschienen]
 III. Reihe ⟨1955 V 5 – 1958 XI 9⟩. Bearb. v. Ernst Deuerlein [u.a.] Bd. 1–4 [in 9 Teilbänden]. 1961–69
 IV. Reihe ⟨1958 XI 10 – 1966 XI 30⟩. Bearb. v. Ernst Deuerlein [u.a.]. Bd. 1–(8) [in 14 Teilbänden]. 1971–(77)
  V. Reihe ⟨1966 ff.⟩ [noch nichts erschienen]

AKTEN ZUR VORGESCHICHTE DER BUNDESREPUBLIK DEUTSCHLAND 1945 bis 1949. Hrsg. v. Bundesarchiv u. Institut für Zeitgeschichte. Bd. 1– . München/Wien
 1: September 1945 bis Dezember 1946. Bearb. v. Walter Vogel u. Christoph Weisz. 1976

Bibliographie

BIBLIOGRAPHIE ZUR DEUTSCHLANDPOLITIK 1941–1974. Bearb. v. Marie-Luise Goldbach [u.a.]. Hrsg. v. Bundesministerium f. Innerdeutsche Beziehungen (= Dokumente zur Deutschlandpolitik. Beihefte 1). Frankfurt/M 1975

15. Quellensammlungen zur Verfassungsgeschichte

Karl ZEUMER, Quellensammlung zur Geschichte der deutschen Reichsverfassung in Mittelalter und Neuzeit (= Quellensammlung zum Staats-, Verwaltungs- und Völkerrecht 2). Tübingen ²1913
QUELLEN ZUM VERFASSUNGSORGANISMUS DES HEILIGEN RÖMISCHEN REICHES DEUTSCHER NATION 1495–1815. Hrsg. u. eingel. v. Hanns Hubert Hofmann (= Ausgewählte Quellen z. dt. Gesch. d. Neuzeit 13). Darmstadt 1976
DOKUMENTE ZUR DEUTSCHEN VERFASSUNGSGESCHICHTE. Hrsg. v. Ernst Rudolf Huber. Bd. 1–3. (²1961–66)
 1: Deutsche Verfassungsdokumente 1803–1850. Stuttgart (²1961)

2: Deutsche Verfassungsdokumente 1851–1918. Stuttgart (²1964)
3: Dokumente der Novemberrevolution und der Weimarer Republik 1918–1933. [Register.] Stuttgart/Berlin/Köln/Mainz (²1966)
[1. Aufl. u.d.T.:]
QUELLEN ZUM STAATSRECHT DER NEUZEIT. Hrsg. v. Ernst Rudolf Huber. Bd. 1–2. Tübingen
1: Deutsches Verfassungsrecht im Zeitalter des Konstitutionalismus ⟨1806–1918⟩. 1949
2: Deutsche Verfassungsdokumente der Gegenwart ⟨1919–1951⟩. 1951
Günther FRANZ, Staatsverfassungen. Eine Sammlung wichtiger Verfassungen der Vergangenheit und der Gegenwart in Urtext und Übersetzung. München 1950, ²1964

Bibliographie
DW 39/2297, 2316–19, 2364–66

16. Quellen zur Geschichte der Parteien

DEUTSCHE PARTEIPROGRAMME ⟨1809–1957⟩. Hrsg. v. Wilhelm Mommsen (= Deutsches Handbuch der Politik 1). München (²1964) [Nachdruck 1977]
Wolfgang TREUE, Deutsche Parteiprogramme seit 1861 (= Quellensammlung zur Kulturgeschichte 3). Göttingen/Zürich/Berlin/Frankfurt/M (1954, ⁴1968)
ÖSTERREICHISCHE PARTEIPROGRAMME. 1898–1966. Hrsg. v. Klaus Berchtold. München 1967
STENOGRAPHISCHER BERICHT ÜBER DIE VERHANDLUNGEN DER DEUTSCHEN CONSTITUIRENDEN NATIONALVERSAMMLUNG zu Frankfurt am Main. Hrsg. v. . . . Franz Wigard. Bd. 1–9. Leipzig 1848–49

Bibliographie
AUSGEWÄHLTE BIBLIOGRAPHIE ZUR GESCHICHTE DER POLITISCHEN PARTEIEN IN DEUTSCHLAND. Zusammengestellt v. Hans-Gerd Schumann. In: Ludwig Bergsträsser, Geschichte der politischen Parteien in Deutschland (= Deutsches Handbuch d. Politik 2). München/Wien (¹¹1965), S. 267–335
[Vgl. auch DW 39/3861–3935; ferner oben S. 21.]

*

STENOGRAPHISCHE BERICHTE ÜBER DIE VERHANDLUNGEN DES DEUTSCHEN REICHSTAGES 1 (1867) – 460 (1942). Berlin 1867–1942

[Übersicht: (Die Bandzählung für die Berichte der ersten Jahrzehnte, die nachträglich rückgreifend vorgenommen wurde, erfolgte nach dem Exemplar der Bibliothek des Bundestages. Die Bandzählung anderer Exemplare ist häufig unterschiedlich.)]

1) Stenographische Berichte über die Verhandlungen des Reichstages des Norddeutschen Bundes ⟨1867–1870⟩. Bd. 1–15

    1–2: ⟨1867 II 24 – IV 17⟩
    3–4: 1. Legislatur-Periode Session 1867
    5–6: 1. Legislatur-Periode Session 1868
    7–9: 1. Legislatur-Periode Session 1869
    10–13: 1. Legislatur-Periode Session 1870
    14–15: Verhandlungen des ... Reichstages des Norddeutschen Bundes ... 1. u. 2. außerordentliche Session 1870

[Sonderbände:]

    2 a: Gesammt-Uebersicht über die Verhandlungen des ... Reichstags des Norddeutschen Bundes sowie alphabetisches Sachregister. Verfassung des Norddeutschen Bundes. 1867
    4 a: Gesammt-Uebersicht über die Geschäftsthätigkeit des Reichstags des Norddeutschen Bundes. 1. Legislatur-Periode ... 1867

2) Stenographische Berichte über die Verhandlungen des ... Deutschen Zoll-Parlaments ⟨1868–1870⟩. Bd. 16–18

    16: ⟨1868 IV 27 – V 23⟩
    17: ⟨1869 VI 3 – 22⟩
    18: ⟨1870 IV 21 – V 7⟩

3) Stenographische Berichte über die Verhandlungen des Deutschen Reichstages ⟨1871–1918⟩. Bd. 19–325

    19–21: 1. Legislaturperiode 1. Session 1871
    22–23: 1. Legislaturperiode 2. Session 1871
    24–26: 1. Legislaturperiode 3. Session 1872
    27–30: 1. Legislaturperiode 4. Session 1873
    30 a: General-Register ⟨1867–1872⟩
    31–33: 2. Legislaturperiode 1. Session 1874
    34–37: 2. Legislaturperiode 2. Session 1875
    38–40: 2. Legislaturperiode 3. Session 1876
    41–43: 2. Legislaturperiode 4. Session 1876
    44–46: 3. Legislaturperiode 1. Session 1877
    47–50: 3. Legislaturperiode 2. Session 1878
    51–52: 4. Legislaturperiode 1. Session 1878

52 a–57: 4. Legislaturperiode 2. Session 1879

58–61: 4. Legislaturperiode 3. Session 1880

62–65: 4. Legislaturperiode 4. Session 1881

66–67: 5. Legislaturperiode 1. Session 1881/82

68–73: 5. Legislaturperiode 2. Session 1882/83

73 a: Uebersicht der Geschäftsthätigkeit des Deutschen Reichstags in den Sessionen der 5. Legislatur-Periode

74: 5. Legislaturperiode 3. Session 1883

75–78: 5. Legislaturperiode 4. Session 1884

78 a: Uebersicht der Geschäftsthätigkeit des Deutschen Reichstags in der 4. Session der 5. Legislatur-Periode

79–85: 6. Legislaturperiode 1. Session 1884/85

85 a: Uebersicht der Geschäftsthätigkeit des Deutschen Reichstags in der 1. Session der 6. Legislatur-Periode

86–91: 6. Legislaturperiode 2. Session 1885/86

92: 6. Legislaturperiode 3. Session 1886

92 a: Uebersicht der Geschäftsthätigkeit des Deutschen Reichstags in den Sessionen 2 und 3 der 6. Legislatur-Periode

93–94: 6. Legislaturperiode 4. Session 1886/87

94 a: Uebersicht der Geschäftsthätigkeit des Deutschen Reichstags in der 4. Session der 6. Legislatur-Periode und der 1. Session der 7. Legislatur-Periode

95–98: 7. Legislaturperiode 1. Session 1887

99: Reichshaushalts-Etat für 1887/88

100: Übersicht der Reichsausgaben und Einnahmen für 1887/88 und allgemeine Rechnungen für 1887/88

101–104: 7. Legislaturperiode 2. Session 1887/88

104 a: 7. Legislaturperiode 3. Session 1888/89

104 b: Uebersicht der Geschäftsthätigkeit des Deutschen Reichstags in der 2. und 3. Session der 7. Legislatur-Periode

105–110: 7. Legislaturperiode 4. Session 1888/89

110 a: Uebersicht der Geschäftsthätigkeit des Deutschen Reichstags in der 4. Session der 7. Legislatur-Periode

111–113: 7. Legislaturperiode 5. Session 1890

113 a: Uebersicht ... in der 5. Session der 7. Legislatur-Periode

114–126: 8. Legislaturperiode 1. Session 1890/92

126 a: Uebersicht der Geschäftsthätigkeit des Deutschen Reichstags in der 1. Session der 8. Legislatur-Periode

127–131: 8. Legislaturperiode 2. Session 1892/93

131 a: Uebersicht der Geschäftsthätigkeit des Deutschen Reichstags in der 2. Session der 8. Legislatur-Periode

132: 9. Legislaturperiode 1. Session 1893

133–137: 9. Legislaturperiode 2. Session 1893/94

138–142: 9. Legislaturperiode 3. Session 1894/95

142 a: *Generalregister* ... ⟨1867–1895⟩
143–158: 9. Legislaturperiode 4. Session 1895/97
159–164: 9. Legislaturperiode 5. Session 1897/98
165–178: 10. Legislaturperiode 1. Session 1898/1900
179–196: 10. Legislaturperiode 2. Session 1900/03
188 a: Gesamtregister 2. Session ...
197–213: 11. Legislaturperiode 1. Session 1903/05
214–226: 11. Legislaturperiode 2. Session 1905/06
218 a: Sach- und Sprechregister
227–257: 12. Legislaturperiode 1. Session 1907/09
258–282: 12. Legislaturperiode 2. Session 1909/11
283–305: 13. Legislaturperiode 1. Session 1912/14
306–325: 13. Legislaturperiode 2. Session 1914/18

4) Verhandlungen der verfassunggebenden Deutschen Nationalversammlung. Stenographische Berichte. Bd. 326–343
326–343: Session 1919/20
334: Register

5) Verhandlungen des Deutschen Reichstags ⟨1920–1942⟩. Bd. 344–460
344–380: 1. Wahlperiode 1920/24
362: Sach- und Sprechregister ⟨1920–1924⟩
381–383: 2. Wahlperiode 1924
381: ... Sach- und Sprechregister ⟨1924⟩
384–422: 3. Wahlperiode 1924/28
396: Sach- und Sprechregister ⟨1924–1928⟩
423–443: 4. Wahlperiode 1928/30
429: Sach- und Sprechregister ⟨1928–1930⟩
444–453: 5. Wahlperiode 1930/32
447: Sach- und Sprechregister ⟨1930–1932⟩
454: 6. Wahlperiode 1932 [darin auch Sach- u. Sprechregister ⟨1932⟩]
455–456: 7. Wahlperiode 1932 [darin auch Sach- und Sprechregister ⟨1932–1933⟩]
457: 8. [= 1.] Wahlperiode 1933 ⟨1933 III 21 – V 17⟩ [mit Register ⟨1933⟩]
458: 9. [= 2.] Wahlperiode 1933/36 ⟨1933 XII 12 – 1936 III 7⟩
459: 3. Wahlperiode 1936 ⟨1937 I 30 – 1938 III 18⟩
460: 4. Wahlperiode 1938 ⟨1939 I 30 – 1942 IV 26⟩

SAMMLUNG SÄMTLICHER DRUCKSACHEN des Reichstages des Norddeutschen Bundes [1871 ff. Deutschen Reichstages; 1907 ff. Drucksachen des Reichstages] ⟨1867–1914⟩. Berlin 1871–1914
[Keine Bandzählung, sondern Zählung nach Legislaturperiode und Session.]

PROTOKOLLE ÜBER DIE VERHANDLUNGEN DES BUNDESRATS des Deutschen
Reichs [1867–1870 ... des Bundesrathes des Norddeutschen Bundes]
⟨1867–1919⟩ [= 165 Bde., ohne Bd.zählung]. Berlin 1867–1919
DRUCKSACHEN ZU DEN VERHANDLUNGEN DES BUNDESRATS des Deutschen
Reichs [1867–1870 des Norddeutschen Bundes] ⟨1867–1918⟩. [Berlin
1867–1918]

*

QUELLEN ZUR GESCHICHTE DES PARLAMENTARISMUS UND DER POLITISCHEN
PARTEIEN. Reihe 1–3. Düsseldorf (1959–)
Erste Reihe. Von der konstitutionellen Monarchie zur parlamentari-
schen Republik. Im Auftrage der Kommission für Geschichte des Parla-
mentarismus und der politischen Parteien hrsg. v. Werner Conze, Erich
Matthias, Georg Winter. Bd. 1–.

1,1–2: Der Interfraktionelle Ausschuß 1917/18. Bearb. v. Erich Matthias
    unter Mitwirkung v. Rudolf Morsey. (1959)
        1. ⟨1917 VII 6 – XII 20⟩
        2. ⟨1918 I 1 – X⟩

2: Die Regierung des Prinzen Max von Baden. Bearb. v. Erich Matthias
    und Rudolf Morsey. (1962)

3,1–2: Die Reichstagsfraktion der deutschen Sozialdemokratie 1898
    bis 1918. Bearb. v. Erich Matthias u. Eberhard Pikart. [In Ver-
    bindung mit dem Internationaal Instituut voor Sociale Geschie-
    denis Amsterdam] (1966)
        1. ⟨1898–1914⟩   2. ⟨1914–1918⟩

4: Das Kriegstagebuch des Reichstagsabgeordneten Eduard David 1914
    bis 1918. In Verbindung mit Erich Matthias bearb. v. Susanne
    Miller. (1966)

5: Von Bassermann zu Stresemann. Die Sitzungen des nationalliberalen
    Zentralvorstandes 1912–1917. Bearb. v. Klaus-Peter Reiß. (1967)

6,1–2: Die Regierung der Volksbeauftragten. 1918/19. Eingel. v. Erich
    Matthias. Bearb. v. Susanne Miller unter Mitwirkung v. Heinrich
    Potthoff. (1969)

7: Friedrich v. Berg als Chef des Geheimen Zivilkabinetts 1918. Erin-
    nerungen aus seinem Nachlaß. Bearb. von Heinrich Potthoff.
    (1971)

8: Der Friede von Brest-Litowsk. Ein unveröffentlichter Band aus dem
    Werk des Untersuchungsausschusses der Deutschen Verfassunggeben-
    den Nationalversammlung und des Deutschen Reichstages. Bearb. v.
    Werner Hahlweg. (1971)

Zweite Reihe. Militär und Politik. Im Auftrage der Kommission für
Parlamentarismus und der politischen Parteien und des Militärge-
schichtlichen Forschungsamtes hrsg. v. Erich Matthias und Hans Meier-
Welcker. Bd. 1–.

1,1–2: Militär und Innenpolitik im Weltkrieg 1914–1918. Teil 1–2. Bearb. v. Wilhelm Deist. (1970)

2: Zwischen Revolution und Kapp-Putsch. Militär und Innenpolitik 1918–1920. Bearb. v. Heinz Hürten. (1977)

Dritte Reihe. Die Weimarer Republik. Im Auftrage der Kommission für Parlamentarismus und der politischen Parteien hrsg. v. Karl Dietrich Bracher, Erich Matthias u. Rudolf Morsey. Bd. 1–. Düsseldorf

1: Erinnerungen und Dokumente von Joh. Victor Bredt 1914 bis 1933. Bearb. v. Martin Schumacher. (1970)

2: Parlamentspraxis in der Weimarer Republik. Die Tagungsberichte der Vereinigung der deutschen Parlamentsdirektoren 1925 bis 1933. Bearb. v. Martin Schumacher. Düsseldorf (1974)

3: Staat und NSDAP 1930–1932. Quellen zur Ära Brüning. Eingel. v. Gerhard Schulz. Bearb. v. Ilse Maurer u. Udo Wengst. (1977)

DER PARLAMENTARISCHE RAT 1948–1949. Akten und Protokolle. Hrsg. für den Deutschen Bundestag v. Kurt Georg Wernicke, für das Bundesarchiv v. Hans Booms unter Mitw. v. Walter Vogel. Bd. 1– . Boppard/Rh.
1: Vorgeschichte. Bearb. v. Johannes Volker Wagner. (1975)

DOKUMENTE ZUR PARTEIPOLITISCHEN ENTWICKLUNG IN DEUTSCHLAND SEIT 1945. Bearb. u. hrsg. v. Ossip K. Flechtheim [Bd. 1–4; danach (u.a.)] Bd.1–9. Berlin 1962–71

Bibliographie
DW 39/3568–3639

17. Quellen zur Geschichte des Marxismus

Karl MARX (1818–1883) und Friedrich ENGELS (1820–1895)

1) Historisch-kritische Gesamtausgabe [MEGA]. Werke, Schriften, Briefe. [Nebentitel: Marx/Engels, Gesamtausgabe.] Im Auftrage des Marx-Engels-Instituts hrsg. v. David Borisovič Rjazanov [3. Abt.] u. Vladimir Viktorovič Adorackij [1. Abt.]. Abt. 1 und 3 [mehr nicht erschienen]. 1927–[1936?] [Nachdruck Glashütten/Taunus 1970]
[Geplante Gliederung:
   1. Abt.: Sämtliche Werke und Schriften mit Ausnahme des »Kapital«
   2. Abt.: Das »Kapital« mit Vorarbeiten
   3. Abt.: Briefwechsel
   4. Abt.: Generalregister]

1. Abt. Bd. 1–7 [unvollständig]

    1,1–2: Karl Marx, Werke und Schriften bis Anfang 1844 nebst Briefen und Dokumenten

        1. Frankfurt 1927

        2. Berlin 1929

    2: Friedrich Engels, Werke und Schriften bis Anfang 1844 nebst Briefen und Dokumenten. Berlin 1930

    3: Karl Marx/Friedrich Engels, Die heilige Familie und Schriften von Marx von Anfang 1844 bis Anfang 1845. Berlin 1932

    4: Friedrich Engels, Die Lage der arbeitenden Klasse in England und andere Schriften von August 1844 bis Juni 1846. Berlin 1932

    5: Karl Marx/Friedrich Engels, Die deutsche Ideologie. Kritik der neuesten deutschen Philosophie in ihren Repräsentanten, Feuerbach, B. Bauer und Stirner, und des deutschen Sozialismus in seinen verschiedenen Propheten 1845–1846. Berlin 1932

    6: Karl Marx/Friedrich Engels, Werke und Schriften von Mai 1846 bis März 1848. Berlin 1932

    7: Karl Marx/Friedrich Engels, Werke und Schriften von März bis Dezember 1848. Moskau/Leningrad [1935]

3. Abt. Briefwechsel Bd. 1–4 [unvollständig]

    1: Der Briefwechsel zwischen Marx und Engels 1844–1853. Berlin 1929

    2: Der Briefwechsel zwischen Marx und Engels 1854–1860. Berlin 1930

    3: Der Briefwechsel zwischen Marx und Engels 1861–1867. Berlin 1930

    4: Der Briefwechsel zwischen Marx und Engels 1868–1883. Berlin 1931

[Von der 1. russischen Ausgabe erschienen Bd. 1–4, 13, 17, 18, 19, 25–29. Moskau 1935–1946.]

2) Werke [MEW]. Hrsg. v. Institut für Marxismus-Leninismus beim ZK der SED. Bd. 1–. Berlin 1956–. [Die deutsche Ausgabe fußt auf der vom Institut für Marxismus-Leninismus beim ZK der KPdSU besorgten 2. russischen Ausgabe, die seit 1955 erscheint.]

    1: ⟨1839–1844⟩. 1956, [11]1977

    2: ⟨1844 IX – 1846 II⟩. [Friedrich Engels/Karl Marx, Die heilige Familie ... Friedrich Engels, Die Lage der arbeitenden Klasse in England. U.a.] 1957, [9]1976

    3: ⟨1845–1846⟩. 1958, [4]1969

    4: ⟨1846 V – 1848 III⟩. [Karl Marx/Friedrich Engels, Manifest der Kommunistischen Partei. U.a.] 1959, [8]1977

    5: ⟨1848 III – XI⟩. 1959, [7]1975

6: ⟨1848 XI – 1849 VII⟩. 1959, ⁶1975

7: ⟨1849 VIII – 1851 VI⟩. [Friedrich Engels, Der deutsche Bauern-krieg. U.a.] 1960, ⁶1976

8: ⟨1851 VIII – 1853 III⟩. [Friedrich Engels, Revolution und Kon-terrevolution in Deutschland. – Karl Marx, Der achtzehnte Bru-maire des Louis Bonaparte. U.a.] 1960, ⁵1975

9: ⟨1853 III – XII⟩. 1960, ⁴1975

10: ⟨1854 I – 1855 I⟩. 1961, ⁵1977

11: ⟨1855 I – 1856 IV⟩. 1961, ⁵1974

12: ⟨1856 IV – 1859 I⟩. 1961, ⁶1977

13: ⟨1859 I – 1860 II⟩. 1961, ⁷1975

14: ⟨1857 VII – 1860 XI⟩. 1961, ⁵1974

15: ⟨1860 I – 1864 IX⟩. 1961, ⁶1974

16: ⟨1864 IX – 1870 VII⟩. [Friedrich Engels, Betrachtungen über den Krieg in Deutschland. U.a.] 1962, ⁶1975

17: ⟨1870 VII – 1872 II⟩. [Friedrich Engels, Über den Krieg. U.a.] 1962, ⁶1976

18: ⟨1872 III – 1875 III⟩. 1962, ⁶1976

19: ⟨1875 III – 1883 V⟩. 1962, ⁶1976

20: ⟨1873–1883⟩. [Friedrich Engels, Anti-Dühring. – Dialektik der Natur.] 1962, ⁶1975

21: ⟨1883 V – 1889 XII⟩. [Friedrich Engels, Der Ursprung der Fami-lie, des Privateigentums und des Staats. U.a.] 1962, ⁵1975

22: ⟨1890 I – 1895 VIII⟩. 1963, ⁵1977

23: ⟨1867 und später⟩. [Karl Marx, Das Kapital. Kritik der politi-schen Ökonomie. Buch I. Der Produktionsprozeß des Kapitals.] 1962, ¹²1977

24: [Karl Marx, Das Kapital ... Buch 2. Der Zirkulationsprozeß des Kapitals.] 1963, ⁸1977

25: [Karl Marx, Das Kapital ... Buch 3. Der Gesamtprozeß der kapi-talistischen Produktion.] 1964, ⁹1977

26,1: [Karl Marx, Theorien über den Mehrwert. 4. Bd. des Kapitals. Teil 1.] 1965, ⁵1976

26,2: [Karl Marx, Theorien über den Mehrwert. 4. Bd. des Kapitals. Teil 2.] 1967, ³1974

26,3: [Karl Marx, Theorien über den Mehrwert. 4. Bd. des Kapitals. Teil 3.] 1968, ⁴1976

27: [Briefe ⟨1842 I – 1851 XII⟩.] 1963, ⁴1973

28: [Briefe ⟨1852 I – 1855 XII⟩.] 1963, ³1973

29: [Briefe ⟨1856 I – 1859 XII⟩.] 1963, ⁴1973

30: [Briefe ⟨1860 I – 1864 IX⟩.] 1964, ³1974

31: [Briefe ⟨1864 X – 1867 XII⟩.] 1965, ³1974

32: [Briefe ⟨1868 I – 1870 VII⟩.] 1965, ³1974

33: [Briefe ⟨1870 VII – 1874 XII⟩.] 1966, ³1976

34: [Briefe ⟨1875 I – 1880 XII⟩.] 1966, [3]1977
35: [Briefe ⟨1881 I – 1883 III⟩.] 1967, [2]1973
36: [Briefe ⟨1883 IV – 1887 XII⟩.] 1967, [2]1973
37: [Briefe ⟨1888 I – 1890 XII⟩.] 1967, [2]1974
38: [Briefe ⟨1891 I – 1892 XII⟩.] 1968, [2]1974
39: [Briefe ⟨1893 I – 1895 VII⟩.] 1968, [2]1973
[Erg.-Bd. 1–2:] Ergänzungsband. Schriften Manuskripte, Briefe bis 1844.
1968, 1967 [Bd. 1 [4]1977, Bd. 2 [3]1977]

3) Gesamtausgabe [MEGA]. Hrsg. v. Institut für Marxismus-Leninismus
beim Zentralkomitee der Kommunistischen Partei der Sowjetunion
u. v. Institut für Marxismus-Leninismus beim Zentralkomitee der Sozialistischen Einheitspartei Deutschlands. Abt. I–IV *[geplant 100
Bände]*. Berlin (Ost) 1975–

   [Geplante Gliederung:
      1. Abt.: Werke. Artikel. Entwürfe
      2. Abt.: »Das Kapital« und Vorarbeiten
      3. Abt.: Briefwechsel
      4. Abt.: Exzerpte. Notizen. Marginalien]

   1. Abt. Bd. 1–
      1: Karl Marx, Werke. Artikel. Literarische Versuche bis März 1843.
         1975
      10: Karl Marx/Friedrich Engels, Werke. Artikel Juli 1849 bis Juni
         1851. 1977

   2. Abt. Bd. 1–
      1,1–2: Karl Marx, Ökonomische Manuskripte 1857–1858. 1975–
      3,1: Zur Kritik der politischen Ökonomie (1861–1863). 1976

   3. Abt. Bd. 1–
      1: Karl Marx/Friedrich Engels, Briefwechsel bis April 1846. 1975
      2: Karl Marx/Friedrich Engels, Briefwechsel Mai 1846 bis Dezember
         1848. 1977

   4. Abt. Bd. 1–
      1: Karl Marx/Friedrich Engels, Exzerpte und Notizen bis 1842. 1976

4) Studienausgabe in 4 Bänden. Hrsg. v. Iring Fetscher. Bd. 1–4
   (= Fischer Bücherei 764–767) [Umschlagtitel: Marx-Engels, Studien-

ausgabe]. (Frankfurt 1966) [häufige Neuauflagen]
1: Philosophie
2: Politische Ökonomie
3: Geschichte und Politik
4: Geschichte und Politik
5) KARL-MARX-STUDIENAUSGABE. Hrsg. unter Mitarbeit v. Peter Furth, Benedikt Kautsky u. Peter Ludz v. Hans-Joachim Lieber.
Bd. 1–7. Stuttgart 1960– [noch nicht vollständig]
1–2: Frühe Schriften. Hrsg. v. Hans-J. Lieber u. Peter Furth. 1962–71 [Bd. 1 ³1975, Bd. 2 ²1975]
3,1–2: Politische Schriften. Hrsg. v. Hans-J. Lieber. 1960, ³1975
4–6: Ökonomische Schriften [Das Kapital; kleinere ök. Schriften]. Hrsg. v. Hans-J. Lieber u. Benedikt Kautsky. (1962–64) [Bd. 4 ³1975, Bd. 5 ⁴1975, Bd. 6 ³1975]
[7:] Marx-Lexikon [Register u. Lexikon]. Hrsg. v. Hans-Joachim Lieber. [In Vorbereitung]

Bibliographie

Maximilien RUBEL, Bibliographie des oeuvres de Karl Marx. Avec en appendice un répertoire des oeuvres de Friedrich Engels. Paris 1956
Maximilien RUBEL, Supplément à la Bibliographie des oeuvres de Karl Marx. Paris 1960

*

ARCHIVALISCHE FORSCHUNGEN ZUR GESCHICHTE DER DEUTSCHEN ARBEITER-BEWEGUNG. Veröffentlicht vom Institut für Geschichte der Deutschen Akademie der Wissenschaften zu Berlin. Abteilung »Dokumente und Materialien zur Geschichte der deutschen Arbeiterbewegung«. Leitung: Leo Stern. Bd. 1–4, 6, 7. (Ost)Berlin
1: 3. Arbeitstagung der Forschungsgemeinschaft »Dokumente und Materialien zur Geschichte der deutschen Arbeiterbewegung« am 7. und 8. Dezember 1953 in Halle (Saale). 1954
2,1–2: Die Auswirkungen der ersten russischen Revolution von 1905 bis 1907 auf Deutschland. Hrsg. v. Leo Stern. Quellenmaterial v. Walter Nissen [u.a. Teil I–II]. 1955, 1956
2,3–7: Die russische Revolution von 1905–1907 im Spiegel der deutschen Presse. Hrsg. v. Leo Stern. Quellenmaterial zusammengestellt u. bearb. v. ... [einem] Assistentenkollektiv [Teil III bis VII]. 1961
3,1–2: Der Kampf der deutschen Sozialdemokratie in der Zeit des Sozialistengesetzes 1878–1890. Die Tätigkeit der Reichs-Commission. Hrsg. v. Leo Stern. Quellenmaterial bearb. v. Herbert Buck [Teil I–II]. 1956

4,1–4: Die Auswirkungen der Großen Sozialistischen Oktoberrevolution auf Deutschland. Hrsg. v. Leo Stern. Quellenmaterial bearb. v. Gerhard Schrader u. Hellmuth Weber [Teil I–IV]. 1959
  1. [Darstellung]
  2. [Quellenmaterial ⟨1917 II – 1918 I⟩]
  3. [Quellenmaterial ⟨1918 I – IX⟩]
  4. [Quellenmaterial ⟨1918 IX – XI⟩. Register]

6,1–5: Die Presse der Arbeiterklasse und der sozialen Bewegungen, von den dreißiger Jahren des 19. Jahrhunderts bis zum Jahre 1967. Bibliographie und Standortverzeichnis der Presse der deutschen, österreichischen und der schweizerischen Arbeiter-, Gewerkschafts- und Berufsorganisationen (einschließlich der Protokolle und Tätigkeitsberichte). Bd. 1–5. Gesammelt ... v. Alfred Eberlein. 1968–70 [auch Frankfurt/M. – Bd. 5 Register]

7,1–2: Arbeiterklasse siegt über Kapp und Lüttwitz. Quellen ausgewählt u. bearb. v. Erwin Könnemann [u.a.]. 1971 [auch Glashütten/Taunus 1971]

*

DOKUMENTE UND MATERIALIEN ZUR GESCHICHTE DER DEUTSCHEN ARBEITERBEWEGUNG. Hrsg. v. Institut für Marxismus-Leninismus beim Zentralkomitee der Sozialistischen Einheitspartei Deutschlands. [Reihe 1–3.] (Ost)Berlin 1957–
[Reihe 1 ⟨–1914⟩] Bd.
     3: ⟨1871 III – 1898 IV⟩. 1975
     4: ⟨1898 III – 1914 VII⟩. 1967
  Reihe 2 ⟨1914–1945⟩ Bd. 1–
     1: ⟨1914 VII – 1917 X⟩. 1958, ²1958
     2: ⟨1917 XI – 1918 XII⟩. 1957
     3: ⟨1919 I – V⟩. 1958
     7,1: ⟨1919 II – 1921 XII⟩. 1966
     7,2: ⟨1922 I – 1923 XII⟩. 1966
     8: 1924–1929. 1975
  Reihe 3 ⟨1945–⟩ Bd. 1–
     1: ⟨1945 V – 1946 IV⟩. 1959

DOKUMENTE DER WELTREVOLUTION. Im Auftrag des Komitees Dokumente der Weltrveolution, Zürich. Red.: Frits Kool. Bd. 1–. Olten/Freiburg i. Br.
  1: Die frühen Sozialisten. Hrsg. v. Frits Kool u. Werner Krause. Eingel. v. Peter Stadler. (1967)
  2: Arbeiterdemokratie oder Parteidiktatur. Hrsg. v. Frits Kool u. Erwin Oberländer. Eingel. v. Oskar Anweiler. (1967)

3: Die Linke gegen die Parteiherrschaft. Hrsg. u. eingel. v. Frits Kool. (1970)
4: Der Anarchismus. Hrsg. u. eingel. v. Erwin Oberländer. (1972)
5: Die Technik der Macht. Hrsg. v. Helmut Dahm u. Frits Kool. Eingel. v. Nikolaus Lobkowicz. (1974)
6: Religiöser Sozialismus. Hrsg. u. eingel. v. Arnold Pfeiffer. (1976)

Bibliographie
DW 35/1371–1418 [Arbeiterbewegung]
DW 35/1264–1370 a [Sozialismus]

Manfred KLIEM/Horst MERBACH/Richard SPERL, Marx-Engels-Verzeichnis. Werke, Schriften, Artikel. Berlin (Ost) 1966, ²1968
Kurt KLOTZBACH, Bibliographie zur Geschichte der deutschen Arbeiterbewegung 1914–1945. Sozialdemokratie, Freie Gewerkschaften, Christlich-Soziale Bewegungen, Kommunistische Bewegung und linke Splittergruppen. Mit einer forschungsgeschichtlichen Einleitung (= Archiv f. Sozialgeschichte. Beiheft 2). Bonn-Bad Godesberg 1974, (²1976)

18. *Quellen zur Verwaltungsgeschichte*

GRUNDRISS ZUR DEUTSCHEN VERWALTUNGSGESCHICHE 1815–1945. Begr. v. Walter Hubatsch. Reihe A–C. Bd. 1–22. Marburg/L

Reihe A. Preußen. Hrsg. v. Walther Hubatsch. B. 1–12.
   1: Ost- und Westpreußen. Bearb. v. Dieter Stüttgen. 1975
   2,1–2: Provinz (Großherzogtum) Posen. Bearb. v. Dieter Stüttgen. – Teil 2. Provinz (Grenzmark) Posen-Westpreußen. Bearb. v. Walther Hubatsch. 1975
   3: Pommern. Bearb. v. Dieter Stüttgen. 1975
   4: Schlesien. Bearb. v. Dieter Stüttgen [u. a.]. 1976
   5: Brandenburg. Bearb. v. Werner Vogel. 1975
   6: Provinz Sachsen. Bearb. v. Thomas Klein. 1975
   7: Rheinland. Bearb. v. Rüdiger Schütz. Mit einem Anhang: Saarland. Bearb. v. Walther Hubatsch. 1978
   8: Westfalen. [In Vorb.]
   9: Schleswig-Holstein. Bearb. v. Klaus Friedland u. Kurt Jürgensen. 1977
   10: Hannover. [In Vorb.]
   11: Hessen-Nassau. Bearb. v. Thomas Klein. [Für 1978 angekündigt.]
   12: Preußen. Zentralbehörden. Register für Reihe 4 [In Vorb.]

Reihe B. Mitteldeutschland (außer Preußen). Hrsg. v. Thomas Klein.
Bd. 13–17.
13: Mecklenburg. Bearb. v. Helge Bei der Wieden. 1976
14: Sachsen. [In Vorb.]
15: Thüringen. [In Vorb.]
16, 1–5: Mitteldeutschland (Kleinere Länder). Teil. 1. Braunschweig.
Bearb. v. Christof Römer. – Teil 2. Anhalt. – Teil 3. Waldeck.
– Teil 4. Lippe-Detmold. Bearb. v. Thomas Klein. – Teil 5.
Schaumburg Lippe. Bearb. v. Wiltrud Eickenberg. [In Vorb.]
17, 1–4: Hansestädte und Oldenburg. Hrsg. v. Staatsarchiv Bremen.
Teil 1. Lübeck. Bearb. v. Antjekathrin Graßmann. – Teil 2.
Hamburg. Bearb. v. Rainer Postel. – Teil 3. Bremen. Bearb.
v. Hartmut Müller u. Wilhelm Lührs. – Teil 4. Oldenburg.
Bearb. v. Stefan Hartmann. [Für 1978 angekündigt.]

Reihe C. Süddeutschland. Bd. 18–21.
18: Hessen-Darmstadt. Bearb. v. Eckart Franz [In Vorb.]
19: Bayern. [In Vorb.]
20: Baden. [In Vorb.]
21: Württemberg. [In Vorb.]

Schlußband außerhalb der Reihen A–C. Bd. 22.
22: Bundes- und Reichsbehörden. Reichslande Elsaß-Lothringen. Schutz-
gebiete. Hrsg. v. Walther Hubatsch. [In Vorb.]

[Erfaßt sind Verfasser, Herausgeber, Bearbeiter (nicht *Mit*arbeiter), Institutionen als Herausgeber, Sachtitel. Die alphabetische Ordnung der Titel und Institutionen erfolgte sowohl nach den preußischen Instruktionen von 1909 als auch nach der mechanischen Wortfolge. ä, ö, ü, ae, oe und ue werden im Alphabet wie a, o, u behandelt.]

AA SS 124
Abel, S. 59
Abel, W. 88
Abkürzungen, Gebräuchliche 74
Abreise, Von der – Erzherzog
 Leopolds 150
Abriß der Militärgeschichte, Kur-
 zer 85
Abstracts, Dissertation 16
Abstracts, Historical 18
Acta Borussica 156–159
Acta Imperii inedita 123
Acta Imperii selecta 123
Acta pacis Westphalicae 151–152
Acta reformationis catholicae 142
Acta sanctorum (Bolland) 124
Acta sanctorum OSB 124
Acta SS OSB 124
Acten, Auswärtige 152
Acten, Preußische u. österr. – z.
 Vorgesch. d. Siebenj. Krieges
 134
Acten des Wiener Congresses 160
Actes et documents du Saint Siège
 183
Acton, Lord J. 54
Adams, J. T. 39
Adams, W. P. 50
ADAP 178–180
ADB 40
Adels-Lexicon, Neues allg. dt. 72
Adelslexikon 72
Adelung, J. C. 40
Adolphus, L. (Hist. Periodicals)
 22, 115
Adorackij, V. V. 195
Agulhon, M. (1848) 64
 (Guide de l'Étudiant) 12
AHR 111
Ahrendts, J. 20
Akademie, Bayerische – d. Wiss.
 36

Akademie, Deutsche – d. Wiss.
 (Dt. Rechtswörterb.) 38
 (Mittellat. Wörterb.) 36
 (Jb. f. Wirtschaftsgesch.) 107
Akademie, Heidelb. – d. Wiss. 38
Akademie, Kaiserliche – d. Wiss.
 (Archiv f. österr. Gesch.) 104
 (CSEL) 125
Akademie, Österreichische – d.
 Wiss. (Archiv f. österr. Gesch.)
 104
 (Österr. biogr. Lex.) 41
Akademie, Preußische – d. Wiss.
 (Acta Boruss.) 156
 (Dt. Rechtswörterb.) 37
 (Friedr. d. Gr.) 156
 (Leibniz) 154
Adademie d. Wiss. d. DDR 23
Akademija nauk SSSR. Institut
 istorii 112
Akademija nauk SSSR. Institut
 vseobščej istorii 113
Akademija nauk SSSR. Otdelenie
 istorii 114
Akten
 s. auch Acta, Acten
Akten z. dt. auswärt. Politik
 178–180
Akten deutscher Bischöfe 182
Akten, Die Diplomatischen 166
Akten z. Fuldaer Bischofskonfe-
 renz 182
Akten Kardinal ... Faulhabers
 182
Akten, Kirchliche – ü. d. Reichs-
 konkordatsverhandl. 182
Akten z. preuß. Kirchenpolitik
 182
Akten der Reichskanzlei 181
Akten, Staatliche – ü. d. Reichs-
 konkordatsverhandl. 181
Akten, Stadtmünsterische 152

Akten z. Vorgesch. d. Bundesrep.
189
Aktenmaterial, Das amtliche Dt.–
z. auswärt. Politik 168
Aktenstücke u. Aufzeichnungen z.
Gesch. d. Frankf. Nat.versamm-
lung 161
Aland, K.
(Lietzmann, Zeitrechnung) 69
(Luther) 139
Albrecht, D.
(Briefe u. Akten) 151
(Notenwechsel) 181, 182
Alembert, J. B. d'– 33
Alexander I. 134
Alexandre IV 129
Allemagne, L' - et les problèms de
la paix 176
Allen, PS. S. 141
Allgemeine deutsche Biographie 40
Allgemeine deutsche Real-Encyclo-
pädie 32
Allgemeine Encyclopädie d. Wiss.
u. Künste 32
Allgemeine Geschichtsforschende
Gesellsch. d. Schweiz 109
Allgemeine Verwaltungs- u. Be-
hördenreform 135
Allgemeines Gelehrten-Lexicon 40
Alonso, B. Sanchez 27
Altaner, B. 93
Ältere pfälzische Korrespondenzen
149
Altes Germanien 120
Altheim, F. 49
Altholz, J. A. 26
Althusius-Bibliographie 155
Altmann, H. 150
Altmann, W. 128
Altschul, M. 25
Álvarez, M. Fernández 65
Alverny, M. T. d'-19
American Doctoral Dissertations
16
American Historical Association
(AHR) 111
(Catalogue of Files) 80
American, The – Historical Asso-
ciation's Guide 18

American Historical Review, The
111
Amt, Auswärtiges 100
Amtliche Deutsche Aktenmaterial
z. Auswärt. Politik, Das 168
Anarchismus, Der 201
Anderson, M. 55
Andreas, W.
(Bismarck) 165
(Großherz. Carl Aug.) 162
(Neue Propyl.-Weltgesch.) 48
André, L. 117
Angermann, E.
(dtv.-Weltgesch.) 51
(Historia Mundi) 49
Anna, Pfalzgräfin 134
Annales. Économies. Sociétés 111
Annales d'histoire économique et
sociale 111
Année Politique, L' 102
Annual Bibliography of British
and Irish History 25
Annual Bulletin of Historical Lit.
25
Annual Register, The 102
Annuario di politica internaz. 102
Ansprenger, F. 51
APP 163
Appelt, H. 127
APW 151–152
Arbeiten zur Gesch. d. Kirchen-
kampfes 183
Arbeiterdemokratie 200
Arbeiterklasse siegt über Kapp 200
Arbeitsgemeinschaft f. Völkerrecht
85
Arbeitskreis, Göttinger 90
Arbeitskreis f. Wehrforschung
(Halder, KTB) 184
(Krieg zur See) 177
(WR) 110
Arbeitstagung d. Forsch.gemeinsch.
»Dok. u. Materialien« 199
Arbusow, L. 94
Archiv, Deutsches 106
Archiv für Diplomatik 104
Archiv der Gegenwart 103
Archiv d. Gegenwart, Keesings 103
Archiv der Gesellschaft f. ält. dt.
Gesch.kunde 104

ä, ö, ü, ae, oe, ue = a, o, u

Archiv, Krasnyj 113
Archiv für Kulturgeschichte 104
Archiv, Neues 108
Archiv für österreichische Gesch.
  104
Archiv, Politisches 80
Archiv, Politisches – d. Landgr.
  Philipp 134
Archiv für Reformationsgesch. 105
Archiv f. Sozialgeschichte 105
Archiv für Urkundenforschung
  105
Archivalische Forschungen z.
  Gesch. d. dt. Arb.bew. 199–200
Archivalische Zeitschrift 105
Archivar, Der 105
Archive 81
Archivio storico italiano 111
Archivmitteilungen 105
Archivum historiae pontificiae 111
Archivverwaltung, Staatl. – d.
  Min. d. I. 81, 82
Archivwesen, Taschenbuch 81
Arco y Garay, R. del 65
Aretin, K. O. Frhr. v. 61
ARG 105
Arnim, M. 40
Arnold von Lübeck 122
Arroquia, J. de Mata Carriazo 65
Artola Gallego, M. 66
Ashton-Gwatkin, F. T. 103
Association, American Historical
  (AHR) 111
  (Catalogue of Files) 80
Association, Historical 25
Aston, T. H. 113
Atlas, The Cambridge Modern
  History 54
Atlas z. Geschichte 67
Aubin, H.
  (Handb. d. dt. Wirtschafts-
  gesch.) 87
  (Raum Westfalen; Gesch. d.
  Rheinl.; Gesch. Schlesiens) 89
Auer, L. 56
Auerbach, H. 22
AUF 105
Aurifaber, J. 139
Ausgang, Der – d. Regierung
  Rudolfs II. 150

Ausgewählte Bibliographie z.
  Gesch. d. pol. Parteien 190
Ausgewählte Quellen z. dt. Gesch.
  d. Mittelalters 120–123
Ausgewählte Quellen z. dt. Gesch.
  d. Neuzeit 135–137
Ausschuß, Der Interfraktionelle
  194
Außenpolitik 105
Außenpolitik, Österreich-Ungarns
  168
Austrian Historical Bibliography
  30
Auswärtige Acten 152
Auswärtige Politik d. Dt. Reiches,
  Die 168
Auswärtige Politik Preußens, Die
  163
Auswärtiges Amt 100
Auswirkungen der ersten russ. Re-
  vol., Die 199
Auswirkungen der Großen Sozia-
  list. Oktoberrevol., Die 200
Azéma, J.-P. 65

Baaken, G. 127
Bach, A. 105
Bachem, J. 37
Bächtold-Stäubli, H. 34
Baek, Leo – Institute 114
Badische Historische Kommission
  161
Bailleu, P.
  (Briefw. Friedr. Wilh. III.) 134
  (Preußen und Frankreich) 133
Balfour, M. 104
Baltl, H. 84
Balzani, U. 117
Bangen, G. 13
Bär, M.
  (Pommern) 134
  (Westpreußen) 135
Bardong, O. 136
Barraclough, G. 12
Barth, P. 140
Bartmuss, H.-J. 57, 58
Bassermann, Von – zu Strese-
  mann 194
Baethgen, F. 60

Bauer, A.
 (Widukind; Heinr. v. Lettl.)
 121, 122
Bauer, Frieda 21, 22
Bauer, Fritz 188
Bauer, W. 11
Baum, W. 140
Baumgart, J. 32
Baumgart, P.
 (Acta Boruss.) 157
 (Erscheinungsformen d. preuß.
 Absolutismus) 138
 (Polit. Test.) 136
Baumgart, W.
 (Bibliographie) 20
 (Brest-Litovsk) 138
 (Frhr.-v.-Stein-Gedächtnisausg.)
 135–137
 (Imperialismus; Bücherverzeich-
 nis) 60,61
 (Paquet, Groener, Hopman) 163
 (Quellenkunde) 116
Baumont, M.
 (L'histoire du XXe siècle) 51
 (Peuples et civil.) 46
Baxter, J. H. 36
Bayer, E. 38
Bayerische Akademie d. Wiss. 36
Bayerischer Schulbuch-Verlag 67
Bayerisches Hauptstaatsarchiv 105
Bayet, C. 63
BECh 111
Bechtoldt, H. 105
Beck, H.-G. 105
Beck, R. 39
Becker, R. 145
Becker, W.
 (Kurfürstenrat) 152
 (Quellenkunde)116
Beckerath, E. v. 37
Beckmann, G. 131
Beer, K. 132
Begründung d. preuß. Münzsy-
 stems, Die 158
Behnen, M. 136
Behördenorganisation, Die 157
Bei der Wieden, H. 202
Beilage d. Vierteljahrsh. f. Zeit-
 gesch. 22

Beilagen zu den Stenogr. Berichten
 173
Beiträge z. Gesch. d. dt. Arb.bew.
 105
Beiträge z. Gesch. Herzog
 Albrechts V. 150
Beiträge z. Reichsgesch. 150
Belcredi, Das Ministerium 166
Belder, J. de 30
Bell, J. 172, 174
Below, G. v. 52
Benaerts, P. 46
Bender, H. S. 35
Benedict, F. 68
Benedict XI. 129
Benedikt XII. 129–130
Benediktinermönche d. Abtei St.
 Petri 125
Benians, E. A. 54
Benninghoven, F. 110
Benoît XI 129
Benoît XII 129–130
Benz, E. 110
Benz, G. 61
Benzing, J. 140
Beratungen d. kath. Stände, Die
 152
Berber, F. 85
Berchem, E. Frhr. v. 77
Berchtold, K. 190
Berding, H.
 (Bibliographie z. Gesch.theorie)
 18
 (Gesch. u. Gesellsch.) 106
Berg, D. 124
Berg, F. v. 194
Bergeron, L.
 (L'épisode napol.) 64
 (Fischer Weltgesch.) 50
Berges, W. 107
Bericht, Stenographischer – ü. d.
 Verhandl. d. dt. constit. Nat.-
 versamml. 190
Berichte aus d. Berliner Franzosen-
 zeit 135
Berichte des SD 182
Berichte, Stenographische – ü. d.
 öff. Verhandl. d. Untersu-
 chungsausschusses 173

Berichte, Stenographische – ü. d.
Verhandl. d. dt. Reichstages
191–193
Berichte der WKB 21
Berkelbach v. d. Sprenkel, O. 49
Berliner Monatshefte 105
Bernard, P. 64
Bernath, M. 106
Bernhardi, W. 59
Bernold (Mönch) 122
Bertaux, P. 50
Berthold (Mönch) 122
Besch, W. 109
Besson, W. 39
Bestermann, T. 13
Bevölkerungsgeschichte 86
Bevölkerungs-Ploetz 66
Beyer, H. 49
Beyhaut, G. 50
Bezold, F. v. 149
Bianco, L. 50
Biaudet, H. 101
Bibliografi, Dansk historisk 29
Bibliografi, Svensk historisk 28
Bibliografia historii Polskiej 32
Bibliografia istorică a României 31
Bibliografia storica nazionale 27
Bibliografie české historie 31
Bibliogrfie československé historie
31
Bibliografie van de geschiedenis
van België 29
Bibliografie der geschiedenis van
Nederland 29
Bibliografija russkoj bibl. 27
Bibliographia anastatica 14
Bibliographia Patristica 126
Bibliographie z. alteur. Religions-
gesch. 20
Bibliographie annuelle de l'histoire
de France 26
Bibliographie annuelle des travaux
hist. 26
Bibliographie, Ausgewählte – z.
Gesch. d. polit. Parteien 190
Bibliographie, Deutsche 14–15
Bibliographie z. Deutschlandpoli-
tik 24, 189
Bibliographie d. dt. Hochschul-
schriften z. Rechtsgesch. 86

Bibliographie d. dt. Zeitschriften-
lit. 17
Bibliographie, Familiengeschichtl.
72
Bibliographie d. fremdsprach.
Zeitschriftenlit. 17
Bibliografie zur Friedensfor-
schung 86
Bibliographie générale des tra-
vaux hist. 26
Bibliographie générale des tra-
vaux publiés 26
Bibliographie z. Gesch. Luxem-
burgs 30
Bibliographie, Heraldische 77
Bibliographie d'histoire de l'art 95
Bibliographie de l'hstorie de Belgi-
que 30
Bibliographie de l'histoire suisse
30
Bibliographie historischer Zeit-
schriften 115
Bibliographie internationale de l'
Humanisme 111
Bibliographie, Internationale – d.
Rezensionen 17
Bibliographie, Internationale – d.
Zeischriftenlit. 17
Bibliographie z. Luftkriegsgesch.
21
Bibliographie, Österreichische hist.
30–31
Bibliographie z. Politik in Theorie
u. Praxis 91
Bibliographie de la Réforme 20
Bibliographie der Reprints, Inter-
nat. 14
Bibliographie d. Rezensionen 17
Bibliographie d. Schweizergesch.
30
Bibliographie z. Städtegesch. 90
Bibliographie z. Studium d. Gesch.
d. Verein. Staaten 26
Bibliographie des Täufertums 24
Bibliographie z. Zeitgesch. 22
Bibliographische Vierteljahreshefte
20–21
Bibliographisches Institut 40
Bibliography, Austrian Historical
30

Bibliography, A Bimonthly – of
  Photomechanical Reprints 14
Bibliogrphy of British History 25
Bibliography of British and Irish
  History, Annual 25
Bibliography of English Hist., A
  25
Bibliography, Foreign Affairs 22
Bibliography of Historical Works
  25
Bibliography of Historical Wri-
  tings 25
Bibliography, International – of
  Historical Sciences 19
Bibliographpy, International Me-
  dieval 20
Bibliography of Modern History,
  A 20
Bibliography, A – of Works in
  English on Early Russian Histo-
  ry 27
Bibliotheca hagiographica 19
Bibliotheca rerum Germanicarum
  123
Bibliothek, Deutsche 14, 15
Bibliothek des Instituts f. Zeit-
  gesch. 22
Bibliothèque de l'École des Chartes
  111
Bibliothèque d'Humanisme 111
Bibliothèque Nationale 16
Bibliothèque nationale suisse 30
Bihl, W. 31
Bihlmeyer, K. 82
Bimonthly, A – Bibliography of
  Photomechanical Reprints 14
Bindseil, H. E. 140
Biographie, Allgemeine dt. 40
Biographie, Neue dt. 40
Biographie universelle 40
Biographie universelle, Nouvelle 40
Biographisches Lex. z. dt. Gesch.
  42
Biographisches Lex. z. Weltgesch.
  42
Biographisches Wörterbuch z. dt.
  Gesch. 42
Bischoff, B. 73
Bismarck, Graf H. v. 162

Bismarck, O. Fürst v.
  (Gesamm. Werke) 164–165
  (Werke in Auswahl) 135–136
Bismarck-Bibliographie 165
Bittner, L.
  (Inventare) 79
  (Öst.-Ungarns Außenpolitik)
  168
  (Repertorium d. dipl. Vertreter)
  102
  (Verzeichn. d. öst. Staatsverträ-
  ge) 101
Bizer, E. 60
Black, J. B. 62
Blaise, A. 37
Blanke, F. 141
Blanning, T. C. W. 112
Blatt, F. 36
Blätter f. dt. Landesgesch. 105
Bleiberg, G. 39
Blet, P. 183
Bleyer, W. 58
Bloch, M. 111
Bloomberg, M 22
Bluntschli, J. C. 37
BM 15
BN 16
Bo, D. 35
Boberach, H.
  (Berichte des SD) 182
  (Bundesarchiv) 79
Bock, E. 132
Bock, G. 40
Böckenförde, E.-W.
  (Moderne dt. Verfassungsgesch.)
  84
  (Der Staat) 109
Bodea, C. 31
Bodemann, E. 134
Boehm, E. H.
  (Hist. Periodicals) 22,115
  (Österr. hist. Bibl.) 30
Bohm-Schuch, C. 173
Böhme, W. 124
Böhmer, J. F.
  (Fontes rerum German.; Acta
  imp. sel.) 123
  (Regesten) 126–128
Bohrn, H. 29

ä, ö, ü, ae, oe, ue = a, o, u

Bolland, J. 124
Bollandisten 19
Bol'šaja Sovetskaja énciklopedija 34
Bombaci, A. 49
Bonacini, C. 74
Boniface VIII 129
Bonifatius 121
Bonjour, E. 97
Bonnell, H. E. 58
Bonser, W. 25
Boockmann, H. 57
Booms, H.
    (Bundesarchiv u. seine Bestände) 79
    (Parlament. Rat) 195
Boor, H. de 93
Bor'ba klassov 114
Borcherdt, H. H. 139
Borgert, H.-L. 86
Born, K. E.
    (Bismarck-Bibl.) 165
    (Mod. dt. Wirtsch.gesch.) 88
Bornkamm, H. 105
Borowsky, P. 12
Borst, A. 123
Boshof, E. 11
Bosl, K. 42
Botzenhart, E. 159
Botzenhart, M.
    (Dt. Verfassungsfrage) 138
    (Handb. d. dt. Gesch.) 57
    (Stein) 159
Bouloiseau, M. 64
Bourbon, J. 49
Bourgeois, E. 117
Boutruche, R. 44
Boyce, G. C. 18
Bracher, K. D.
    (Bibl. z. Politik) 91
    (Justiz u. NS-Verbrechen) 188
    (Propyläen Gesch.) 53
    (Quellen z. Gesch. d. Parl.) 195
Brackmann, A.
    (Handb. d. ma. u. neueren Gesch.) 52
    (Jahresberichte) 23
    (Papsturk.) 73
Brandenburg, E.
    (APP) 163

Brandi, K.
    (AUF) 105
    (Gesch. d. Gesch.wiss.) 96
    (Die Schrift) 73
Brandt, A. v. 11
Brandt, H. 137
Brandt, O. 56
Branig, H. 79
Brater, H.-S. 79
Brater, K. 37
Braubach, M. 151
Braudel, F. 111
Brauns, H. 182
Bredt, V. 195
Breitscheid, R. 172
Brenneke, A. 78
Bresslau, H.
    (Gesch. d. MGH) 120
    (Handb. d. Urk.lehre) 75
    (Jahrb. d. Dt. Reiches) 59
Brest-Litovsk 138
Brest-Litovsk, Von – z. dt. Nov.-revol. 163
Bretschneider, C. G. 140
Brettner-Messler, H. 166
Breysig, K. 153
Breysig, T. 58
Briefe u. Akten z. Gesch. d. Dreißigj. Krieges 150–151
Briefe u. Akten z. Gesch. d. 16. Jh. 150
Briefe, Deutsche 182
Briefe, Rheinische – u. Akten 160
Brinckmeier, E. 36
Bring, S. E. 28
Brinkmann, R. 106
British Museum 15
Brockhaus Enzyklopädie 32
Brockhaus, Der Große 32
Brockhaus-Efron 33
Brode, R. 152
Brok-TenBroek, J. 29–30
Bromley, J. S. 54
Bronsart v. Schellendorff, P. 162
Brooke, C. 55
Broszat, M.
    (Dt. Gesch. seit d. 1. Weltkr.) 61
    (dtv-Weltgesch.) 51

Brown, L.B. 25
Bruckner, A. 74
Bruder, A. 37
Bruford, W. H. 92
Brunhölzl, F. 93
Brunner, H. 83
Brunner, O.
  (Geschichtl. Grundbegriffe) 39
  (Historia Mundi) 49
  (HPB) 107
  (VSWG) 110
Brunotte, H. 35
Bruun, H. 29
Bucer, M. 133
Buch, Das historisch-politische 107
Buchberger, M.
  (Kirchl. Handlex.) 35
  (LThK) 35
Büchel, R. 22
Bücherei, Deutsche 14, 16
Bücherschau d. WKB 21
Bücherverzeichnis, Dt. 14
Buchheim, K. 92
Buchholz, P. 20
Buchholz, W. 67
Büchler, J. L. 104
Buchner, R.
  (Historia Mundi) 49
  (Rechtsquellen) 116
  (Frhr.-v.-Sein-Gedächtnis-
  Ausg.) 120–123, 135–137
Buchwaldt, G. 139
Buck, H. de 29
Buck, Herbert 199
Bulletin, Annual – of Hist. Lit.
  24
Bulletin mensuel d'histoire 113
Bullock, A. 55
Bullough, D. A. 55
Bundesarchiv, 189
Bundesarchiv, Das – u. seine Be-
  stände 79
Bundesministerium f. Vertriebene
  188
Bundesministerium f. innerdt. Be-
  ziehungen 24, 189
Buol-Schauenstein, Das Ministe-
  rium 166
Burckhardt, J. 11

Burgo, J. de 27
Burke, E. 102
Burston, W. H. 11
Bury, J. B. 53
Bury, J. P. T. 55
Büssem, E. 56
Bußmann, W.
  (H. v. Bismarck) 162
  (Handb. d. dt. Gesch.) 57
Butler, J. R. M. 54
Büttner, H. 104
Buyken, T. 86
Byzantinische Zeitschrift 105

Cadier, J. 141
Cahen, C. 49
Cahiers de civilisation médiévale
  112
Calmette, J.
  (Clio) 44
  (Hist. du moyen âge) 47
Calvin, J. 140–141
Cambridge Economic History, The
  87
Cambridge Historical Journal,
  The
  112
Cambridge Medieval History, The
  53–54
Cambridge Modern History, The
  54
Cambridge Modern History Atlas,
  The 54
Campistol, J. Reglá 65
Caenegem, R. C. van 12
Canellas López, Á. 65
Cange, C. Du 36
Cappelli, A. 74
Cardauns, L. 143
Carl August v. Weimar 162
Caron, Paul 22, 114
Caron, Pierre
  (Bibliographie) 26
  (Répertoire bibl.) 26
Carr, R. 56
Carré, H. 64
Carriazo Arroquia, J. de Mata 65
Carsten, F. L. 54

ä, ö, ü, ae, oe, ue = a, o, u

Case, L. M. 81
Catalano, F. 65
Catalog, A – of Files and Microfilms 80
Catalog, The National Union 15 bis 16
Catalogue, A – of Files and Microfilms 80
Catalogue des thèses 17
Caetanus, A. 146
Catt, H. de 134
Caussy, F. 135
Cavaignac, E. 43
Central European History 112
Centro de Estudios Históricos Internacionales 27
Červenka, Z. 21
Chartae latinae antiquiores 74
Chaunu, P.
 (Hist. écon. et soc.) 88
 (»Nouv. Clio«) 44–45
Chesneaux J. 45
Chevalier, U. 19
Child, H. 76
Chirat, H. 37
Chmel, J. 128
Christie, I. R. 25
Chroniken der dt. Städte, Die 130–131
Chroust, A. 150
CIC 83
Clain-Stefanelli, E. E. 78
Clark, G. 62
Clark, G. N. 54
Classen, P. 123
Claus, H. 140
Clausewitz, C. v. 162–163
Clavis medievalis 39
Clavis patrum latinorum 19
Clemen, O.
 (Luther; Melanchthon) 139, 140
Clément IV 129
Clément VI 130
Clerc, J. Le 141
Clericus, J. 141
Clio 44
Clio, Nouvelle 44–45
Cluny im 10. u. 11. Jh. 124
Cochläus, J. 135

Codex iuris canonici 83
Codices latini antiquiores 73–74
Cohen, G. 47
Cohrs, F. 140
Coleman, D. C. 112
Collingwood, R. G. 62
Commager, H. S. 63
Commission
 s. auch Kommission
Commission, Historische – bei d. Kgl. Ak. d. Wiss. 40
Commission internationale d'hist. eccl. 20
Commission, United Nations War Crimes 188
Committee, International – of Hist. Sciences 19
Comparative Studies in Society and History 112
Concilium Tridentinum 142
Concise Dictionary of American History 39
Concise History of the American Republic, A 63
Conrad, H.
 (Dt. Rechtsgesch.) 83
 (Der dt. Staat) 60
Conrad, J. 37
Consolidated Treaty Series, The 98
Conspiracy and Aggression, Nazi 186
Conversationslexikon 32
Conversations-Lexikon, Neues 37
Conze, W.
 (Geschichtl. Grundbegriffe) 39
 (Quellen z. Gesch. d. Parlamentarismus) 194
 (Theorie d. Gesch.wiss.) 11
Coolhaas, W. P. 49
Cooper, J. P. 54
Coquery-Vidrovitch, C. 45
Cornaro, A. 146
Cornides, W.
 (Europa-Archiv) 106
 (Internat. Politik) 103
Corp. Christ. 122
Corps Universel Diplomatique 97
Corpus Catholicorum 137

ä, ö, ü, ae, oe, ue = a, o, u

Corpus Christianorum 125–126
Corpus iuris canonici 83
Corpus Iuris Civilis 84
Corpus Reformatorum 140, 141
Corpus scriptorum eccl. lat. 125
Correspondenz, Politische –
  Friedr. d. Gr. 156
Correspondenz, Politische – des
  Grafen Franz Wilhelm 134
Correspondenz-Blatt 105
Coville, A
  (L'Europe occidentale) 47
  (Les premiers Valois) 63
CR 140, 141
Crăciun, I. 31
Crawley, C. W. 55
Crous, E. 35
Crouzet, M.
  (Hist. gén. des civilisations) 47
  (Peuples et civilisations) 46
Crowther, P. A. 28
CSEL 125
CTS 98
Cuadernos bibliográficos 27
Cunitz, E. 140
Cursus completus, Patrologiae 124
Czybulka, G. 67

DA 106
DAB 41
Dahlmann-Waitz 23
Dahm, G. 85
Dahms, H. G. 60
Dalwigk zu Lichtenfels, Frhr. R.
  v. 160
Daniel, A. 102
Dannenberg, H. 77
Dansk historisk bibliografi 29
Darby, H. C. 55
Daumas, M. 95
David, E. 194
Davies, G.
  (Early Stuarts) 62
  (Stuart Period, Bibl.) 25
Davis, R. H. C. 112
DBV 14
Deakin, F.W. 55
Deér, J. 124
Deferrari, R. J. 36

Degener, H. A. L. 41
Deichmann, F. W. 105
Deist, W. 195
Dekkers, E. 19
Delbouille, M. 113
Delbrück, E. 103
Delbrück, H. 108
Delhaye, P. 19
Delorme, J. 44
Delort, R. 11
Delumeau, J. 45
Demandt, K. E. 89
De Marchi, G. 101
Denecke, L. 79
Dengel, P. 144
Déprez, E. 47
Deputazione Toscana di Storia
  Patria 111
Derry, T. K. 95
Dethan, G. 113
Deuerlein, E.
  (Dokumente z. Deutschlandpol.)
  189
  (Dt. Gesch.) 57
  (Hertling-Lerchenfeld) 163
Deutsche Akademie d. Wiss.
  (Dt. Rechtswörterb.) 38
  (Jb. f. Wirtsch.gesch.) 107
  (Mittellat. Wörterb.) 36
Deutsche Bibliographie, 14–15, 16
Deutsche Bibliothek 15, 16
Deutsche Briefe 182
Deutsche Bücherei 14, 16
Deutsche Führerlexikon, Das 43
Deutsche Geschichte (hrsg. v.
  J. Leuschner) 61
Deutsche Geschichte in Daten 56
Deutsche Geschichte in drei Bd. 58
Deutsche Geschichte. Ereignisse u.
  Probleme 60–61
Deutsche Geschichte seit d. 1.
  Weltkrieg 61
Deutsche Geschichte i. Überblick 56
Deutsche Geschichtsquellen d. 19.
  u. 20. Jh. 160–163
Deutsche Geschichtswiss. im Zw.
  Weltkrieg, Die 23
Deutsche Gesellschaft. 42
Deutsche Gesellschaft f. Osteuro-
  pakunde 108

ä, ö, ü, ae, oe, ue = a, o, u

Deutsche Königserhebung im 10.
bis 12. Jh., Die 124
Deutsche Königswahl im 13. Jh.,
Die 124
Deutsche Literatur d. Mittelalters,
Die 94
Deutsche Nationalbibliographie 14
Deutsche Nationalversammlung
172, 173
Deutsche Parteiprogramme 190
Deutsche Reichstagsakten
Ältere Reihe 131–132
Jüngere Reihe 149
Mittlere Reihe 132
Deutsche Verfassungsfrage, Die
138
Deutsche Vierteljahrsschrift f. Lite-
raturwiss. 105
Deutsche Zeitschrift f. Gesch.wiss.
107
Deutscher Geschichtskalender 103
Deutscher Liberalismus im Zeital-
ter Bismarcks 161
Deutsches Archiv 106
Deutsches Bücherverzeichnis 14
Deutsches Geschlechterbuch 72
Deutsches Historisches Institut in
Rom
(Nuntiaturberichte) 142, 145
(QFIAB) 109
Deutsches Rechtswörterbuch 37
Deutsches Staats-Wörterbuch 37
Deutschland u. d. Frz. Revol. 137
Deutschland auf d. Haager Frie-
denskonferenz 173
Deutschland, Das östliche 90
De-Vit, V. 36
Dexter, B. 22
DGFP 179, 180
Dhondt, J. 49
Diccionario de historia de España
39
Dickmann, F.
(APW) 151
(Renaissance) 138
Dictionary of American Biogra-
phy
41
Dictionary of American History
39

Dictionary of American History,
Concise 39
Dictionary of National Biography
41
Dictionary, A New – of British
History 39
Dictionary, Oxford Latin 36
Dictionary of Russian Historical
Terms 39
Dictionnaire d'archéologie chrét.
34
Dictionnaire de biographie franç.
41
Dictionnaire biographique du
mouvement ouvrier 43
Dictionnaire d'histoire et de géo-
graphie eccl. 35
Dictionnaire des parlementaires
franç. 42
Dictionnaire de théologie cath. 35
Diculescu, V. 31
Diderot, D. 33
Diefenbach, L. 36
Diehl, C. 46, 47
Diehl, E. 73
Diermanse, P. J. J. 154
Dietrich, R. 17
Diplomatischen Akten, Die
166
Dissertation Abstracts 16
Dissertations, Americ. Doctoral 16
Dittmer, K. 49
Dittrich, F. 146
Diwald, H.
(L. v. Gerlach, 163
(Propyläen Gesch.) 53
(Quellen z. Gesch. Wallensteins)
136
Dizionario biogr. degli Italiani 41
Dizionario Encicl. Utet, Grande
33
DNB 41
Documents on German Foreign
Policy 179, 180
Doehaerd, R. 44
Döhner, R. 135
Dokumentarium z. Vorgesch. d.
Weltkrieges 168
Dokumentation d. Vertreibung d.
Deutschen 188

ä, ö, ü, ae, oe, ue = a, o, u

Dokumente d. dt. Politik 171
Dokumente d. dt. Politik u. Gesch.
  169
Dokumente z. dt. Verfassungs-
  gesch.
  189–190
Dokumente dt. Kriegsschäden 188
Dokumente z. Deutschlandpolitik
  189
Dokumente u. Materialien z.
  Gesch. d. dt. Arb.bew. 200
Dokumente z. parteipolitischen
  Entwicklung 195
Dokumente der Weltrevoluion
  200–201
Dovifat, E. 92
Doyle, F. R. 100
Drews, P. 140
Droege, G. 61
Droysen, H. 135
Droysen, J. G.
  (Aktenstücke u. Aufzeichn.) 161
  (Briefwechsel) 161
  (Historik) 11
Droz, J. 44
Drucksachen z. d. Verhandl. d.
  Bundesrats 194
Druffel, A. v. 150
dtv-Lexikon z. Gesch. u. Pol. 38
dtv-Weltgeschichte 51
Dubief, H. 64
Duby, G. 64
Du Cange, C. 36
Duch, A. 151
Duchesne, L. 101
Dülfer, K.
  (Schrifttafeln) 74
  (Abkürzungen) 74
Dümge, C. G. 104
Dümmler, E.
  (Bibl. rerum Germ.) 123
  (Jahrb. d. dt. Gesch.) 59
  (Wattenbach) 115
DuMont, J. 97
Dumoulin, H. 49
Duncker, M. 161
Dupeux, G. 88
Duroselle, J.-B.
  (Introduction) 12
  (Nouv. Clio) 45

Duval, P.-M. 114
Düwell, K. 12

Ebel, G. 163
Eberlein, A. 200
Eckermann, W. 11
Eckert, G. 105
Eckhardt, K. A. 83
Economic History Review, The
  112
Eder, K. 49
Egli, E. 141
Ehbrecht, W. 123
EHR 112
Ehrismann, G. 93
Ehses, S. 144
Eickenberg, W. 207
Eike von Repgow 122
Einfall, Vom – des Passauer
  Kriegsvolks 150
Einführung in d. Studium d.
  Gesch.
  11
Eingänge d. WKB 21
Einzelnen Gebiete d. Verwaltung,
  Die 157–158
Ekkehard (Ekkehart, St. Gallen)
  121
Ekkehard (Mönch) 122
Elfstrand, P. 29
Ellwein, T. 91
Elster, L. 37
Elton, G .R.
  (Bibliography) 25
  (Modern Historians) 26
  (NCMH) 54
Elze, R. 43
Embree, A. T. 50
Emory University 112
Enciclopedia Espasa 33
Enciclopedia Europea, L' – 34
Enciclopedia Italiana 33
Enciclopedia universal 33
Enciklopedičeskij slovar' 33
Enciklopedija, Bol'šaja Sovetskaja
  34
Enciklopedija, Sovetskaja istori-
  českaja 39
Encyclopaedia universalis 33

Encyclopädie, Allgemeine – d. Wiss. u. Künste 32
Encyclopedia Americana, The 33
Encyclopedia Britannica 33
Encyclopedia, Great Soviet 34
Encyclopedia, International – of the Social Sciences 37
Encyclopedia of the Social Sciences 37
Encyclopédie ou Dictionnaire raisonné 33
Encyclopédie, La Grande 33
Enders, E. L. 139
Enders, G. 78
Engel, F.-W. 100
Engel, G. 136
Engel, J.
(Großer Hist. Weltatlas) 67
(Handb. d. eur. Gesch.) 53
Engelberg, E. 58
Engels, F.
(Briefe an Lassalle) 160
(Werke) 195–198
Engels, W. 151
English Historical Review, The 112
Ensor, R. C. K. 62
Epistulae et acta nuntiorum 146
Epstein, M. 102
Erasmus, D. 141–142
Erben, W. 75
Erbfolgekrieg, Der Jülicher 150
Erdmann, K. D.
(Akten d. Reichskanzlei) 181
(GWU) 106
(Riezler) 163
Erdmannsdörffer, B. 152
Erhebung gg. Napoleon, Die 137
Erler, A. 38
»Ermächtigungsgesetz«, Das 138
Ermatinger, E. 92
Ernst, F. 110
Ersch, J. S. 32
Erscheinungsformen d. preuß. Absolutismus 138
Eschenburg, T. 110
»Espasa« 33
Eßer, A. 109
Eubel, K. 101
Eulenburg, P. 163

Euler, H. 100
Europa-Archiv 106
Europa-Föderationspläne 185
Europäische Stammtafeln 69
Europäischer Geschichtskalender 103
Europarat 39
Evangelisches Kirchenlexikon 35
Evans, I. H. 39
Ewald, P. 129
Ewald, W. 75

Faber, A. 148
Faber, K.-G.
(Handb. d. dt. Gesch.) 57
(Theorie d. Gesch.wiss.) 11
Facius, F. 79
Facultas Historiae Eccl. in Pontificia Univ. Greg. 111
Familiengeschichtliche Bibliogr. 72
Farrés, O. Gil 65
Faulhaber, M. v. 182
Favre, L. 36
Fawtier, R. 47
FBPG 106
Fearns, J. 124
Febvre, L. 111
Fedele, P. 33
Fédération internationale des Sociétés ... pour l'étude de la Renaissance 111
Fehling, F. 152
Feine, H. E. 83
Feit, K. 133
Feller, R. 97
Fellner, F. 30
Fels, E. 86
Fenske, H. 137
Ferguson, W. K. 141
Fernández, L. Suárez 65
Fernández Álvarez, M. 65
Fernández de Retana, L. F. y 65
Ferrerius, J. S. 145
Fetscher, J. 198
Ficker, J. 127
Fieldhouse, D. K. 50
Fink, K. A.
(Das Vatikan. Archiv) 80
(ZKG) 110

Finsler, G. 141
Firle, R. 177
Fischer Lexikon, Das –. Gesch. 39
Fischer Lexikon, Das – Sonder-
    band. Gesch. in Gestalten 42
Fischer Weltgeschichte 49–50
Flechtheim, O. K. 195
Fleckenstein, J.
    (Dt. Gesch.) 61
    (Hist. Texte) 123
Fleischhack, C. 13
Flemming, W. 92
Fliche, A.
    (Hist. de l'église) 82
    (Hist. du moyen âge) 46
Florinsky, M. T. 66
FMST 106
Focillon, H. 47
FOEG 106
Fohlen, C. 45
Folz, R. 45
Fontes rerum austriacarum 137
Fontes rerum Germanicarum 123
Forcellini, E. 36
Ford, F. L. 55
Foreign Affairs Bibliography 22
Forschungen z. brandenburg. u.
    preuß. Gesch. 106
Forschungen z. Gesch. d. dt. Arb.-
    bew., Archivalische 199–200
Forschungen z. osteuropäischen
    Gesch. 106
Forschungsamt, Militärgeschichtli-
    ches
    (Handb. z. dt. Mil.gesch.) 85
    (MGM) 108
Forschungsanstalt f. Kriegs- u.
    Heeresgesch. 176
Forschungsanstalt d. Marine 177
Forst, H. 134
Foerster, H. 73
Foucher de Careil, A. 154
Frage, Die Schleswig-Holsteinische
    138
Franke, H.
    (Fischer Weltgesch.) 50
    (Saeculum) 109
    (Saeculum Weltgesch.) 49
Franke, W.

    (Propyläen-Weltgesch.) 48
    (Saeculum-Weltgesch.) 49
Franklin, A. 94
Franklyn, J. 77
Frankreich – Schweden – Kaiser
    151
Franz, E. G. 78
Franz, Georg 151
Franz, Günther
    (Biogr. Wörterb.) 42
    (Bücherkunde) 18
    (Gesch. d. dt. Bauernstandes) 88
    (Histor. Karthographie) 68
    (Quellen z. Gesch. d. Bauern-
        kriegs) 135
    (Quellen z. Gesch. d. Bauern-
        standes) 123, 136
    (Sachwörterb.) 38
    (Staatsverfassungen) 188
Franz Wilhelm v. Wartenberg 134
Frauendienst, W.
    (Bismarck) 165
    (Handb. d. dt. Gesch.) 57
    (Weltgesch. d. Gegenwart in
        Dok.) 172
Frédéric II 133
Freer Keeler, M. 25
Freidel, F. 51
French Historical Studies 112
Freund, M. 172
Frewer, L. B. 25
Freyer, H. 52
Freytag, H. J. 122
Freytag von Loringhoven,
    F. Baron 69
Friedberg, E. 83
Friede von Brest-Litowsk, Der
    174, 194
Friedensburg, W. 142, 143
Friedensmöglichkeiten während d.
    Weltkrieges 173
Friedland, K.
    (Hanserezesse) 132
    (Verwaltungsgesch.) 201
Friedrich I. v. Baden, Großherzog
    161
Friedrich d. Fromme 149
Friedrich d. Große
    (Auswahl-Ausgabe) 136
    (Briefw. m. Grumbkow, Mau-

pertuis, Voltaire) 134, 135
  (Histoire de mon Temps) 133
  (Werke) 155–156
Friedrich Wilhelm I. 157
Friedrich Wilhelm III. 134
Friedrichs, A. 171
Friese, C. 164
Fritsch, T. v. 72
Fritz, W. D. 122
Frühen Sozialisten, Die 200
Frühmittelalterliche Studien 106
Frutolf von Bamberg 122
Fryde, E. B. 101
Fuchs, K. 39
Fugier, A. 47
Führerlexikon, Das deutsche 43
Fuhrmann, H.
  (DA) 106
  (Deutschl. im MA) 61
  (Hist. Texte) 124
Fullard, H. 55
Funk, F. X. 82
Furet, F. 50
Furth, P. 199
Fueter, E.
  (Gesch. d. eur. Staatensystems)
    52
  (Gesch. d. neueren Historiogra-
    phie) 96

Gaar, A. 19
Gablentz, O. H. v. d. 91
Gagern, E. Frhr. v. 177
Gall, L.
  (HZ) 107
Gallais, P. 19
Gallego, M. Artola 66
Galling, K. 35
Gallmann, R. E. 113
Gams, P. B. 101
Gandilhon, R. 26
Ganshof, F. L.
  (Hist. du moyen âge) 46
  (Hist. des relations internat.) 47
Garay, R. del Arco y 65
Garzanti (L'Enciclopedia
  Europea) 34
Gascon, R. 88
Gasparri, P. 83

Gast, A. 29
Girgensohn, D. 128
Gebhardt, B. 56
Gebiete, Die einzelnen – d. Ver-
  waltung 157–158
Gebräuchliche Abkürzungen 74
Gegenreformation in Westfalen,
  Die 133
Geiss, I.
  (Julikrise) 169
  (Kantorowicz, Gutachten) 173
Geld des siebenjähr. Krieges, Das
  158
Gelehrten-Kalender, Kürschners
  deutscher 41–42
Gelehrten-Lexicon, Allgemeines 40
Genealogisches Handbuch des
  Adels 71–72
Genealogisches Handbuch bürgerl.
  Familien 72
Genealogisches Taschenbuch 71
General History of Europe, A 55
Generaldirektion [des HHStA]
  (Inventare) 79
  (Mitteilungen) 108
General-Index zu den Siebmacher-
  schen Wappenbüchern 76
Genet, L. 44
Genicot, L. 44
Georges, H. 36
Georges, K. E. 36
Gerhardt, C. I. 154
Gericke, H. 57
Gérin, P. 30
Gerlach, E. L. v. 163
Germain-Martin, H. 51
Germanen in d. Völkerwanderung,
  Die 120
Germania pontificia 129
Germanien, Altes 120
Gesamtverzeichnis der in den Go-
  thaischen genealog. Taschenb.
  behandelten Häuser 71
Gesamtverzeichnis der im Hofka-
  lender ... behandelten Ge-
  schlechter 71
Gesamtverzeichnis d. dt.sprach.
  Schrifttums 14
Geschichte, Dt. (hrsg. v. Leuschner)
  61

Geschichte, Deutsche – in Daten 56

Geschichte, Deutsche – in drei Bänden 58

Geschichte, Deutsche –. Ereignisse u. Probleme 60–61

Geschichte, Deutsche – seit d. 1. Weltkr. 61

Geschichte, Deutsche – im Überblick 56

Geschichte d. dt. Länder 89

Geschichte d. dt. Presse 91

Geschichte u. Geschichtsschreibung 97

Geschichte u. Gesellschaft 106

Geschichte d. Neuzeit 53

Geschichte in Quellen 137–138

Geschichte des Rheinlandes 89

Geschichte Schlesiens 90

Geschichte Schleswig-Holsteins 89

Geschichte u. Soziologie 86

Geschichte d. Textüberlieferung 94

Geschichte Thüringens 90

Geschichte. Veröffentlichungen schweiz., dt. u. österr. Verlage 18

Geschichte in Wissenschaft u. Unterricht 106

Geschichtliche Grundbegriffe 39

Geschichtsblätter, Hansische 107

Geschichtskalender, Deutscher 103

Geschichtskalender, Europäischer 103

Geschichtsquellen, Deutsche – d. 19. u. 20. Jh. 160–163

Geschichtsverein, Hansischer (Hanserezesse) 132 (Hans. Gesch.blätter) 107

Geschichtswissenschaft, Die dt. – im Zw. Weltkr. 23

Geschlechterbuch, Deutsches 72

Gesellschaft, Allgemeine Geschichtsforschende – d. Schweiz 109

Gesellschaft, Deutsche 42

Gesellschaft, Deutsche – f. Osteuropakunde 108

Gesellschaft f. rhein. Geschichtskunde 89

Getreidehandelspolitik 158

Geuss, H. 23

Gil Farrés, O. 65

Ginzel, F. K. 68

Girgensohn, D. 128

Gitermann, V. 66

Gladisch, W. 177

Glorieux, P. 19

Glossarium, Novum – mediae latinitatis 36

Gnirss, C. 14

Gödde-Baumanns, B. 136

Godechot, J. 45

Godet, M. 41

Goff, J. Le 49

Goehrke, C. 50

Goldbach, M.-L. 24, 189

Goltz, R. H. v. d. 162

Gomez Molleda, D. 27

Gooch, G. P. 96

Goodwin, A. 55

Görlitz, A. 38

Goronzy, K. 151

Görres-Gesellschaft (Concilium Trid.) 142 (Nuntiaturberichte) 144 (Staatslex.) 37

Gosebruch, M. 95

»Gotha« 70–71

Gothaischer Hof-Kalender 70

Göttinger Arbeitskreis 90

Goetz, H. 143

Goetz, W. (Briefe u. Akten) 150, 151 (Propyläen-Weltgesch.) 48

Goubert, P. 88

Goez, W. 124

Gradnauer, G. 172

Graf, W. 96

Graff, T. 127

Graham, R. A. 183

Graml, H. (Dt. Gesch. seit d. 1. Weltkr.) 61 (dtv-Weltgesch.) 51

Grand Larousse Encyclopédique 33

Grande Dizionario Encicl. Utet 33

Grande Encyclopédie, La 33

Granier, G. 79

ä, ö, ü, ae, oe, ue = a, o, u

Granier, H.
  (Berichte aus d. Berl. Franzosen-
  zeit) 135
  (Preußen u. d. kath. Kirche) 133
Graesse, J. G. T. 68
Grau, B. 106
Graves, E. B. 25
Great Soviet Encyclopedia 34
Green, C. W. 11
Gregg, P. 89
Grégoire IX 129
Grégoire X 129
Grégoire XI 130
Gregor von Tours 120 .
Greiff, J. J. 139
Greiner, H. 183
Grierson, P. 77, 78
Griffin, G. G. 26
Grimsted, P. K. 82
Gritzner, E. 76
Gröber, G. 93
Groener, W.
  (Lebenserinnerungen) 162
  (Tagebücher) 163
Groos, O. 177
Groot, H. de 153
Groote, W. v. 85
Gross, C. 25
Groß, L.
  (Privaturk.) 73
  (Repertorium d. dipl. Vertreter)
  102
Große, Der – Brockhaus 32
Große, Der – Herder 32–33
Große Politik der europ. Kabi-
  nette,
  Die 166–168
Großer historischer Weltatlas 67
Großes vollständiges Universal-
  Lexikon 32
Grotefend, C. L., 154
Grotefend, H. 68
Grotius, H. 153
Grousset, R. 47
Gruber, J. G. 32
Gruchmann, L.
  (Dt. Gesch. seit d. 1. Weltkr.) 61
  (dtv-Weltgesch.) 51
Grumbkow, F. W. 134

Grun, P. A. 74
Grundbegriffe d. Gesch. 39
Grundmann, H.
  (Gebhardt-Handb.) 56
  (Geschichtsschreibung im MA)
  96
  (MGH 1819–1969) 120
Grundriß d. Bibliographie 13
Grundriß d. dt. Verwaltungsgesch.
  201–202
Gründung der Union, Die 150
Grunebaum, G. E. v.
  (Fischer Weltgesch.) 50
  (Historia Mundi) 49
  (Propyläen-Weltgesch.) 48
Grüneisen, H. 132
Grunewald, J. 176
Guide, The American Historical
  Association's 18
Guide to the Contents of the PRO
  80
Guide to the Diplomatic Archives,
  The New 81
Guides to German Records 81
Guinard, P. 47
Guiral, P. 12
Guenée, B. 44
Gunkel, H. 35
Günther, O. 40
Gunzenhäuser, M.
  (Bibl. z. Gesch. d. Ersten
  Weltkr.)
  21
  (Gesch. d. geh. Nachrichtendien-
  stes) 21
  (Pariser Friedenskonferenz) 21
GV 14
Gwalter, R. 141
Gwatkin, H. M. 53
GWU 106
Gysseling, M. 68

Haacke, W. 108
Habakkuk, H. J. 87
Habel, W. 41
Haberkern, E. 38
Häberlin, F. D. 148
Haeften, A. v. 153

Hagelweide, G. 92
Haeghen, F. van der 142
Hahlweg, W.
  (Clausewitz) 163
  (Friede v. Brest-Litowsk) 174,
  194
Hahn, H. 58
Halder, F. 184
Hall, J. W. 50
Halphen, L.
  (Initiation) 12
  (Peuples et Civilis.) 45
Hambly, G. 50
Hammer, W. 140
Hammond, T. T. 28
Handbook of British Chronology
  101
Handbook for History Teachers
  11
Handbuch d. bayer. Gesch. 90
Handbuch d. deutschen Gesch.
  56–57
Handbuch z. deutschen Militär-
  gesch.
  85–86
Handbuch d. dt. Wirtschaftsgesch.
  87
Handbuch d. europ. Gesch. 53
Handbuch d. Genealogie 69
Handbuch, Genealogisches – d.
  Adels 71–72
Handbuch, Genealogisches –
  bürgerl. Familien 72
Handbuch f. d. Geschichtslehrer 52
Handbuch d. historischen Stätten
  Deutschlands 89
Handbuch d. Kirchengesch. 82
Handbuch d. Kulturgesch. 92–93
Handbuch, Meyers – d. Gesch. 42
Handbuch d. mittelalterl. u.
  neueren Gesch. 52
Handbuch d. Noten, Pakte u. Ver-
  träge 100
Handbuch d. Publizistik 92
Handbuch d. Schweizer Gesch. 62
Handbuch d. Verträge 100
Handbuch d. Weltgesch. 48
Handels-, Zoll- u. Akzisepolitik
  158

Handlexikon, Kirchliches 35
Handlexikon z. Politikwiss. 38
Handschriften d. Reformationszeit
  74
Handwörterbuch d. dt. Aberglau-
  bens 34
Handwörterbuch z. dt. Rechts-
  gesch. 38
Handwörterbuch, Politisches 38
Handwörterbuch d. Sozialwiss. 37
Handwörterbuch d. Staatswiss. 37
Hanham, H. J. 25
Hannes, J. 30
Hannoversche Verfassungskonflikt,
  Der 138
Haensel, C. 188
Hansen, J.
  (Nuntiaturberichte) 144
  (Rheinische Briefe) 160
  (Westf. u. Rheinland) 134
Hanserezesse 132
Hansische Geschichtsblätter 107
Hansischer Geschichtsverein
  (Hanserezesse) 132
  (Hans. Gesch.blätter) 107
Hansisches Urkundenbuch 133
Hanslik, R. 36
Harbeck, K.-H. 181
Hardy, G. 44
Haering, H. 23
Hartlieb v. Wallthor, A. 159
Hartmann, S. 202
Hartung, F.
  (Dt. Verfassungsgesch.) 83
  (Jahresberichte) 23
  (Neuzeit) 52
Hashagen, J. 48
Haß, M. 157
Hassall, W. O. 42
Hassel, P. 133
Hassinger, E. 53
Hassinger, H. 66
Hättich, M. 91
Hatzfeldt, P. Graf v. 163
Hauck, A.
  (Kirchengesch.) 82
  (Realencykl.) 35
Hauck, K. 106
Haupt, H.-G. 138

Hauptstaatsarchiv, Bayerisches 105
Hauptstaatsarchiv Düsseldorf 105
Hausen, K. 95
Hauser, H.
   (Peuples et Civil.) 45, 46
   (Sources) 117
Haus-, Hof- u. Staatsarchiv 79
Haushofer, H. 88
Hausmann, F. 102
Haussherr, H. 87
Hay, D. 55
Haym, R.
   (Briefw.) 161
   (Preuß. Jahrb.) 108
HDSW 37
Hearder, H. 55
Hecht, J. J. 25
Heckel, M. 61
Hedinger, H.-W. 11
Hedler-Stieper, G. 160
Heers, J. 44
Hefner, O. T. v. 76
Hege, C. 35
Heiber, H.
   (Dt. Gesch. seit d. 1. Weltkr.) 61
   (dtv-Weltgesch.) 51
   (Hitlers Lagebesprechungen) 185
Heidelberger Akademie d. Wiss.
   38
Heiligen-Leben z. ostdeutsch.-slav.
   Gesch. 123
Heimpel, H. 22
Hein, M. 153
Heindl, W. 166
Heinemeyer, W.
   (Archiv f. Diplomatik) 104
   (Polit. Archiv d. Landgr.
   Philipp)
   134
Heinisch, R. 136
Heinrich IV. 121
Heinrich von Lettland 123
Heinrich, G. 157
Heinsius, W. 14
Helbig, H. 122
Hellmann, M. 122
Helmold von Bosau 122
Hendrichs, F. 95
Henning, E. 69

Heraldische Bibliographie 77
Herder, Der Große 32
Herders Conversationslexikon 32
Hermann, C. H. 85
»Herold«
   (Genealog. Handb. bürgerl.
   Familien) 72
   (Wappenfibel) 76
Herolds-Ausschuß 76
Herre, F. 22
Herre, H. 131
Herre, P.
   (Polit. Handwörterb.) 38
   (Quellenkunde) 18
Herrmann, O. 156
Hertel, W. 165
Hertling, G. v. 163
Herzfeld, H.
   (Biogr. Lex.) 42
   (dtv-Weltgesch.) 51
   (Fischer Lex.) 42
   (Jb. f. Gesch. Mittel- u. Ost-
   deutschlands) 102
   (Die mod. Welt) 53
   (Weim. Republik) 60
Herzog, J. J. 35
Heß, W. 26
Hessel, A. 60
Heupel, A. 61
Heuß, A. 48
Heussi, K. 82
Heyde, J. E. 13
Heyderhoff, J.
   (Briefw. Roggenbach) 162
   (Dt. Liberalismus) 161
Hierarchia catholica 101
Higounet, C. 44
Hildebrandt, A. M. 76
Hilgemann, W. 67
Hilgers, W. 61
Hill, C. P. 42
Hiller von Gaertringen, F. Frhr.
   162
Hillerbrand, H. J. 24
Hillgruber, A.
   (Dt. Gesch. 1945–72) 60
   (KTB OKW) 184
   (Südost-Europa) 21
Hinrichs, C.
   (Acta Borussica) 158

Hinschius, P. 83
Hinsley, F. H. 55
Hintze, O. 157, 158
Hirsch, E. 82
Hirsch, F. 152
Hirsch, J. 93
Hirsch, S. 59
Hirsch, T. 152
Hispania 112
Histoire économique et soc. de la
  France 88
Histoire de l'église 82
Histoire de la France 64
Histoire générale 46
Histoire générale des civilisations
  47–48
Histoire générale des techniques
  95
Histoire, L' – et ses méthodes 11
Histoire du monde 43
Histoire du moyen âge 46–47
Histoire, Nouvelle – de la France
  contemp. 64
Histoire des relations internat. 47
Histoire du XXe siècle, L' – 51
Historia diplomatica Friderici
  secundi 123
Historia de España 65–66
Historia Mundi 48–49
Historical Abstracts 18
Historical Association 25
Historical Journal, The 112
Historical Periodicals 22, 114
Historisch-biographisches Lex. d.
  Schweiz 41
Historische Commission bei d. Kgl.
  Akad. d. Wiss. 40
Historische Kommission bei d.
  Bayer. Akad. d. Wiss.
  (ADB, NDB) 40
  (Chroniken d. dt. Städte) 130
  (Dt. Gesch.quellen) 160
  (Dt. Reichstagsakten. Ält.
  Reihe)
  131–132
  (Dt. Reichstagsakten. Jüng.
  Reihe) 149
  (Hanserezesse) 132
  (Jahrb. d. dt. Gesch.) 58

(Quellen z. dt. Pol. Österreichs)
  164
(Wittelsbachische Korr.) 149–
  150
Historische Kommission d. Kaiserl.
  Akad. d. Wiss. 143
Historische Kommission d. Österr.
  Akad. d. Wiss. 137
Historische Kommission f. Schle-
  sien 89
Historische Reichskommission 163
Historische Texte / Mittelalter
  123–124
Historische Texte / Neuzeit 138
Historische Vierteljahrsschrift 107
Historische Zeitschrift 107
Historisches Jahrbuch 107
Historisch-politische Buch, Das 107
History 112
History, The Cambridge Economic
  87
History, The Cambridge Medieval
  53–54
History, The Cambridge Modern
  54
History, Central European 112
History of Europe, A General 55
History, The New Cambridge
  Modern 54–55
History, The Oxford – of Eng-
  land 62
History, The Oxford – of Mo-
  dern Europe 55–56
History, Russian – since 1917 28
History of Technology, A 95
Hitler, A. 184–185
HJb 107
Hochschule f. Polit. Wiss. 91
Hockerts, H. G. 116
Hodes, F. 40
Hödl, G.
  (Österr. hist. Bibl.) 30–31
  (Regesten Albrechts II.) 128
Hoefer, F. 40
Höfer, J. 35
Hofer, W. 57
Hoffmann, F. 61
Hof-Kalender, Gothaischer 70
Hofkammerarchiv 78

Hofmann, H. H.
(Biogr. Wörterbuch) 42
(Quellen z. Verfassungsorganismus) 136, 146, 189
Hofmann, J. 183
Hofstaetter, W. 72
Hohenleutner, H. 114
Hohenlohe-Schillingsfürst, Fürst C. 161
Höhlbaum, K. 133
Hohlfeld, J. 169
Hohlfeld, K. 169
Holborn, H.
(Erasmus, Werke) 141
(Radowitz, Briefe) 161
Holder-Egger, O. 120
Hollenberg, G. 136
Holtzmann, R.
(Frz. Verfassungsgesch.) 84
(Gebhardt-Handb.) 56
(Wattenbach) 116
Holtzmann, W.
(Die dt. Geschichtswiss.) 23
(Italia pontificia) 128
Hölzle, E. 136
Hommel, R. v. 155
Honorius IV 129
Hoops, J. 34
Hopf, J. 99
Hopmann, A. 163
Hoppe, W. 163
Horecky, P. L. 28
Hortleder, F. 147
Hoetzsch, O.
(APP) 163
(Urk. u. Aktenstücke) 153
Howe, G. F. 18
HPB 107
Hristodol, G. 31
Hubatsch, W.
(Dt. Gesch. Ereignisse u. Probl.) 61–62
(Grundriß der Verwaltungsgesch.) 201–202
(Hitlers Weisungen) 184
(Der Krieg z. See) 177
(KTB OKW) 184
(Regesta hist.-diplomatica) 128
(Stein) 159–160

(Der Weltkrieg 1914/18) 57, 60
(Zeitalter d. Absolutismus) 53
Huber, A.
(Fontes rerum Germ.) 123
(Regesten d. Kaiserreichs) 127
Huber, E. R.
(Dt. Verfassungsgesch.) 84
(Dokumente) 189–190
Huber, W. 86
Hubinek, K. 21
Hübner, R.
(Aktenstücke u. Aufzeichn.) 161
(Droysen, Briefw.) 161
(Droysen, Historik) 11
Hueck, W. v. 72
Huillard-Bréholles, J.-L.-A. 123
Hünermann, P. 96
Hunger, H.
(Byzant. Zeitschr.) 105
(Gesch. d. Textüberlief.) 94
Hürten, H. 182
Hussey, J. M. 54
HZ 107

Ibbeken, R. 164
IBZ 17
Idee u. Wirklichkeit d. Kreuzzüge 123
Iggers, G. G. 96, 97
IMB 20
IMG 185
Imhof, A. E. 86
Im Hof, U. 62
Immich, M. 52
IMT 186
Incisa della Rocchetta, G. 146
Index to the Correspondence of the Foreign Office 81
Index to Multilateral Treaties 100
Index to Theses 17
Indice histórico español 27
Indices zu den zwölf Nürnberger US-Militärgerichtsprozessen 188
Informationen, Sozialwiss. 109
Innocent IV 129
Innocent VI 130
Inscriptiones Latinae 73
Institut f. auswärt. Politik 168
Institut, Bibliographisches 40

ä, ö, ü, ae, oe, ue = a, o, u

Institut f. dt. Militärgesch. 110
Institut, Deutsches Histor. – in
Rom
  (Nuntiaturber.) 142, 145
  (QFIAB) 109
Institut f. Geschichte d. Dt. Akad.
  d. Wiss. zu Berlin
  (Archival. Forschungen) 199
  (Dt. Gesch. in Daten) 56
  (Jahresber. f. dt. Gesch.) 23
Institut, Königlich Preuß. Histor.
  – in Rom 109
Institut f. Marxismus-Leninismus
  (Dok. u. Mat.) 200
  (MEW u. MEGA) 196, 198
Institut f. österr. Geschichtsforsch.
  108
Institut f. Völkerrecht 188
Institut f. Zeitgesch.
  (Bibiothek des –) 22
  (Akten z. Vorgesch. d. Bundes-
  rep.)
  189
Institute, Royal – of Internatio-
  nal Affairs 103
Instituut, Internationaal – voor
  Sociale Geschiedenis 180
Interfraktionelle Ausschuß, Der
  194
International Bibliography of
  Historical Sciences 19
International Committee of
  Historical Sciences 19
International Encyclopedia of the
  Social Sciences 37
International Medieval Biblio-
  graphy 20
International Military Tribunal
  186
International Social Science
  Journal 114
Internationale Bibliographie d.
  Reprints 14
Internationale Bibliographie d.
  Rezensionen 16
Internationale Bibliographie d.
  Zeitschriftenlit. 16
Internationale Politik, Die 103
Internationaler Militärgerichtshof
  185

Internationales Jahrbuch f. Ge-
  schichts- und Geographie-Unter-
  richt 107
Internationales Schulbuchinstitut
  (Grundbegriffe d. Gesch.) 39
  (Internat. Jahrbuch) 107
Inventare österreichischer Archive
  79
Irmer, G. 134
Irmischer, J. K. 139
Isaacsohn, S. 153
Isay, R. 51
Isenburg, W. K. Prinz v. 69
Iserloh, E. 136
Istituto per gli studi di politica
  internaz. 102
Istoričeskie zapiski 112
Istoričeskij žurnal 113, 114
Istorija istoričeskoj nauki v SSSR
  28
Istorija, Novaja i novejšaja 113
Istorija SSSR 112
Istorija SSSR. Annotirovannyj pe-
  rečen' 28
Istorija SSSR. Ukazatel' 28
Istorik Marksist 114
Italia pontificia 128

Jablonowski, H. 106
Jacob, E. F. 62
Jacob, K. 115
Jacobs, P. M. 25
Jacobsen, H.-A.
  (Bibliographie z. Politik) 91
  (Halder) 184
  (Kriegstageb. d. OKW) 184
Jaffé, P.
  (Bibl. rerum Germ.) 123
  (Regesta pontif. Rom.) 128
Jäger, H. 66
Jäger-Sunstenau, H. 76
Jahrbuch f. Gesch. 107
Jahrbuch f. Gesch. Mittel- u. Ost-
  deutschlands 107
Jahrbuch, Historisches 107
Jahrbuch, Internationales – f.
  Geschichts- u. Geographie-Un-
  terricht 107

Jahrbuch, Schmollers – f. Gesetzgebung 109
Jahrbuch f. Wirtschaftsgesch. 107
Jahrbücher d. dt. Gesch. 58–60
Jahrbücher f. Gesch. Osteuropas 107–108
Jahrbücher, Preußische 108
Jahre, Die letzten vierzig 158
Jahresberichte f. dt. Gesch. 23
Jahresberichte d. Geschichtswiss. 19
Jahresbibliographie d. Bibliothek f. Zeitgesch. 21
Jahresverzeichnis d. dt. Hochschulschriften 16
Jahresverzeichnis d. dt. Schrifttums 14
Jahresverzeichnis d. Verlagsschriften 14
Jaitner, K. 145
Jankuhn, H.
  (Athenaion-Bilderatlas) 57
  (Reallex. d. germ. Altertumskunde) 34
Jansen, M. 115
Jardin, A. 64
Jaryc, M. 22, 114
Jean XXI 129
Jean XXII 129
Jeannin, P. 45
Jedin, H.
  (Handb. d. Kirchengesch.) 82
  (Saeculum Weltgesch.) 49
Jeismann, K.-E. 138
Jessen, J. 109
Joachim, E.
  (Albrecht v. Brand.) 134
  (Regesta Ordinis S. M. Theut.) 128
Jöcher, C. G. 40
Johann Casimir 149
Johann v. Sachsen, König 162
Johannes XXI. 129
Johannes XXII. 129
John, W. 160
Johnson, C. 36
Jolly, J. 42
Jonas (Mönch) 121
Jonášová-Hájkova, S. 31
Jones, F. C. 104

Jordan, E. 46
Jordan, K. 104
Journal, The Cambridge Historical 112
Journal of Central European Affaires 112
Journal of Contemporary History, The 113
Journal of Economic History, The 113
Journal, The Historical 112
Journal, International Social Science 114
Journal of Modern History, The 113
Juden im Mittelalter 124
Jülicher Erbfolgekrieg, Der 150
Julikrise u. Kriegsausbruch 169
Julliard, J. 64
Junghans, H. 108
Junk, N. 182
Junker, D. 136
Jürgensen, K. 201
Just, L. 56
Justiz und NS-Verbrechen 188

Kabinett Cuno, Das 181
Kabinett Fehrenbach, Das 181
Kabinett Müller I, Das 181
Kabinett Müller II, Das 181
Kabinett Scheidemann, Das 181
Kabinette Luther, Die 181
Kabinette Marx, Die 181
Kabinette Wirth, Die 181
Kahlenberg, F. P. 79
Kaiserkrönung Karls d. Gr., Die 123
Kaiserliche Akademie d. Wiss.
  (Archiv f. österr. Gesch.) 104
  (CSEL) 125
Kaiserlichen Korrespondenzen, Die 151
Kaiserurkunden in Abbildungen 73
Kalender, Gothaischer 70
Kallfelz, H. 122
Kaltenbrunner, F. 128
Kaemmerer, W. 132

Kampf d. dt. Sozialdemokratie,
  Der 199
Kantorowicz, H. 173
Kapitularien 124
Karl Ludwig v. d. Pfalz 134
Karpovich, M. 66
Karttunen, L. 101
Kaser, M. 110
Kaufmann, E. 38
Kautsky, B. 199
Kayser, C. G. 14
Keeble, V. 77
Keeler, M. Freer 25
Kessings Archiv d. Gegenwart 103
Kehr, P. 128
Keir, D. L. 84
Kellaway, W. 25
Kellenbenz, H. 87
Keller, L. 133
Kempner, M. W. 188
Kende, O. 52
Kent, G. O. 80
Kerler, D. 131
Kern, F. 48
Kernig, C. D. 38
Kessel, E. 96
Ketzer u. Ketzerbekämpfung 124
Keyser, E. 90
Kieslich, G. 108
Kiewning, H. 145
Kinder, H. 67
Kindermann, G.-K. 51
Kindermann, H. 92
Kirche in ihrer Geschichte, Die 82
Kircheiß, W. 66
Kirchenlexikon, Evangelisches 35
Kirchliche Akten ü. d. Reichskon-
  kordatsverhandlungen 182
Kirchliche Lage in Bayern, Die
  181, 182
Kirchliches Handlexikon 35
Kirk, G. 104
Kirn, P. 11
Kirsten, E. 66
Kittel, E. 75
Klauser, T. 34
Klein, F. 58
Klein, T. 201, 202
Kleinclausz, A. 63
Kleine Pauly, Der 34

Klewitz, H.-W. 75
Kliem, M. 201
Kliemann, H. 13
Kloft, H. 11
Klopp, O. 154
Klose, O. 89
Klotzbach, K. 201
Klüber, J. L. 160
Kluckhohn, A.
  (Briefe Friedr. d. Frommen) 149
  (RTA) 149
Kluckhohn, P. 105
Kluxen, K. 62
Kneschke, E. H. 72
Knonau, G. Meyer v. 59
Köbler, G. 86
Koch, L. 35
Köcher, A. 133
Kohl, H. 165
Kohl, W. 151
Koehler u. Volckmar-Fachbiblio-
  graphien 18
Kohler, A. 136
Köhler, K. 21
Köhler, O. 49
Kolb, E. 180
Koller, H. 132
Köllmann, W.
  (Bevölkerungsgesch.) 86
  (Bevölkerungs-Ploetz) 66
Kölner Königschronik 122
Koeltz, L. 51
Komitee, Österreich. – f. d.
  Veröff. d. Min.Ratsprotokolle
  165
Komjáthy, M. 166
Kommission, Badische Histor. 161
Kommission f. Gesch. d. Parl. u. d.
  polit. Parteien 92, 180
Kommission, Historische – bei d.
  Bayer. Ak. d. Wiss.
  (ADB, NDB) 40
  (Chroniken d. dt. Städte) 130
  (Dt. Geschichtsquellen) 160
  (Dt. RTA. Ält. Reihe) 131–132
  (Dt. RTA. Jüng. Reihe) 149
  (Jahrb. d. dt. Gesch.) 58
  (Quellen z. dt. Pol. Österreichs)
  164
  (Wittelsbach. Korr.) 149–150

ä, ö, ü, ae, oe, ue = a, o, u

Kommission, Historische – d.
Kaiserl. Akad. d. Wiss. 143
Kommission, Historische – d.
Österreich. Akad. d. Wiss. 137
Kommission, Historische – f.
Schlesien 89
Kommission, Preußische – bei d.
Preuß. Akad. d. Wiss. 152
Kommission f. Zeitgeschichte,
Veröffentlichungen der – 181–
183
Konetzke, R. 50
Konferenzen u. Verträge 99–100
Königlich Preußisches Historisches
Institut in Rom 109
Koenigsberger, G. 55
Königschronik, Kölner 122
Königserhebung im 10.–12. Jh.,
Die dt. 124
Königswahl, Die dt. – im 13. Jh.
124
Könnemann, E. 200
Kool, F. 200, 201
Kopf, P. 182
Köpke, R. 59
Köppen, P. 178
Korn, H.-E. 74
Koerner, B. 72
Korrespondenz
s. auch Correspondenz
Korrespondenzblatt 105
Korrespondenzen, Ältere pfälz.
149
Korrespondenzen, Die kaiserlichen
151
Korrespondenzen, die schwedischen
151
Kosch, W.
(Biogr. Staatshandb.) 42
(Das kath. Deutschland) 42
Koselleck, R.
(Fischer Weltgesch.) 50
(Geschichtl. Grundbegriffe) 39
(Historische Texte) 138
(Theorie d. Gesch.wiss.) 11
Koser, R.
(Briefw. Friedr. d. Gr. m.
Grumbkow/Voltaire) 134, 135
(de Catt) 134

(Correspondenz Friedr. d. Gr.)
156
Koszyk, K. 92
Kötzschke, R. 90
Krallert-Sattler, G. 31
Kramer, H.
(Gesch. Italiens) 65
(Handb. d. Kulturgesch.) 92
(Nuntiaturberichte) 144
Kramm, H. 115
Krasnyj archiv 113
Krause, G. 35
Krause, W. 200
Krauske, O. 157
Kreslins, J. A. 22
Kretzschmar, H.
(Johann v. Sachsen) 162
(Sächs. Gesch.) 90
Krieg zur See 1914–1918; Der
177–178
Kriegsarchiv [Wien] 79
Kriegsgeschichtl. Forschungsanstalt
d. Heeres 176
Kriegsschuldfrage, Die 105
Kriegstagebuch d. Oberkomman-
dos d. Wehrmacht 183–184
Kriegstagebuch des Reichstagsabge-
ordneten Eduard David, Das
194
Kriegswiss. Abt. d. Marine 177
Kristen, Z. 146
Krogmann, W. 92
Kroeschell, K. 83
Krumbacher, K. 105
Kruse, A. 109
Küch, F. 134
Kuhn, Hans 34
Kuhn, Hugo 106
Kühn, J. 149
Kultermann, U. 95
Kunisch, J. 110
Küntzel, G. 134
Kunze, H. 13
Kunze, K. 133
Kupke, G. 143
Kupper, A. 181
Kürschners dt. Gelehrten-Kalender
41–42
Kurzer Abriß d. Militärgesch. 85
Kybal, V. 146

Labande, E.-R. 19
Labande-Mailfert, Y. 19
Labrousse, E.
  (Hist. écon. et. soc.) 88
  (Hist. gén. des civil.) 47
Ladendorf, O. 39
Ladurie, E. le Roy 88
Lafaurie, J. 78
Laffan, R. G. 103
Lage in Bayern, Die kirchliche 181,
  182
Lagebesprechungen, Hitlers 185
Lahrkamp, H. 152
Lammers, W. 122
Lampe, K. H. 20
Lampert v. Hersfeld 122
Lancaster, J. C. 25
Landesbibliothek, Schweizer 30
Langer, W. L. 22
Langlois, C.-V.
  (Archives) 80
  (Saint Louis) 63
Langosch, K.
  (Cochläus) 135
  (Latein. MA; Gesch. d. Text-
  überlief.) 94
Lapeyre, H. 45
Laqueur, W. 113
Larousse Encyclopédique, Grand
  33
Larousse du XXe siècle 33
Lassalle, F. 160–161
Lasteyrie, R. de 26
Latham, R. E. 37
Lausberg, H. 94
Lautemann, W. 137
Lavisse, E. 63
Law Reports of Trials of War
  Criminals 188
League of Nations. Treaty Series
  100
Leathers, S. 54
Lebensbeschreibung einiger Bischö-
  fe 122
Lechner, J. 126
Le Clerc, J. 141
Leesch, W. 78
Lefebvre, G. 46
Legler, A. 21, 22
Le Goff, J. 49

Lehenmann, C. 147
Lehmann, H. 138
Lehmann, M. 133
Lehmann, P. 94
Lehmann, S. 138
Lehmbruch, G. 91
Lehnrecht u. Staatsgewalt 124
Lehrbuch d. dt. Gesch. 57–58
Leibniz, G. W. 154
Leibniz-Bibliographie 154
Lemerle, P. 44
Lemonnier, H. 63
Lenfant, D. 36
Lennhoff, E. 35
Lenz, M. 133
Léon, P. 88
Leplant, B. 19
Lepsius, J. 166
Lerchenfeld, H. Frhr. v. 163
Le Roy Ladurie, E. 88
Lettres secrètes et curiales 129–
  130
Letzten vierzig Jahre, Die 158
Leucht, C. L. 148
Leuchtenberg, W. 63
Leuschner, J.
  (Dt. Gesch.) 61
  (Kirn) 11
Lévi-Provençal, E. 65
Levine, M. 25
Levison, W. 115
Lex Salica 122
Lexikon Archivwesen 82
Lexikon, Biographisches – z. dt.
  Geschichte 42
Lexikon, Biographisches – z.
  Weltgesch. 42
Lexikon d. dt. Gesch. 38
Lexikon z. Gesch. u. Politik 38
Lexikon, Hist.-Biogr. – d.
  Schweiz 41
Lexikon d. histor. Persönlichk. 42
Lexikon, Mennonitisches 35
Lexikon d. Mittelalters 39
Lexikon, Österreich. biogr. 41
Lexikon, Ritters geographisch-sta-
  tistisches 67–68
Lexikon f. Theologie u. Kirche 35
Lhotsky, A.

ä, ö, ü, ae, oe, ue = a, o, u

(Österr. Historiographie) 97
(Quellenkunde) 117
L'Huillier, F. 46
Liber censuum de l'Eglise romaine, Le 129
Liber pontificalis, Le 129
Liberalismus, Deutscher – im Zeitalter Bismarcks 161
Library of Congress 15
Library, The Wiener 24
Lieber, H.-J. 199
Lieberich, H. 83
Lietzmann, H. 69
Lindemann, M. 92
Lindsay, J. O. 55
Lindhartová, M. 146
Linke gg. d. Parteiherrschaft, Die 201
Lipgens, W. 185
Lipson, E. 89
List of Historical Periodicals, World 22, 114–115
List of Treaty Collections. United Nations 101
Literatur des Mittelalters, Die dt. 94
Literatur, Neue politische 108
Literaturverzeichnis d. polit. Wiss. 91
LNTS 100
LOC 15
Londorp, M. C. 146
Londorpius suppletus 146–147
Lönne, K.-E. 137
López, Á. Canellas 65
López, M. Torres 65
Lorenz, G.
    (30jähr. Krieg) 136
    (schwed. Korresp.) 151
Lorenz, O.
    (Geschichtsquellen) 116
    (Lehrb. d. Genealogie) 69
Lorey, H. 178
Lortz, J. 82
Loserth, J. 52
Lot, F. 46
Lötzke, H. 80
Lovie, J. 64
Lowe, E. 74
Löwe, H. 115–116

Loewe, V.
    (Acta Boruss.) 157
    (Preußens Staatsverträge) 135
Löwenfeld, S. 128
LThK 35
Luchaire, A. 63
Lührs, W. 202
Luise, Königin 134
Lukacz, J. 51
Lülfing, H. 80
Lünig, J. C. 147
Luschin v. Ebengreuth, A. 77
Lütge, F. 87
Luther, M. 139
Luther-Jahrbuch 108
Lutz, G. 145
Lutz, H.
    (Nuntiaturberichte) 143
    (Propyläen-Weltgesch.) 48
Lutz, L. 39

MA 113
Maas, P. 94
Mabillon, J. 124
Mackie, J. D. 62
Macneill, W. H.
    (Journal of Mod. Hist.) 113
    (Survey of Internat. Affairs) 104
Maichel, K. 28
Maier, F. G. 49
Mair, J. 104
Major Problems of United States Foreign Policy 103
Majumdar, A. K. 48
Malettke, K. 138
Mandrou, R.
    (Louis XIV) 45, 46
    (Propyläen Gesch.) 53
Manitius, M. 93
Mann, G. 48
Mansi, G. D. 126
Mantey, E. v. 177, 178
Mantran, R. 44
Marçais, G. 44
Marcel, P. 141
Marchi, G. De 101
Marichal, R. 74
Mariéjol, J. H. 63

Marquardt, E. 90
Marschalk, P. 86
Martens, G. F. de 98–99
Martin IV 129
Martin, A. 27
Martin, J. B. 126
Martin, V. 82
Martini, A. 183
Marx, K.
    (Briefw. m. Lassalle) 160
    (Werke) 195–199
Marx, R. 11
Marxismus im Systemvergleich 38
Maschl, H. 31
Mata Carriazo Arroquia, J. de 65
Matthias, E. 194, 195
Matuschka, E. Graf v. 86
Maupertuis, P. L. M. de 134
Maurain, J. 46
Mauro, F. 45
Mayer, G. 160
Mayer, H. E.
    (Bibl. z. Gesch. d. Kreuzzüge)
    20
    (Idee u. Wirklichk. d. Kreuzzü-
    ge) 123
Mayeur, J.-M. 64
Mayr-Deisinger, K. 151
Mazard, J. 78
Mckisack, M. 62
Medley, D. J. 25
MEGA 195, 198
Meier, F. G. 49
Meier-Benneckenstein, P. 171
Meier-Welcker, H.
    (Handbuch zur dt. Militär-
    gesch.) 85
    (Militär u. Politik) 194
Meiern, J. G. v. 148
Meinardus, O. 134
Meinecke, F.
    (Entstehung d. Historismus; Z.
    Gesch. d. Geschichtsschreibung)
    96
    (Handb. d. mittelalterl. u. neue-
    ren Gesch.) 52
    (HZ) 107
    (Idee d. Staatsräson) 90
Meisner, H. O.

(Archivalienkunde) 78
    (Waldersee) 161
Meister, A.
    (Gebhardt-Handb.) 56
    (Grundzüge d. hist. Methode)
    11
    (Nuntiaturberichte) 144
Melanchthon, P. 140
Mende, D. 103
Mendelssohn-Bartholdy, A. 166,
    168
Menéndez Pidal, R. 65
Menke, T. 67
Mennonitisches Lexikon 35
Mentz, G. 74
Merbach, H. 201
Merz, G. 139
Messerschmid, F. 106
Messerschmidt, M.
    (Handb. d. dt. Militärgesch.)
    85–86
    (MGM) 108
Methoden d. Kunst- u. Musikwiss.
    95
Methoden d. Sozialwiss. 86
Meulen, J. Ter 153
MEW 196
Meyer, A. O.
    (APP) 163
    (Handb. d. dt. Gesch.) 56
    (Nuntiaturberichte) 145
Meyer, H. C. 48
Meyer, K. 28
Meyer, O. 39
Meyer von Knonau, G. 59
Meyer-Lindenberg, H. 85
Meyern, M. 148
Meyers großes Personenlexikon 40
Meyers Handbuch d. Gesch. 42
Meyers Lexikon 33
Meyers Neues Lexikon 33
MGH 117–120
MGM 108
Michaelis, H.
    (APP) 164
    (Ursachen u. Folgen) 169
    (Der Zweite Weltkrieg) 57
»Michaud« 40
Michel, H. 46

ä, ö, ü, ae, oe, ue = a, o, u

Mieck, I. 138
Miège, J.-L. 45
Migne, J. P. 124–125
Mikoletzky, H. L. 127
Milatz, A. 136
Militär u. Innenpolitik 194–195
Militärgerichtshof, Internat. 185
Militärgeschichte 110
Militärgeschichtliche Mitteilungen 108
Militärgeschichtliches For-
    schungsamt
    (MGM) 108
    (Handbuch zur dt. Militär-
    gesch.) 85–86
Miller, E. 87
Miller, M. 182
Miller, S. 194
Milne, A. T.
    (Centenary Guide) 26
    (Writings on British Hist.) 24
Ministerium Belcredi, Das 166
Ministerratsprotokolle Österreichs,
    Die 165–166
Minuth, K.-H. 181
MIÖG 108
Mitteilungen d. Instituts f. österr.
    Geschichtsforschung 108
Mitteilungen, Militärgeschichtliche 108
Mitteilungen d. österr. Staatsar-
    chivs 108
Mitteis, H. 83
Mittelalter (= Gesch. i. Quellen) 138
Mittelalterliche Universität, Die 124
Mittellateinisches Wörterbuch 36
Mockenhaupt, H. 182
Moderne dt. Sozialgeschichte 88
Moderne dt. Verfassungsgesch. 84
Moderne dt. Wirtschaftsgesch. 88
Moderne Technikgeschichte 95
Mohr, H. 11
Molhuysen, P. C. 153
Molinier, A. 117
Molleda, G. Gomez 27
Moeller, B. 61
Mommsen, Wilhelm

(Gesch. d. Abendlandes) 48
(Parteiprogramme) 190
Mommsen, Wolfgang
    (Akten d. Reichskanzlei) 181
    (Nachlässe) 79
Mommsen, Wolfgang J.
    (Fischer Weltgesch.) 50
    (Handb. d. dt. Gesch.) 57
Monatshefte, Berliner 105
Moniot, H. 45
Monod, G.
    (RH) 113
    (Bibl. de l'historie de France) 26
Monumenta Germaniae historica 117–120
Moog, W. 52
Möring, W. 161
Morison, S. M. 63
Morsey, R.
    (»Ermächtigungsgesetz«) 138
    (J. Hofmann) 183
    (IFA; Regierung Max) 194
    (Protokolle ... d. ... Zentrums-
    partei) 182
Moscati, R. 65
Mosconi, N. 146
Moser, J. J. 155
Mosse, G. L.
    (General Hist. of. Eur.) 55
    (Journal of Contemp. Hist.) 113
Mostecky, V. 100
Most-Kolbe, I. 132
Mousnier, R. 47
Mowat, C. L. 55
Moyen âge, Le 113
Muckermann, F. 182
Mühlbacher, E. 126
Müller, G.
    (Nuntiaturberichte) 143
    (TRE) 35
Müller, H. 202
Muller, J. 19
Müller, J. J. 147
Müller, Klaus
    (Quellenkunde) 116
    (Wiener Kongreß) 136
Müller, Kurt 154
Müller, K. A. v. 161
Mullins, E. L. C. 26

Münch, P. 116
Mundy, J. H. 55
Munro, D. J. 25
Münzverwaltung, Die 157
Münzwesen, Das Preußische 157, 158
Muret, P. 46
Murhard, C. 98
Murhard, F. 98
Museum, British 15
Musset, L. 44
Myres, J. N. L. 72

NA 108
Nachlässe, Die – in den Biblio-theken d. Bundesrep. 79
Nachlässe, Die – in d. dt. Archiven 79
Nachlässe, Die – in d. wiss. All-gemeinbibl. 80
Nachlässe, Die – in wiss. Institu-ten 80
Näf, W. 52
Nagy, O. v. 91
Narr, K. J. 56
National Union Catalog, The 15–16
Nationalbibliographie, Deutsche 14
Nationalitätenproblem in Öster-reich, Das 138
Nationalversammlung, Dt. 172, 173
Nations, United –. List of Treaty Collections 101
Nations, United – Treaty Series 100
Nations, United – War Crimes Commission 188
Naudé, A. 156
Naudé, W. 158
Nazi Conspiracy and Aggression 186
NDB 40
Neff, C. 35
Négociations secrètes 148
Neher, M. 56
Neu, M. 20
Neubecker, O. 76

Neue Bibliographie z. Friedens-forschung 86
Neue deutsche Biographie 40
Neue politische Literatur 108
Neue Propyläen-Weltgeschichte, Die 48
Neue u. vollständigere Sammlung d. Reichs-Abschiede 147
Neuerwerbungen d. WKB 21
Neues allgemeines deutsches Adels-Lexicon 72
Neues Archiv 108
Neues Conversations-Lexikon 36
Newald, R. 93
New Cambridge Modern History, The 54
New Dictionary, A – of British History 39
New Guide to the Dipl. Archives, The 81
Nicolas III 129
Nicolas IV 129
Niermeyer, J. F. 36
Niesel, W. 140, 141
Nikolaus III. 129
Nikolaus IV. 129
Nissen, W. 199
Nitschke, A. 48
NMT 186
Noack, P. 91
Nolte, E. 51
Norberg, D. 94
Notenwechsel zwischen d. Hl. Stuhl u. d. Dt. Reichsregierung, Der 181, 182
Nouveau recueil de traités (»Mar-tens«) 98
Nouvelle biographie universelle 40
Nouvelle Clio 44–45
Nouvelle histoire de la France contemp. 64
Novaja i novejšaja istorija 113
Novembersturz u. Versailles 171
Novum glossarium mediae latini-tatis 36
NPL 108
NUC 15–16
Nuntiaturberichte aus Deutschland 142–146
Nunziatura di Praga, La 146

ä, ö, ü, ae, oe, ue = a, o, u

Nürnberger Prozesse 185–188
Nürnberger, R. 48

Oberkommando der Wehrmacht,
   Kriegstagebuch des -s 183–184
Oberländer, E. 201
Obermann, K. 58
Obermayer-Marnach, E. 41
Oberndorff, L. Graf v. 127
Oberschelp, R.
   (Bibl. z. dt. Landesgesch.) 90
   (GV) 14
Oeconomos, L. 47
Office, Public Record 81
Office of United States Chief of
   Counsel 186
Oelsner, L. 59
Oncken, H.
   (APP) 163
   (Großherz. Friedr. I.) 161
   (Rheinpolitik) 161
Opgenoorth, E. 12
Oppeln-Bronikowski, F. v. 156
Oer, R. Freiin v. 138
Orbis latinus 68
Oeri, J. 11
Oesterley, H. 68
Österreichische Akad. d. Wiss.
   (Archiv f. österr. Gesch.) 104
   (Österr. biogr. Lex.) 41
Österreichische histor. Bibliogra-
   phie 30–31
Österreichische Parteiprogramme
   190
Österreichisches biographisches Le-
   xikon 41
Österreichisches Komitee f. d.
   Veröffentl. d. Min.Ratsprot. 165
Österreich-Ungarns Außenpolitik
   168
Osterroth, F. 42
Osteuropa 108
Östliche Deutschland, Das 90
Ottenthal, E. v. 126
Otto v. Freising 122
Otto v. St. Blasien 122
Otto, K.-H. 57
Oxford History of England, The
   62

Oxford History of Modern Europe, The 55–56
Oxford Latin Dictionary 36

PA 80
Pacaut, M. 12
Palluel-Guillard, A. 64
Palmade, G. 50
Palmer, A. W. 39
Palmer, R. B. 94
Palmer, R. R. 48
Palumbo, P. F. 27
Pannier, J. 141
Panzer, F. 73
Papke, G. 85
Papsttum, Das – u. die süditalie-
   nischen Normannenstaaten 124
Paquet, A. 163
Pargellis, S. 25
Parker, R. A. C. 50
Parlamentarische Rat, Der 195
Parlamentspraxis in d. Weimarer
   Republik 195
Parry, C. 98
Parteiprogramme, Deutsche 190
Parteiprogramme, Österreichische
   190
Past and Present 113
Paterna, E. 58
Paetow, L. J. 19
Patze, H.
   (Gesch. Thüringens) 90
   (Quellen z. Entstehung d. Lan-
      desherrschaft) 124
Paulhart, H. 30–31
Pauls, V. 89
Pauly, Der Kleine 34
Paulys Realencyclopädie 34
Pearson, B. 125
Pelzer, A. 74
Pennington, D. H. 55
Pérez de Urbel, Fray J. 65
Periodicals, Historical 22, 114
Perroy, E.
   (Hist. gén. des civilisations) 47
   (Peuples et civilisations) 45
Personenlexikon, Meyers großes 40
Perticone, G. 65
Pertz, G. H.

(Archiv d. Gesellch.) 104
(Leibniz) 154
(MGH) 117, 119
Peter v. Dusberg 122
Peter, H. 152
Peters, W. 157
Petersdorff, H. v. 164–165
Petit, L. 126
Petit-Dutaillis, C.
(Charles VII) 63
(Hist. du moyen âge) 47
Petry, L. 90
Petter, W. 86
Petzina, D. 61
Peuples et civilisations 45–46
Pfeiffer, A. 201
Pfeilschifter, G. 142
Pfister, C.
(Le christianisme) 63
(Hist. du moyen âge) 47
Pflugk-Harttung, J. v. 128
Philipp d. Großmütige
(Briefw. m. Bucer) 133
(Pol. Archiv) 134
Philipp, A. 172, 174
Philipp, W.
(Bibliographie z. osteur. Gesch.)
28
(FOEG) 106
Philippi, F. 73
Piecha, W. 106
Picker, H. 184
Pidal, R. Menéndez 65
Pikart, E. 194
Pillorget, R. 12
Pinhas, J. 98
Pinkney, D. H. 112
Pirenne, H.
(Bibliographie) 30
(Hist. du moyen âge) 47
(Peuples et civil.) 45
Pirenne, J. 43
Pius XII. 181, 183
Planitz, H.
(Bibliogr. z. dt. Rechtsgesch.) 86
(Dt. Rechtsgesch.) 83
Platzhoff, W. 52
Plechl, H. 68
Plessis, A. 64
Plöchl, W. M. 83

Plochmann, J. G. 139
»Ploetz« (Vertrags-Ploetz) 99–
100
Ploetz, K. (Auszug) 43
Ploetz-Verlag
(Territorien-Ploetz) 89
Plumail, B. 19
Politik, Die auswärtige – d. Dt.
Reiches 168
Politik, Die auswärtige – Preu-
ßens 163–164
Politik Bayerns, Die 150
Politik, Die Große – d. eur. Ka-
binette 166–168
Politik, Die internationale 103
Politische Correspondenz d. Gra-
fen Franz Wilh. 134
Politische Propaganda Kaiser
Friedrichs II. 123
Politische Testamente ... d. 16.–
18. Jh.s 136
Politische Verhandlungen 152
Politische Verträge des frühen
Mittelalters 123
Politisches Archiv 80
Politisches Archiv d. Landgr. Phil-
lipp 134
Politisches Handwörterbuch 38
Pollmann, W. 26
Poenicke K. 13
Ponteil, F. 46
Poole, A. L. 62
Poschinger, H. Ritter v. 133
Posner, E. 157
Posner, M. 133
Posner, O. 35
Posse, O. 76
Postan, M. 87
Postel, R. 202
Potter, G. R. 54
Potthast, A.
(Regesta pont. Rom.) 128
(Bibl. hist. medii aevi) 19
Potthoff, H. 194
Pouthas, C.-H. 46
Powicke, F. M.
(Handbook of Brit. Chronolo-
gy) 101
(Oxford Hist. of Engl.) 62
Préclin, E. 44

ä, ö, ü, ae, oe, ue = a, o, u

Presse d. Arbeiterklasse, Die 200
Preuß, J. D. E. 155
Preußen im Bundestag 133
Preußen u. Frankreich v. 1795 bis 1807 133
Preußen u. die Kath. Kirche 133
Preußens Staatsverträge 135
Preußische Akad. d. Wiss.
(Acta Boruss.) 156
(Dt. Rechtswörterb.) 37
(Friedr. d. Gr.) 156
(Leibniz) 154
Preußische Heer, Das 135
Preußische Jahrbücher 108
Preußische Kommission bei d. Preuß. Akad. d. Wiss. 152
Preußische Münzwesen, Das 157, 158
Preußische u. österreichische Akten z. Vorgesch. des Siebenj. Krieges 134
Preußische Seidenindustrie, Die 158
Pribram, A. F.
(Österr.-Ungarns Außenpol.) 168
(Urk. u. Actenstücke) 152
Prieur, P. 78
PRO 81
Problems, Major – of U.S. Foreign Policy 103
Procès des grands criminels de guerre 186
Propaganda Kaiser Friedrichs II., Politische 123
Propyläen Geschichte Europas 53
Propyläen-Weltgesch. 48
Propyläen-Weltgesch., Neue 48
Prothero, G. W. 54
Protokolle d. Gemeins. Min.Rates 165
Protokolle d. Reichstagsfraktion . . . d. Dt. Zentrumspartei 182
Protokolle u. Relationen d. Brandenburg. Geh. Rates 134
Protokolle ü. d. Verhandl. d. Bundesrats 194
Prou, M. 77

Prozeß gegen die Hauptkriegsverbrecher, Der 185
Prozesse, Nürnberger 185–188
Public Record Office Lists 81
Publicationen aus den Preußischen Staatsarchiven 133–135
Publikationen des Österreichischen Kulturinstituts in Rom 146
Publizistik 108
Purlitz, F. 103
Pushkarev, S. G. 39
Pütter, J. S. 155
Putzger, F. W. 67

QFIAB 109
Quain, E. A. 114
Quartalschrift, Römische 109
Quellen z. dt. Gesch. d. Mittelalters, Ausgewählte 120–123
Quellen z. Außenpolitik Hitlers 137
Quellen z. dt. Außenpolitik . . . 1890 – 1911 136
Quellen z. dt. Gesch. d. Neuzeit, Ausgewählte 135–137
Quellen z. dt. Politik Österreichs 162, 164
Quellen zu den dt.-engl. Beziehungen 136
Quellen z. dt. Verfassungs-, Wirtsch.- u. Sozialgesch. 123
Quellen z. dt. Wirtsch.- u. Soz. gesch. 137
Quellen zu den dt.-frz. Beziehungen 136
Quellen z. Entstehung d. 1. Weltkriegs 136
Quellen z. Entstehung d. Kirchenstaates 124
Quellen z. Entstehung d. Landesherrschaft 124
Quellen u. Forschungen aus italien. Archiven 109
Quellen z. Gesch. d. Außenpolitik 1919–1933 136
Quellen z. Gesch. d. Bauernkriegs 135
Quellen z. Gesch. d. Bauernstandes 136

Quellen z. Gesch. d. dt. Bauern-
standes im MA 123
Quellen z. Gesch. d. Innenpolitik
1919–1933 137
Quellen z. Geschichte Kaiser Hein-
richs IV. 121
Quellen z. Gesch. Karls V. 136
Quellen z. Gesch. Maximilians I.
136
Quellen z. Gesch. d. Parlamenta-
rismus u. d. pol. Parteien 174,
194–195
Quellen z. Gesch. d. Rätebewegung
in Deutschland 180
Quellen z. Gesch. d. sächs. Kaiser-
zeit 121
Quellen z. Gesch. Wallensteins 136
Quellen z. Investiturstreit 122
Quellen z. karoling. Reichsgesch.
121
Quellen z. kath. Reform ... 136
Quellen des 9. u. 11 Jhs. z. Gesch.
d. hamburg. Kirche 121
Quellen z. polit. Denken d. Deut-
schen 137
Quellen z. Reformation 136
Quellen z. Staatsrecht d. Neuzeit
190
Quellen z. Verfassungsgesch. d. dt.
Stadt im MA 123
Quellen z. Verfassungsorganismus
d. Hl. Röm. Reiches 136, 146,
189
Quellenkunde z. dt. Gesch. d.
Neuzeit 116–117
Quidde, L.
(Dt. Reichstagsakten) 132
(Dt. Zeitschr. f. Gesch.wiss.) 107
Quirin, H. 12

Raab, H. 39
Raby, F. J. E. 93
Rachel, H. 158, 159
Raeder, E. 178
Radowitz, J. v. 156
Radowitz, J. M. v. 161
Rahner, K. 35
Rainer, J. 144
Randa, A. 48

Rapp, F. 44
Rassow, P.
(Bronsart v. Schellendorff) 162
(Dt. Gesch. im Überblick) 56
Rat, Der Parlamentarische 195
Räteorganisation in Württemberg,
Regionale u. lokale 180
Ratzel, F. 66
Rau, R. 120, 121
Rauch, G. v. 66
Raum u. Bevölkerung 66
Raum Westfalen, Der 89
Raumer, K. v. 57
Ravier, E. 154
RE 34
Read, C. 25
Real, W. 138
Real-Encyclopädie, Allg. dt. 33
Realencyclopädie, Paulys 34
Realencyclopädie f. protestantische
Theologie 35
Realenzyklopädie, Theologische 35
Reallexikon f. Antike u. Christen-
tum 34
Reallexikon d. german. Altertums-
kunde 34
Rebérioux, M. 64
Rébillon, A. 44
Recherche, La – historique en
France 27
Rechtswörterbuch, Deutsches 37–
38
Record Repositories in Great Bri-
tain 81
Records of the Foreign Office,
The 81
Recueil de traités (»Martens«)
98–99
Recueil de Traités ... (Société des
Nations) 100
Redlich, O.
(Privaturk.) 73, 75
(Regesten d. Kaiserreichs) 127
(Urk.lehre) 75
Reedijk, C. 142
Reformation Kaiser Sigmunds, Die
132
Regenten u. Regierungen d. Welt
101
Regesta historico-diplomatica 128

ä, ö, ü, ae, oe, ue = a, o, u

Regesta Imperii 126–128
Regesta pontificum Romanorum 128
Regesten des Kaiserreichs, Die 126–128
Regierung d. Prinzen Max, Die 194
Regierung d. Volksbeauftragten, Die 194
Regionale u. lokale Räteorganisation in Württ. 180
Register, The Annual 102
Registres et lettres des Papes 129–130
Reglá Campistol, J. 65
Regling, V. 86
Reichardt, G. 13
Reichenberger, R. 144
Reichert, Ernst 13
Reichsarchiv 176
Reichshandbuch d. Dt. Gesellschaft 42
Reichsinstitut f. ältere dt. Geschichtskunde 118
Reichsinstitut f. Gesch. d. neuen Deutschlands 163
Reichskommission, Historische 163
Reichspolitik Maximilans I., Die 150
Reichstag 1608, Vom 150
Reichstag von 1613, Der 150
Reichstagsakten, Deutsche
 Ältere Reihe 131–132
 Jüngere Reihe 149
 Mittlere Reihe 132
Reichstagsfraktion d. dt. Soz.-dem., Die 194
Rein, G. A. 135
Reindel, K. 123
Reinhard, W. 145
Reiß, K.-P. 194
Relations, Soviet Foreign – and World Communism 28
Religion in Gesch. u. Gegenwart, Die 35
Religiöser Sozialismus 201
Renaissance – Glaubenskämpfe Absolutismus 138
Renaudet, A. 45
Renkhoff, O. 105

Renouard, Y. 12
Renouvin, P.
 (Clio) 44
 (Histoire des relations internat.) 47
 (Introduction) 12
 (Peuples et Civil.) 46
 (RH) 113
Reorganisation des preuß. Staates, Die 135
Répertoire bibliographique 26
Répertoire des médiévistes 19
Répertoire internat. des médiévistes 19
Répertoire des médiévistes 19
Répertoire des médiévistes eur. 19
Repertorium van boeken 29–30
Repertorium d. diplomatischen Vertreter 102
Repertorium fontium 19
Repetitorium d. dt. Gesch. 56
Repgen, K.
 (APW) 151
 (Brest-Litovsk) 138
 (Studienbuch Gesch.) 43
 (Veröff. d. Komm. f. Zeitgesch.) 181
Reports, Law – of Trials of War Criminals 188
Restauration u. Frühliberalismus 137
Retana, L. F. y Fernández de 65
Reuß, E. 140
Reuss, J. A. 148
Review, The American Historical 111
Review, The Economic History 112
Review, The English Historical 112
Revolution v. 1905–1907, Die Russische 199
Revolution, Von der – z. Norddeutschen Bund 163
Revue d'histoire de la deuxième guerre mondiale 113
Revue d'histoire diplomatique 113
Revue d'histoire ecclésiastique 19, 113

Revue d'histoire de l'église de France 113
Revue d'histoire moderne et contemporaine 113
Revue historique 113
Revue internationale des sciences sociales 114
Revue Suisse d'histoire 109
RGG 35
RH 113
RHE 113
Rheinische Briefe u. Akten 160
Rheinische Vierteljahrsblätter 109
Rhenanus, Beatus 141
Ribbe, W. 69
Rich, E. E. 87
Richter, A. L. 83
Riezler, K. 163
Riou, Y.-J. 19
Rioux, J.-P. 64
Ritter, B. 67
Ritter, G.
  (Bismarck) 165
  (Dämonie d. Macht) 90
  (Die dt. Gesch.wiss.) 23
  (Gesch. d. NZ) 53
  (Hitlers Tischgespräche) 184
  (Neugestaltung Deutschlands) 60
Ritter, M. 150
Ritters geographisch-statistisches Lexikon 67–68
Rittmann, H. 77
Rivista storica italiana 114
Rivista storica svizzera 109
Rjazanov, D. B. 195
Roach, J. 20
Roberg, B. 145
Roberts, J. M.
  (EHR) 112
  (Eur. in the 19th Cent.) 55
Roberts, L. 22
Rodenberg, C. 119
Roggenbach, F. v. 162
Röhl, J. C. G. 163
Rollmann, H. 177
Romano, R. 49
Römer, C. 202
Römische Quartalschrift 109
Rönnefarth, H. K. G. 99–100
Ropp, G. Frhr. v. d. 132

Roper, M. 81
Rörer, G. 139
Rosenberg, H. 161
Rössler, H.
  (Biogr. Wörterb.) 42
  (Eur. im Zeitalter v. Renaiss.) 48
  (Sachwörterb.) 38
Rotermund, H. W. 40
Rothacker, E. 105
Rothfels, H. 110
Rotteck, C. v. 37
Rousset 97
Routh, C. R. N. 42
Roy Ladurie, E. le 88
Royal Historical Society 25
Royal Institute of International Affairs 103
RSI 114
Rubel, M. 199
Rubin, B. 48
Ruffmann, K. H. 51
Ruge, W. 58
Rüger, A. 100
Rühle, G. 171–172
Rumpler, H. 165–166
Rundschau, Wehrwissenschaftliche 110
Rundstedt, H.-G. v. 133
Rürup, R.
  (Deutschl. im 19. Jh.) 61
  (Technikgesch.) 95
Russia and the Soviet Union 28
Russian History since 1917 28
Russische Revolution, Die – v. 1905 bis 1907 199
Rüstungen, Von den – Herzog Maximilians 150
Rüthing, H. 124
Rydbeck, J. 29

Saalfeld, F. 98
Sabine, G. H. 90
Sacher, H. 37
Sachse, W. L. 25
Sachsenspiegel, Der 122
Sachwörterbuch d. Geschichte Deutschlands 38
Seaculum 109

ä, ö, ü, ae, oe, ue = a, o, u

Saeculum Weltgeschichte 49
Saffroy, G. 73
Sagittarius, C. 139
Sägmüller, J. B. 83
Sagnac, P.
  (Peuples et civ.) 46
  (Règne de Louis XVI) 64
Saint-Léger, A. de
  (Lavisse/Louis XIV) 63
  (Peuples et civil./Louis XIV) 46
Saint Siège et la guerre en Europe,
  Le 183
Säkularisation von 1803, Die 138
Salewski, M. 86
Salis, J. R. de 50
Salvatorelli, L. 65
Samanek, V. 127
Samaran, C.
  (Bibl. générale) 26
  (Catalogue des manuscrits) 74
  (L'histoire et ses méth.) 11
Samhaber, E. 48
Sammlung, Neue u. vollständigere
  – d. Reichs-Abschiede 147
Sammlung sämtlicher Drucksachen
  d. Reichstages 193
Samwer, C. 98, 99
Sánchez, Alonso, B. 27
Sante, G. W. 89
Santifaller, L.
  (Neuere Editionen) 19
  (Nuntiaturberichte) 146
  (Österr. biogr. Lex.) 41
  (Repertorium d. dipl. Vertret.)
  102
  (Urk.forschung) 75
Santschy, J.-L. 30
Sattler, P. 74
Sautter, U. 63
Sawyer, P. H. 20
Schäfer, D. 132
Schaller, H. M.
  (DA) 106
  (Hist. Texte) 123
Schatz, R. 78
Scharffenorth, G. 86
Schätzel, W. 153
Schauff, J. 182
Scheler, E. 135
Schellhass, K. 144

Scherer, A. 176
Scheuner, D. 140
Scheuner, U. 155
Scheurig, B. 12
Schieche, E. 151
Schieder, T.
  (Gesch. als Wiss.) 11
  (Handb. d. eur. Gesch.) 53
  (HZ) 107
  (Propyläen Gesch.) 53
  (Vertreibung d. Deutschen) 188
Schieffer, T.
  (Dt. Gesch.) 60
  (Handb. d. eur. Gesch.) 53
  (HZ) 107
Schilfert, G. 58
Schimmelpfennig, B. 124
Schlenger, H. 90
Schlenke, M. 137
Schlesinger, W. 90
Schleswig-Holsteinische Frage, Die
  138
Schlochauer, H.-J. 38
Schlumbohm, J. 138
Schmale, F.-J.
  (Quellen z. dt. Gesch. d. MA)
  121, 122
  (Wattenbach) 116
Schmale-Ott, I. 121, 122
Schmauss, J. J.
  (Corpus iuris publ.) 155
  (Reichsabschiede) 147
Schmeck, H. 93
Schmeidler, B. 52
Schmidinger, H. 146
Schmidt, A. 122
Schmidt, J. 12
Schmidt, K. D.
  (Arbeiten z. Gesch. d. Kirchen-
  kampfes) 183
  (Die Kirche in ihrer Gesch.) 82
Schmidt, L. 52
Schmidt, Roderich 122
Schmidt, Ruth 122
Schmidt-Richberg, W. 86
Schmiegelow Powell, A.
  (Istor. zapiski) 112
  (Voprosy istorii) 114
Schmitz-Kallenberg, L.

(Historiographie) 115
(Urk.lehre) 75
Schmoller, G. 157, 158
Schmollers Jahrbuch f. Gesetzgebung 109
Schnabel, F. 117
Schneemelcher, W. 126
Schneider, Boris 12
Schneider, Burkhart 182, 183
Schneider, F. 52
Schneider, R. 124
Schnerb, R. 47
Scholz, K. 122
Schoen, W. Frhr. v. 48
Schönbrunn, G. 138
Schönhoven, K. 180
Schoeps, H.-J. 110
Schottelius, H. 108
Schottenloher, K. 24
Schottenloher, O. 105
Schrade, H. 95
Schrader, G. 200
Schramm, P. E.
(Hitlers Tischgespräche) 184
(Kriegstageb. OKW) 183
Schraepler, E. 169
Schriften d. Bibliothek f. Zeitgeschichte 21
Schrifttafeln z. dt. Paläographie 74
Schriftverkehr zwischen d. päpstl. Staatssekretariat u. d. Nuntius am Kaiserhofe, Der 146
Schroeder, F. v. 51
Schröder, J. 21
Schrötter, F. Frhr. v.
(Acta Boruss.) 157, 158
(Wörterb. d. Münzkunde) 77
Schücking, W. 172
Schulbuchinstitut, Internationales
(Grundbegriffe) 39
(Jahrbuch) 107
Schulbuch-Verlag, Bayerischer 67
Schuler, M. 141
Schulin, E. 43
Schulthess' europ. Geschichtskalender 103
Schulthess, H. 103
Schultheß, J. 141
Schultze, J.

(Duncker) 161
(FBPG) 106
(Mark Brandenburg) 90
Schulz, G.
(Deutschl. seit d. 1. Weltkrieg) 61
(Revol. u. Friedensschlüsse) 51
Schulz, W. 97
Schulze, Hagen 181
Schulze, Hans 75
Schumacher, B. 90
Schumacher, M. 195
Schumann, H.-G.
(Bibliographie) 190
(Die polit. Parteien) 21
Schüßler, W.
(Bismarck) 165
(Dalwigk) 160
Schütz, L. 36
Schütz, R. 201
Schwabe, K. 136
Schwarz, A. 57
Schwarz, D. W. H. 93
Schwarz, M. 42
Schwarz, R. 141
Schwarz, W. E. 146
Schwedischen Korrespondenzen, Die 151
Schweizer Landesbibliothek 30
Schweizer, J. 145
Schweizerische Zeitschrift f. Gesch. 109
Schwertfeger, B. 167–168
Schwertner, S. 35
Scupin, H. U. 155
SDG 38
Sée, H. 44
Seeck, O. 128
Seeliger, G. 73
Seibt, F. 31
Seidenindustrie, Die Preuß. 158
Séjourne, L. 50
Seligman, E. R. A. 37
Sella, P. 76
Selle, G. v. 74
Senckenberg, H. C. v. 147
Senkenberg, R. K. Frhr. v. 148
Seraphim, H.-G. 188
Setterwall, K. 29
Sibmacher, J. 76

ä, ö, ü, ae, oe, ue = a, o, u

Sickel, T. v. 73
Siebmacher, J. 76
Siège, Le Saint – et la guerre en Europe 183
Siegler, H. v. 103
Siemann, W. 116
Simmons, J. S. G. 28
Simon, G. 29
Simonsfeld, H. 59
Sims, J. M. 25
Simson, B. 59
Simson, E. 152
Singer, C. 95
Six, F. A. 171
Sjörgen, P. 29
Skalweit, A. 157
Skalweit, S. 158
Societas Goerresiana 142
Société d'histoire eccl. de la France 113
Sociète d'histoire générale 113
Société d'Histoire moderne 113
Société des Nations 100
Society, Royal Historical 24, 25
Sokop, B. 70
Solov'ev, S. M. 66
Sophie, Herzogin v. Hannover 133, 134, 135
Sophie Charlotte v. Preußen, Königin 135
Sources de l'histoire de France, Les 117
Souter, A. 37
Sovetskaja istoričeskaja enciklopedija 39
Soviet Foreign Relations and World Communism 28
Sowjetsystem u. demokratische Gesellschaft 38
Sozialgeschichte, Moderne dt. 88
Sozialismus, Religiöser 201
Sozialisten, Die frühen 200
Sozialökonomische u. pol. Voraussetz. d. Julirev. 1830 138
Sozialwissenschaftliche Informationen 109
Spahn, M. 153
Speculum 114
Sperl, R. 201
Spies, H.-B. 137

Spiethoff, A. 109
Spindler, A. 177
Spindler, M. 90
Spitzemberg, H. Freifrau H. v. 162
Spörl, J. 107
Spreckelmeyer, G. 106
»Spruner-Menke« 67
Spruner, K. v. 67
Spuler, B. 101
Srbik, H. Ritter v.
    (Geist u. Gesch.) 96
    (Österr.-Ungarns Außenpolitik) 168
    (Quellen z. dt. Pol. Österreichs) 162, 164
Staat, Der 109
Staat u. Erziehung 138
Staatliche Akten ü. d. Reichskonkordatsverhandlungen 181
Staatliche Archivverwaltung d. Min. d. I. 81, 82
Staatsarchiv Bremen 202
Staatslexikon 37
Staats-Lexikon, Das 37
Staatsverträge, Preußens 135
Stadelmann, R.
Staats-Wörterbuch, Deutsches 37
    (Bismarck) 165
    (Burckhardt) 11
    (Handb. d. dt. Gesch.) 56
    (Preußens Könige) 133
Stadtmüller, G. 109
Stadtmünsterische Akten 152
Stählin, K. 66
Stammen, T. 137
Stammfolge-Verzeichnisse 72
Stammler, W. 94
Stammtafeln, Europäische 69
Stammtafeln d. eur. Gesch. 70
Stammtafeln z. Gesch. d. eur. Staaten 69
Ständische Verhandlungen 153
Stasiewski, B. 182
Steffens, F. 73
Steglich, W.
    (Päpstl. Friedensaktion) 174
    (RTA) 149
Stein, E. 108
Stein, H.

(Les archives de l'hist. de France) 80
(Bibl. gén. des cartulaires) 27
(Répertoire bibl.) 26
Stein, K. Frhr. v.
    (Briefe) 159–160
    (Gedächtnisausg.) 120–123, 135–137
Stein, W. 133
Steinberg, H. 13
Steinberg, S. H.
    (Dt. Geschichtskalender) 103
    (New Dictionary of Brit. Hist.) 39
Steindorff, E. 59
Steinherz, S. 143
Steinmetz, M. 58
Steitz, W. 137
Stengel, E. E. 104
Stenographische Berichte ü. d. öff. Verhandl. d. Untersuchungs-ausschusses 173
Stenographische Berichte ü. d. Verhandl. d. dt. Reichstages 191–192
Stenographischer Bericht ü. d. Verhandl. d. dt. constit. Nat. versammlung 190
Stenton, F. M. 62
Stenton, M. 42
Stern, C. 38
Stern, F. 97
Stern, L.
    (Arch. Forsch.) 199–200
    (Lehrb. d. dt. Gesch.) 57
Sternberger, D. 91
Sternfeld, W. 43
Steuer, H. 124
Stier, H.-E.
    (Atlas) 67
    (WaG) 110
Stiennon, J. 73
Stieve, F. 150
Stoecker, H. 100
Stockhorst, E. 43
Stökl, G.
    (JbfGOE) 108
    (Russ. Gesch.) 66

Stolberg-Wernigerode, O. Graf zu 162
Stolper, G. 87
Stoltz, J. 139
Stolze, W. 157
Stoob, H. 122
Storia d'Italia 65
Stoerk, F. 99
Strecker, K. 94
Streisand, J. 57, 58
Stropp, R. 79
Strubbe, E. I. 69
Strupp, K. 38
Strutz, E. 72
Strutz-Ködel, M. 72
Studi medievali 114
Studi storici 114
Studien, Frühmittelalterliche 106
Studienbuch Geschichte 43
Studies, French Historical 112
Stuiber, A. 93
Stumpf-Brentano, K. F. 128
Stupperich, R. 140
Sturm, H. 73
Stüttgen, D. 201
Stutz, U. 110
Suárez Fernández, L. 65
Südosteuropa-Bibliographie 31
Südost-Institut 31
Suhle, A. 77
Survey of International Affairs 103
Sütterlin, B. 89
Svensk historisk bibliografi 29
Sybel, H. v.
    (HZ) 107
    (Kaiserurkunden) 74

Taddey, G. 38
Tangl, G. 122
Tanner, J. 77
Tapié, V.-L. 44
Taschenbuch Archivwesen 81
Taschenbuch, Genealogisches 70–71
Tautscher, A. 88
Taylor, A. J. P.
    (Engl. Hist. 1914–1945) 62
    (Struggle for Mastery) 55

ä, ö, ü, ae, oe, ue = a, o, u

Techen, F. 132
Technik-Geschichte 109
Technikgeschichte, Moderne 95
Tenenti, A. 49
Tenhaeff, N. B. 29
Ter Meulen, J. 153, 154
»Territorien-Ploetz« 89
Tessier, G. 75
Testamente ... des 16.–18. Jh.s,
   Politische 136
Texte/Mittelalter, Historische
   123–124
Texte/Neuzeit, Historische 138
Theatrum Europaeum 148
Theobald, L. 150
Theologische Realenzyklopädie
   35
Theorie d. Geschichtswiss. 11
Thesaurus linguae lat. 36
Thielen, P. G. 159
Thietmar v. Merseburg 121
Thil, K. W. H. Frhr. du Bos du
   160
Thimme, F.
   (Bismarck) 165
   (Große Politik) 166,168
Thomas, D. H. 81
Thomas, H. 26
Thomson, D. 55
Thrupp, S. L. 112
Thürauf, U.
   (Schottenloher) 24
   (Schulthess) 103
Thurnher, E. 92
Tiedemann, E. 43
Timm, A. 95
Tintner, G. 86
Tischgespräche, Hitlers 184
Toeche, T. 60
Toleranzedikt u. Bartholomäus-
   nacht 138
Toomey, A. F. 13
Torres López, M. 65
Totok, W. 13
Touchard, J. 91
Tourneur-Nicodème, M. 76
Toynbee, A. J. 103
Toynbee, V. 103
Traditio 114
Traube, L. 94

Trauzettel, R. 50
TRE 35
Treasure, G. 42
Treaty Series, The Consolidated
   98
Treaty Series. League of Nations
   100
Treaty Series. United Nations –
   100
Treitschke, H. v. 108
Treue, Wilhelm
   (Athenaion-Bilderatlas) 57
   (Wirtschaftsgesch.) 87
Treue, Wolfgang
   (Die dt. Parteien) 61
   (Parteiprogramme) 190
Treusch v. Buttlar, K. 156
Trial of the Major War Criminals
   179
Trials of War Criminals 186
Tribunal, Internation. Military
   186
Triepel, H. 99
Trillmich, W. 121
Trimborn, H. 48
Tschakert, P. 134
Tüchle, H. 82
Tudesq, A.-J. 64
Tudyka, J. 21
Tudyka, K. P. 21
Tümmler, H. 162
Türler, H. 41

Uebersberger, H. 168
Übersicht ü. d. Bestände des DZA
   80
Übersicht ü. d. Bestände des Geh.
   Staatsarchivs 79
Uhlirz, K.
   (Handb. d. Gesch. Österr.) 62
   (Jahrb. d. dt. Reiches) 59
Uhlirz, M.
   (Handb. d. Gesch. Österr.) 62
   (Jahrb. d. dt. Reiches) 59
   (Regesten d. Kaiserreichs) 127
Ulmann, H. 160
Ulrich, T. 68
Unesco 114

ä, ö, ü, ae, oe, ue = a, o, u

Unesco Bulletin international des sciences sociales 114
Unger, R. 80
Union, Die – u. Heinrich IV. 150
United Nations. List of Treaty Collections 101
United Nations. Treaty Series 100
United Nations War Crimes Commission 188
Universalgeschichte 43
Universal-Lexikon, Großes vollständiges 32
Universal-Register über [J. G. v. Meiern] 148
Universitas Gregoriana 111
Universität, Die mittelalterliche 124
UNTS 100
Urbain IV 129
Urbain V 130
Urbel, Fray J. Pérez de 65
Urkunden u. Actenstücke z. Gesch. d. Kurf. Friedr. Wilh. v. Brand. 152–153
Urkunden u. Aktenstücke z. Gesch. d. inn. Pol. d. Kurf. Friedr. Wilh. v. Brand. 153
Urkunden u. erzählende Quellen z. Ostsiedlung 122
Urkunden Kaiser Sigmunds, Die 127–128
Urkunden u. Siegel 73
Urkundenbuch, Hansisches 133
Urkundenbuch z. Reformationsgesch. d. Herzogthums Preußen 134
Ursachen des dt. Zusammenbruchs, Die 174
Ursachen u. Folgen 169–171
Urteil im Wilhelmstraßen-Prozeß, Das 188
Utet, Grande Dizionario Encl. 33

Valeri, N. 65
Valjavec, F.
  (Historia Mundi) 48
  (Südosteur.-Bibl.) 31
  (Weltgesch. d. Gegenwart) 51
Valsecchi, F. 65

Vaupel, R. 135
Vekene, E. van der 20
Verdenhalven, F. 69
Verdross, A. 85
Verein Deutscher Ingenieure 109
Verein f. Hansische Gesch. 133
Verfassungsfrage, Die dt. 138
Verfassungsgesch., Moderne dt. 84
Verfassungskonflikt, Der hannoversche 138
Verfassungskonflikt in Preußen, Der 138
Verhandlungen des dt. Reichstags 193
Verhandlungen, Politische 152
Verhandlungen, Ständische 153
Verhandlungen d. verfassunggebenden Dt. Nat.versammlung 193
Verhandlungen, Die – des 2. Unterausschusses . . . über die päpstl.Friedensaktion 174
Vernadsky, G.
  (Dictionary) 39
  (A History of Russia) 66
Veröffentlichungen d. Kommission f. Zeitgesch. 181–183
Vertrag v. Versailles, Der 136
Verträge d. Bundesrepublik Deutschland 100
Verträge d. frühen MA, Politische 123
Vertrags-Ploetz 99–100
Vertreibung v. Bischof J. B. Sproll 182
Vervaeck, S. 30
Verwaltungs- u. Behördenreform, Allgemeine 135
Verzeichnis lieferbarer Bücher 15
Verzeichnis d. schriftl. Nachlässe 79
VfZG 110
Vicens Vives, J. 65
Vidalenc, J. 44
Vidier, A. 26
Vierhaus, R.
  (Baronin Spitzemberg) 162
  (Dt. Geschichte) 61
  (Histor. Texte) 138
Vierteljahrsblätter, Rheinische 109

Vierteljahrshefte, Bibliographische
20–21
Vierteljahrshefte f. Zeitgeschichte
110
Vierteljahrsschrift, Dt. – f. Lit.-
wiss.
105–106
Vierteljahrsschrift, Historische 107
Vierteljahrsschrift f. Sozial- u.
Wirtschaftsgesch. 110
Vieusseux, G. P. 111
Vildhaut, H. 116
Villat, L. 44
Villiers, J. 48
Visconti, A. 65
Vives, J. Vicens 65
Vogel, Barbara 12
Vogel, Bernhard 91
Vogel, J. 106
Vogel, Walter 189
Vogel, Werner 201
Vogelsang, T.
   (Bibl. z. Zeitgesch.) 22
   (Dt. Gesch. seit d. 1. Weltkr.) 61
   (dtv-Weltgesch.) 51
   (Lex. z. Gesch. u. Pol.) 38
   (Die nationalsozialist. Zeit) 60
Vogt, E. 62
Vogt, M. 181
Voigt, E. 57
Volk, L. 182
Völker, Staaten u. Kulturen 67
Völkerrecht (Lehrbuch) 85
Völkerrecht im Weltkrieg, Das 174
Voltaire 134
Volz, G. B.
   (Acten z. Vorgesch. d. Siebenj.
   Krieges; Briefw. Friedr. d. Gr.)
   134, 135
   (Werke Friedr. d. Gr.) 156
Volz, H. 171
Voprosy istorii 114
Voraussetzungen, Soz.ök. u. pol.
   – d. Julirevolution 1830 138
Vorgeschichte u. Anfänge d.
   30jährig. Krieges 136
Vorgeschichte des Weltkrieges, Die
173
Vormärz u. Revolution 137
Vossler, K. 93

Voet, L. 69
Vovelle, M. 64
VSWG, 110

WaG 110
Wagener, H. 37
Wagner, F.
   (Archiv f. Kulturgesch.) 104
   (Eur. im Zeitalter d. Absolutis-
   mus) 48
   (Handb. d. eur. Gesch.) 53
Wagner, H. 151
Wagner, J. V. 195
Wagner W.
   (dtv-Weltgesch.) 51
   (Europa-Archiv) 106
   (Die internat. Politik) 103
Wahl der Parlamente, Die 91
Wahl, A. 52
Waitz, G.
   (Dt. Verfassungsgesch.) 83
   (Jahrb. d. Dt. Reiches) 59
Walch, J. G. 139
Walder, E. 52
Waldersee, A. Graf v. 161
Waldschmidt, E. 48
Wallace-Hadrill, J. M. 112
Wallach, F. 38
Wallmann, J. 60
Wallthor, A. Hartlieb v. 159
Walsh, R. J. 20
Walter, F.
   (Maria Theresia) 136
   (Öst. Verfassungsgesch.) 84
Walter, G.
   (Catalogue de l'histoire) 27
   (Répertoire de l'histoire) 27
Walter, J. v. 142
Walther, J. L. 148
Wandruszka, A.
   (Nuntiaturberichte) 143
   (Walter, Verfassungsgesch.) 84
Wappenbuch, Johann Siebmacher's
76
Wappenfibel 76
Ward, A. W. 54
Watson, H. S. 55
Watson, J. S. 62

Wattenbach, W.
  (Bibl. rerum Germ.) 120
  (Deutschlands Gesch.quellen) 115–116
  (Schriftwesen) 72
Weber, Hans H. 22
Weber, Hellmuth 200
Weber, O.
  (Calvin) 141
  (Evangel. Kirchenlex.) 35
Wecerka, H. 61
Weden, F. 115
Weg zur Reichsgründung, Der 137
Wegener, W. 68
Wehler, H.-U.
  (Bibliogr. z. mod. Wirtsch.-gesch.) 89
  (Bibliogr. z. mod. Soz.gesch.) 89
  (Das Dt. Kaiserreich) 61
  (Gesch. u. Soziologie) 86
  (Mod. dt. Sozialgesch.) 88
Wehrforschung 107
Wehrwissenschaftliche Rundschau 110
Weigel, H. 131, 132
Weill, G. 46
Weimann, K.-H. 13
Weimarer Republik, Die 137
Weinrich, L. 122, 123
Weis, E. 53
Weisungen f. d. Kriegführung, Hitlers, 184
Weisz, C. 189
Weitzel, R. 13
Weizsäcker, J. 131
Welcker, C. 37
Weller, A. 89
Weller, K. 89
Welt als Geschichte, Die 110
Weltatlas, Großer historischer 67
Weltgeschichte 49
Weltgeschichte in Daten 43
Weltgeschichte in Einzeldarstellungen 48
Weltgeschichte d. Gegenwart (F. Valjavec) 51
Weltgeschichte der Gegenwart (M. Freund) 172
Weltgeschichte d. Gegenwart in Dokumenten 172

Weltkrieg 1914 bis 1918, Der 176–177
Weltkriege u. Revolutionen 138
Weltkriegsbücherei 21
Welzig, W. 142
Wendung in d. dt. Innenpolitik, Die 138
Wenskus, R. 122
Wentz, G. 132
Wentzcke, P. 161
Wer ist's 41
Werk des Untersuchungsausschusses, Das 172–174
Wermter, E. M. 151
Wernham, R. B. 54
Wernicke, K. G. 195
Westermanns Atlas z. Weltgesch. 67
Westfalen, Der Raum 89
Westfälischer Friede 136
Wetzer und Welte's Kirchenlexikon 34
Whitney, J. P. 53
Who's Who 40
Who's Who of British Members of Parliament 42
Who's Who in History 42
Widukind v. Korvey 121
Wiener Kongreß, Der 136
Wiener Library, The 24
Wieser, K. 20
Wiesflecker, H. 136
Wigard, F. 190
Wilhelm, F. 50
Williams, B. 62
Williams, T. J. 95
Wilson, C. H. 87
Windelband, W. 165
Winkelmann, E.
  (Acta Imperii ined.) 123
  (Philipp v. Schwaben) 60
  (Regesten d. Kaiserreichs) 127
Winter, G.
  (Quellen z. Gesch. d. Parl.) 194
  (Verwaltungs- u. Behördenreform) 135
Winter, O. F. 102
Wiora, W. 95
Wippermann, K. 103

Wirtschaft u. Gesellschaft in Frankreich 88
Wirtschaftsgeschichte, Moderne dt. 88
Wissowa, G. 34
Witetschek, H. 181, 182
Wittenberg, H.-W. 42
Wittstadt, K.
  (Nuntiaturberichte) 145
  (Quellen z. kath. Reform) 136
WKB 21
Wodke-Repplinger, I. 13
Wohlfeil, R.
  (Quellen z. Reformation) 136
  (Reichswehr) 86
Wohlgemuth-Kotasek, E. 102
Wolbert, R. G. 22
Wolf, E. 82
Wolf, G. 117
Wolf, H. 80
Wolff, F. 152
Wollasch, J. 124
Wollindustrie 158
Wollstein, G. 137
Wolters, C. 95
Wolters, F. 153
Woodward, E. L. 62
World List of Historical Periodicals 22, 114
World War II 22
Woronoff, D. 64
Wörterbuch, Biographisches – z. dt. Gesch. 42
Wörterbuch, Mittellateinisches 36
Wörterbuch der Münzkunde 77
Wörterbuch d. Völkerrechts 38
Woytecki, D. 122
WR 110
Wrede, A. 149
Writings on American. History 26
Writings on British History 24
WUA 172–174
Wulf, P. 181
Wunder, H. 12
Wurzbach, C. v. 41
Wyduckel, D. 155

Year Book. Publications of the Leo Baeck Institute 114

Zapisiki, Istoričeskie 112
Zaunmüller, W. 13
Zechlin, E.
  (Einheitsbewegung/Reichsgründung) 60
»Zedler« 32
Zeeden, E. W.
  (Handb. d. Kulturgesch.) 92
  (Propyläen Gesch.) 53
Zeidler, J. G. 139
Zeit des Nationalsozialismus, Die 137
Zeitkalender der diplomatischen Akten des AA 168
Zeitschrift, Archivalische 105
Zeitschrift, Byzantinische 105
Zeitschrift, Deutsche – f. Gesch.-wiss. 107
Zeitschrift f. Gesch.wiss. 110
Zeitschrift, Historische 107
Zeitschrift f. historische Forschung 110
Zeitschrift f. Kirchengesch. 110
Zeitschrift f. Militärgeschichte 110
Zeitschrift f. Ostforschung 110
Zeitschrift f. Religions- und Geistesgesch. 110
Zeitschrift d. Savigny-Stiftung f. Rechtsgesch. 110
Zeitschrift f. schweizerische Gesch. 109
Zeitschrift, Schweizerische – f. Gesch. 109
Zeitschrift f. Wirtschafts- u. Sozialwiss. 111
Zeldin, T. 56
Zeller, G. 47
Zeller, O. 17
Zentraldirektion d. MGH 118
Zentralrat d. dt. sozialist. Republik, Der 180
Zentralstelle f. Dt. Personen- u. Familiengesch. 72
Zeumer, K.
  (Indices ... MGH) 120
  (Quellensammlung) 146, 189
ZfG 110
ZfO 110
Ziebura, G. 88
Ziegler, J. 22

ä, ö, ü, ae, oe, ue = a, o, u

Ziegler, W. 182
Zimmermann, H.
  (Das Mittelalter) 53
  (Papstregesten) 127
Zimmermann, J. 85
Zischka, G. A. 13
ZKG 110
Zorn, W.
  (Handb. d. dt. Wirtsch.gesch.;
  Einführung) 87

Zoske, H. 108
ZRG 110
Zscharnak, L. 35
Žukov, E. M.
  (Sovetskaja istor. encikl.) 39
  (Weltgesch.) 49
Žurnal, Istoričeskij 113, 114
Zverev, R. J. 113
Zwicker, H. 140
Zwingli, U. 141

ä, ö, ü, ae, oe, ue = a, o, u